Vivre écolo

POUR LES NULS

Vivre écolo pour les Nuls
Titre de l'édition américaine : Green Living for Dummies
Publié par
John Wiley & Sons, Ltd
The Atrium
Southern Gate
Chichester
West Sussex
PO19 8SQ
England

ISBN : 978-2-7540-0707-8
Dépôt légal : 2e trimestre 2008

Nous nous efforçons de publier des ouvrages qui correspondent à vos attentes et votre satisfaction est pour nous une priorité. Alors n'hésitez pas à nous faire part de vos commentaires :

Éditions First
2 ter, rue des Chantiers
75005 Paris
e-mail : firstinfo@efirst.com
Site internet : www.efirst.com

Édition : Élodie Le Joubioux
Traduction : Dominique Taffin-Jouhaud
Production : Emmanuelle Clément
Mise en page : Reskatoя ✿
Imprimé en France

En avant-première, nos prochaines parutions, des résumés de tous les ouvrages du catalogue. Dialoguez en toute liberté avec nos auteurs et nos éditeurs. Tout cela et bien plus sur Internet à www.efirst.com

Vivre écolo
POUR LES NULS

Liz Barclay
Michael Grosvenor

Adaptation par
Nelly Bonnefous

Franck Laval
Président d'Écologie sans Frontière

FIRST
Editions

Préface

Dérèglement climatique et son cortège de tempêtes et inondations, pollutions chimiques et atmosphériques, extinction des espèces... tous ces maux pour en arriver à cette conclusion : la Terre est en danger, l'espèce humaine elle-même est menacée, il y a donc urgence.

Il faut faire face à la dure réalité.
Les scientifiques du GIEC (le Groupement international des experts du climat) reçoivent le prix Nobel de la paix lorsqu'ils annoncent que, par notre faute, la Terre court droit à la catastrophe à cause du réchauffement climatique. Nous utilisons de façon boulimique toutes les ressources de la Terre et nous mettons donc la planète en danger.

Un Français, en moyenne, envoie directement dans l'atmosphère entre 8 et 9 tonnes de CO_2 chaque année. Un exemple : notre habitat génère le quart des émissions de gaz à effet de serre.

L'exploitation de plus en plus frénétique des ressources naturelles a amélioré notre quotidien pendant quelques dizaines d'années, mais à quel prix pour les générations futures ?

Nous sommes tous victimes des pollutions que nous produisons, mais nous sommes également tous responsables de l'avenir de notre planète. La lutte contre le réchauffement climatique est notre affaire. Chacun à notre niveau, nous pouvons faire quelque chose. Le moindre geste compte, la plus petite action individuelle est importante et il suffit que l'on s'y mette pour changer la donne radicalement.

Vivre écolo pour les Nuls nous donne enfin les clés pour que tous ensemble nous entrions dans une nouvelle ère : celle du développement durable. Les outils de l'écologie au quotidien sont tous à notre disposition dans ce livre, il ne reste plus qu'à les utiliser.

Franck Laval
Président d'Écologie sans Frontière

À propos des auteurs

Liz Barclay a été conseillère et formatrice au Citizens Advice Bureau, organisme d'informations citoyennes. Elle offre toujours son aide aux petites entreprises et aux petits commerces, notamment pour la gestion de leurs relations avec le personnel et les clients.

Liz sait utiliser les médias ; elle présente « You and Yours », une émission de conseils pratiques sur Radio 4, et a collaboré à diverses émissions financières pour la BBC, sur les ondes et à la télévision. Elle a publié des articles pour *News of the World, The Express, Moneywise, Family Circle, Save Money* et pour les pages financières du *Mail on Sunday*. Elle a également signé *UK Law* et *Your Rights for Dummies* ainsi que *Small Business Employment Law for Dummies*.

Michael Grosvenor a imposé ses talents de conseiller à l'aménagement urbain et d'auteur indépendant spécialisé dans les questions d'aménagement durable. Par le biais de ses écrits et travaux, il assure la promotion des choix de vie durables. Michael est particulièrement compétent dans les questions relatives aux transports. Il dispense ses recommandations au secteur privé et public anglais pour encourager l'utilisation des transports publics, la marche à pied et les aménagements favorables à la bicyclette, et défend la place des transports en commun dans nos villes.

Titulaire d'un master en urbanisme et en recherche appliquée aux affaires sociales, Michael possède un cabinet de conseil. Il est également membre du Planning Institute of Australia (Institut australien de planification), auquel il apporte son expérience en matière d'aménagement du territoire et d'organisation des transports. Michael a vécu et étudié à New York, et vit actuellement à Sydney, en Australie.

À propos des adaptateurs

Nelly Bonnefous est responsable de la communication d'Écologie sans Frontière.

Militante dans la vie, elle applique au quotidien tous les gestes conseillés par *Vivre écolo pour les nuls*. Militante également dans son métier d'« éco-journaliste », elle veut faire passer des idées simples au plus grand nombre car « Les petits gestes sont dérisoires sauf si nous sommes des millions ! » Pour ce faire, elle réalise des émissions de télévision qui s'adressent à des millions de téléspectateurs : par exemple un docu-fiction intitulé « 2025, le futur en face » ou « Vue du Ciel », l'émission de Yann Arthus-Bertrand, tous deux diffusés sur France 2 ; elle a également réalisé « Maud d'emploi », une émission de coachs écologiques qui apprennent à une famille comment vivre de manière écolo, sur TF1.

Franck Laval est le président d'Écologie sans Frontière.

Breton parisien, il s'engage très jeune dans l'action pour la défense de l'environnement. Après le bac, il milite à plein temps aux Amis de la Terre et à Greenpeace. Il s'engage sur tous les terrains qui lui permettent de défendre les causes écologiques : manifestations, grèves de la faim et, bien sûr, combats politiques.

En 1998, il crée une association spécialisée dans le droit de l'environnement : Écologie sans Frontière.

Franck Laval est aussi l'initiateur du Comité anti-marée noires (première partie civile dans le procès du naufrage de l'Erika).

Il est enfin, et surtout avec son ami Nadir Saïfi, à l'origine du Grenelle de l'environnement.

Sommaire

· ·

Introduction **1**

À propos de ce livre 1

Les conventions utilisées dans ce livre 2

Hypothèses gratuites 3

L'organisation de ce livre 3

    Première partie : Votre environnement, vos responsabilités 3

    Deuxième partie : Une vie plus écologique 4

    Troisième partie : Acheter écolo 4

    Quatrième partie : Penser écolo ailleurs que chez soi 5

    Cinquième partie : Voyager sans endommager la planète 5

    Sixième partie : La Partie des Dix 6

Les icônes utilisées dans ce livre 6

Par où commencer ? 7

Première partie : Votre environnement, vos responsabilités *9*

Chapitre 1 : Être plus écolo pour le bien de la planète et de ses habitants . 11

    Comprendre l'impact de vos choix 12

    Changer ce que vous pouvez, comme vous le pouvez 13

        Faire de petits gestes 14

        Créer de nouvelles habitudes à la maison 15

        Mesurer votre empreinte environnementale 16

        Miser sur la neutralité carbone 16

    Respecter l'idée essentielle de la conservation 17

    Acheter des produits conformes à l'éthique et écolo 19

    Respecter l'environnement au travail 20

    Voyager malin 21

    Mieux investir 21

    Créer une société écolo 22

        Organiser des projets communautaires viables 23

        Soutenir les initiatives locales 24

        Soutenir les commerçants locaux 25

    Glaner les fruits d'un style de vie écologiquement durable 25

        Protéger l'environnement permet de faire des économies 25

        Être écolo, c'est être rentable 26

        Vivre écolo vous protège des médecins 26

        Laisser un héritage vert aux générations futures 27

Chapitre 2 : Comprendre l'environnement et ses problèmes 29

Réflexions sur la consommation 30
Changement climatique 30
    Le réchauffement de la planète 31
    Ignorer le temps qu'il fait – à vos dépens 32
    Repérer les signes du changement climatique 33
Réflexions sur l'impact humain 34
    La production de déchets toxiques 34
    L'épuisement énergétique 35
    Réduire les déchets 35
    La croissance de la population urbaine 35
Confrontation aux problèmes de santé 38
    Propagation de virus virulents 38
    Besoin d'air 38
    Pollution de l'eau 39
    Empoisonnement de la nourriture 39
L'épuisement des ressources 40
L'invisible peut vous faire du mal 42
    Vous n'avez besoin que de l'air que vous respirez 42
    Le géant rampant – les déchets toxiques dans votre eau ... 43
Penser en termes de mondialisation, agir au niveau local 44

Deuxième partie : Vivre écolo 47

Chapitre 3 : Vivre dans une maison verte 49

Imaginer la maison idéale sur le plan du développement durable ... 50
    Sérier les questions – plus grand n'est pas toujours charmant ... 50
    Concevoir sa maison pour ne pas gaspiller d'énergie 51
Explorer les énergies renouvelables 53
    Créer votre énergie verte 54
    Acheter et vendre de l'électricité verte 58
Faire le tour des lieux verts 59
    Se concentrer sur ce qui est proche 59
    Comparer la vie à la campagne et la vie à la ville 60
    Vérifier quels sont les choix de votre mairie 63
Adapter votre maison actuelle aux exigences écolo 63
    Réduire votre consommation d'énergie 64
    Faire baisser votre consommation d'eau 66
    Isoler pour économiser 67
    Se servir correctement des appareils ménagers 68
Construire la maison verte de vos rêves 70

Chapitre 4 : Vivre écolo chez vous 73

Travailler dans une cuisine verte 73
    Moins compter sur les appareils électriques 74

Bien utiliser l'eau 75
Trier les déchets domestiques 77
Patauger dans votre salle de bains verte 78
Réduire la consommation d'eau au minimum 78
Prendre des douches plutôt que des bains 79
Tirer la chasse moins souvent 79
Adopter des produits cosmétiques verts 80
Caresser des idéaux écolo dans la salle de séjour 82
Trouver des loisirs écolo 82
Cesser de tout mettre en veille 83
Baisser le thermostat et enfiler un pull 83
Bien dormir dans votre chambre verte 84
Laver vert 85
Se servir de détergents verts 85
Garder la température au minimum 86
Sécher naturellement 86
Récurer écolo 87
Nettoyer sans produits chimiques 88
Remplacer les aérosols par des systèmes écolo 90
Acheter les produits nettoyants verts 90
Sensibiliser les enfants aux questions écolo 91
Organiser votre enterrement écolo 93

Chapitre 5 : Jardiner plus vert **95**
Équilibrer l'écosystème du jardin 95
Surveiller l'arrosage 97
Réfléchir aux sources d'approvisionnement et aux méthodes d'arrosage 97
Tenir compte des besoins en eau de vos plantes 98
Faire pousser vos légumes 98
Jardiner bio 98
Jardiner petit 100
Jardiner à couvert 101
Jardiner pour la communauté 102
Louer un jardin 102
Oublier les produits chimiques et les accessoires gourmands en énergie 103
Donner une seconde vie à vos déchets 103
Composter vos déchets 104
Miser sur la lombriculture 105
Entretenir la pelouse, les arbres et la vie sauvage 107
Entretenir la pelouse 107
Planter des buissons et des plantes locales 108
Encourager la vie sauvage 108
Concevoir un espace extérieur propice à l'écologie 110

Chapitre 6 : Limiter les déchets et les appétits **113**
Comment vous gâchez votre vie 113
Viser le zéro déchet 114

Se débarrasser des objets inutiles 114

Les décharges et l'incinération 115

Réduire les déchets avec les trois (ou les cinq) R 115

Réduire 116

Réutiliser 118

Réparer 119

Recycler 120

Réoffrir 124

Se débarrasser des appareils électroniques (utiliser la directive DEEE) 124

La montagne des téléphones mobiles 125

Le moyen de se débarrasser des ordinateurs 126

Choisir de ne pas tout jeter 127

Décider de ce qui pourrait intéresser les autres 127

Offrir à autrui 128

Vendre et acheter dans le monde en 3 D 129

Organiser un vide-grenier 130

Acheter et vendre en ligne 131

Troisième partie : Le shopping vert 135

Chapitre 7 : Vivre pour manger ou manger pour vivre ? 137

Réfléchir à ce que signifie l'alimentation biologique 138

Étudier les ingrédients et les méthodes 140

Qu'est-ce que la nourriture biologique ? 141

La clé des aliments génétiquement modifiés 146

Lire l'étiquette 148

Connaître la traçabilité des produits que vous consommez 149

Consommer des produits locaux 150

Manger des légumes de saison 151

Réduire les distances parcourues par les légumes 151

Manger de la viande 152

Être un carnivore vert 153

Les poissons durables 154

Être végétarien 155

Choisir où acheter vos aliments 157

Acheter au supermarché 157

Sortir de la logique du supermarché 159

Rencontrer le maraîcher de votre marché local 159

Connaître le fermier du coin 160

Le panier du jardinier 161

Récolter vos fruits et légumes 161

Faire pousser vos fruits et légumes 161

Manger dehors 162

Comprendre les enjeux du commerce équitable 162

Chapitre 8 : Bien habiter ses habits **165**

S'habiller écolo 166

Tirer le fil de vos habits jusque dans les pays d'outre-mer 167

Vivre dans le monde de la matière 170

Porter des matières vertes 170

Faire le lien entre les vêtements et le pétrole 171

Savoir que les matières naturelles ne sont pas forcément écologiques 171

Pour ou contre le cuir 173

Acheter des vêtements verts 173

Apprécier les vêtements d'occasion et les vêtements anciens 175

Se débarrasser des vêtements usagés 177

Chapitre 9 : Miser sur votre éthique **179**

Faire verdir votre argent 179

Ouvrir un compte conforme à l'éthique 180

Investir dans des placements éthiques 182

Faire verdir votre retraite 183

Placer votre argent sur des actions conformes à l'éthique 183

Investir dans l'assurance 184

Choisir une institution éthique 184

Étudier les pratiques de prêt 185

Retirer des avantages de vos placements en banque 185

Miser sur une banque alternative 186

Emprunter pour construire une maison verte 186

Monter un dossier d'emprunt écolo 187

Obtenir des prêts pour apporter des transformations écologiques 187

Rénover des propriétés anciennes pour en faire des maisons vertes 188

Se débrouiller sans argent liquide 188

Investir dans les SEL (système d'échange local) 188

Partager vos compétences à la Banque du temps 189

Donner de manière éthique 189

Trouver un conseil financier écolo 191

Quatrième partie : Penser écolo au seuil de la maison *193*

**Chapitre 10 : Appliquer vos idées pour créer un environnement
plus écolo** **195**

Convaincre la société où vous travaillez d'adopter de nouvelles habitudes ... 196

Rendre votre bureau plus écolo 198

Encourager les voyages écolo 199

Rendre un bâtiment plus écolo 199

Acheter plus vert 200

Se passer de papier 201

Le télétravail ne fait pas seulement économiser l'essence 202

Réduire les temps de transport 203

Le télétravail en action 204
Être éthique et écolo 205

Chapitre 11 : Cultiver l'école verte 209

Sensibiliser les enfants assez tôt 210
Aller à l'école 210
Marcher sur le chemin de l'école 210
Partager la voiture sur le chemin de l'école 211
Changer votre vision de l'école 213
Parler des questions écologiques 213
Obtenir des conseils pour économiser l'énergie 214
Initier des projets écolo 214
Faire pousser des légumes à l'école 216
Privilégier les déjeuners verts 216
Visiter la décharge locale 216
Planter des arbres 217
Créer un prix écolo 218
Vérifier que votre université est bien verte 218

Cinquième partie : Voyager sans endommager la planète 221

Chapitre 12 : Choisir judicieusement votre moyen de transport 223

Apprendre à moins compter sur les voitures 224
Réduire votre utilisation de la voiture 224
Contribuer à résoudre la crise de l'énergie 226
Choisir des options de transport durables 228
Opter pour les transports en commun 228
Aller au travail par des moyens écolo 232
Se servir de ses jambes pour marcher (et pour pédaler) 233
Créez la différence en profitant de meilleurs aménagements
de transport sur votre lieu de travail 234
Faire ses courses sans se fatiguer... à la maison 236
Ne plus faire autant de kilomètres en l'air 237

Chapitre 13 : Encourager la transformation écolo de la voiture... 239

Mieux conduire, conduire plus écolo 240
Éveiller l'intérêt de vos proches pour les énergies alternatives 241
Opter pour les biocarburants et pour le biodiesel 242
Le bon mélange (pour le carburant) 243
Saluer l'avenir de l'hydrogène 243
Prendre le vent du gaz naturel 244
Miser sur la voiture de l'avenir 245
Trouver ce qui est disponible sur le marché automobile 246
Consulter votre boule de cristal 249

Il est plus écolo de rouler sur deux roues que sur quatre 249
Payer les péages 250
    Le projet de taxe au kilomètre 250
    L'heure des amendes pour les gourmands en essence 250

Chapitre 14 : Devenir un touriste écolo **251**
    Mesurer le poids du tourisme sur l'environnement 252
    Réduire les voyages en avion 252
        Calculer le coût du budget des compagnies aériennes 253
        Préférer le train 253
        Prendre l'avion en respectant la neutralité carbone 254
    Devenir un touriste vert responsable 255
        Sérier les différents types de voyages écolo 255
        Réduire l'impact de vos vacances 256
    Organiser des vacances vertes 257
        Choisir votre lieu de villégiature 257
        Y aller et en revenir 258
        Séjourner sur place 258
        À Rome, faites comme … 259
    Découvrir l'écotourisme 260
        Traverser les hauts lieux de l'écotourisme 262
        Agir de manière naturelle 263

Sixième partie : La Partie des Dix **265**

Chapitre 15 : Dix décisions de développement durable que vous pouvez prendre aujourd'hui **267**
    Organiser votre recyclage 267
    Réduire votre utilisation de la voiture 268
    Décider de votre autarcie énergétique 269
    Voir la lumière 270
    Changer de fournisseur en énergie 270
    Fermer le robinet 270
    N'acheter que le nécessaire 271
    Faire participer tous les occupants de la maison 272
    Rester informé 272
    Décider de s'impliquer davantage dans un mode de vie écolo 273

Chapitre 16 : De super sites web bourrés d'informations **275**
    Évaluer votre impact sur la planète :
    www.wwf.fr/s_informer/calculer_votre_empreinte_ecologique 276
    Le réseau associatif français : www.l'alliance.fr/associations-membres/ 276
    Les défenseurs de la biodiversité 276
    Les choix écolo : www.ademe.fr 276

Le guide du consommateur écolo :
www.planetecologie.org et www.agora21.org 277
Les répertoires verts 277
La fédération France Nature Environnement (FNE) 277
La fondation Nicolas Hulot 277
La Terre vue du ciel : www.yannarthusbertrand.com 278

Chapitre 17 : Dix idées vertes à mettre en pratique **279**
Freecycling (cadeaucyclage) 279
Acheter des caisses de légumes bio 280
Manger avec vos enfants 281
Acheter des produits du commerce équitable 281
Acheter des accessoires verts 281
Miser sur l'énergie verte 282
Faire des fêtes vertes 282
Se muscler par des exercices écolo 283
Des cheveux verts pour l'écologie 284
Prendre des locataires écolo 284

**Chapitre 18 : Dix (ou douze) choses à dire à vos enfants à propos
du développement durable** **287**
Appliquer les 3 R 287
Limiter les emballages 288
Étudier les aliments 288
Aider votre jardin à pousser 289
L'écologie, c'est branché 290
Réduire les factures d'électricité 290
Calculer le coût de la voiture et de l'avion 291
Limiter la consommation d'eau 292
S'investir dans des projets de protection de la planète 292
Respecter les autres cultures 293
Faire carrière dans la vie écolo 293
Sensibiliser les enfants 293

Chapitre 19 : Dix projets écolo pour impliquer toute la communauté **295**
Agir pour la défense de la nature 296
Construire des centres axés sur le changement 296
Permettre aux écoles d'ouvrir la voie 296
Restaurer le passé 297
Régénérer les communautés 298
Projets de recyclage des déchets 298
Covoiturage 299
L'autopartage 299
Commerce local 299
Bénévolat virtuel 300

Annexes **301**

    Des avis verts 301

    Les guides verts d'achat 303

    Énergie 303

    Alimentation 304

    Jardinage 304

    Santé 305

    Vacances 305

    Magazines 305

    Marchandises recyclées 306

    Shopping 306

    Transport et voyages 307

    Quelques livres 307

Index **309**

Introduction

● ●

Bienvenue dans l'univers de *Vivre écolo pour les Nuls* ! Si vous vous
intéressez à l'environnement, si vous voulez savoir pourquoi nous
sommes nombreux à nous soucier de l'avenir de la planète, si vous
souhaitez découvrir comment agir en sa faveur, ce livre est pour vous. Je
ne prétends pas connaître la recette miracle – la plupart des scientifiques
n'arrivent pas à se mettre d'accord sur les modalités à suivre. Mais beaucoup
d'entre nous pensent que les êtres humains épuisent des ressources
précieuses sans satisfaire les besoins de tous, ni recycler la plus grande
partie de leurs déchets. Souvent, les gens se croient autorisés à perpétuer
ces habitudes sans dommage. Cet ouvrage suggère quelques méthodes
visant à réduire les effets néfastes que vous et votre famille pouvez causer à
la nature.

À propos de ce livre

Cet ouvrage donne des conseils simples pour rendre votre style de vie plus
écologique. Les deux premiers chapitres exposent le problème tel qu'il est
présenté par de nombreux experts. Nous décrivons ses sources principales,
l'impact qu'il a sur la planète et les conséquences prévisibles si les hommes
ne changent pas de comportement. La suite du livre vous explique ce que
vous pouvez entreprendre pour modifier la situation. Les idées ne manquent
pas si vous vous accordez le temps de les découvrir.

Vivre écolo détaille les pratiques les moins nocives pour l'environnement
et les formes de vie qui l'habitent. Vous y trouverez toutes sortes de
suggestions pour que votre existence soit un peu plus verte : vous pouvez
utiliser moins souvent votre voiture, prendre moins l'avion, déguster les
produits locaux, vous servir de vinaigre et non de cocktails chimiques pour
faire votre ménage.

Vivre écolo suppose également de ne pas trop porter tort aux voisins, aux
animaux, aux plantes, aux insectes. Il s'agit d'un mode de pensée globale
qui vous conduira à mieux choisir ce que vous achetez, en vérifiant que les
animaux ne souffrent pas. En vous procurant la nourriture, les vêtements,
les produits de maquillage et les médicaments nécessaires, vous saurez
que ceux qui travaillent loin de chez vous reçoivent un paiement équitable
en échange des biens produits, qu'ils bénéficient de conditions de travail

et de vie décentes. Généralement, ce mode de consommation est qualifié d'« éthique », mais nous préférons parler de « vie écolo ».

Notre vision de l'environnement et de l'écologie change en permanence. Tous les jours, les journaux et les magazines présentent des articles qui en contredisent d'autres, écrits la semaine précédente. Beaucoup de gens accusent d'hystérie ceux qui jugent que les humains et leurs actions sont nocifs pour l'environnement. Certains scientifiques sont aussi de cet avis. D'autres pensent que la science sauvera la planète et qu'il n'est pas utile de limiter ses lointains trajets d'agrément en avion. À bien y réfléchir, il est impossible que des milliards de gens continuent à épuiser les ressources de la terre et à fabriquer des tonnes de déchets sans que cela exerce un impact négatif. Même si vous ne croyez pas aux prédictions les plus pessimistes, il est utile de vivre écolo, ne serait-ce que pour embellir le cadre de votre existence.

Il serait utopique de vouloir vous apporter des réponses définitives. Ce livre vise donc à vous faire réfléchir, à éveiller votre intérêt et à vous faire adopter une attitude plus écologique. L'idée, c'est qu'il vaut mieux faire quelque chose que rien du tout, sans toutefois se fixer des objectifs inaccessibles. Vous ne pouvez pas changer votre style de vie en un clin d'œil. Tout d'abord, adoptez des changements élémentaires, puis plus ambitieux, au fur et à mesure que vous pourrez les financer et les gérer. Quand vous aurez opté pour un comportement écolo, cela deviendra une seconde nature chez vous, et vous découvrirez que c'est une question de bon sens. En prenant soin de votre voisinage, vous finirez par protéger l'environnement et les gens qui y vivent.

Les conventions utilisées dans ce livre

Pour faciliter votre lecture, nous utilisons certaines conventions :

- ✔ Les *italiques* révèlent la présence de nouveaux termes, soulignent des différences de signification importantes entre certains mots qui sont utilisés pour la première fois, par exemple celui de *neutralité carbone*.

- ✔ Les adresses de sites web apparaissent sous une police de caractères spéciale, comme dans l'adresse www.efirst.com. Si une URL occupe plus d'une ligne, n'insérez ni espace ni tiret entre les caractères de la première ligne et ceux de la seconde.

- ✔ Les encadrés grisés contiennent des informations qui peuvent n'intéresser que certains lecteurs. Toutefois, même si celles-ci ne vous concernent pas, vous les trouverez peut-être utiles à l'avenir.

Hypothèses gratuites

Sans prétendre lire dans vos pensées, nous avons émis quelques hypothèses gratuites vous concernant, cher lecteur :

- ✔ Vous avez acheté ce livre parce que vous voulez vivre écolo.
- ✔ Vous n'êtes pas un scientifique et vous ignorez les dernières tendances en matière de défense de l'environnement, d'impact humain sur la nature.
- ✔ Vous souhaitez bénéficier de quelques conseils pratiques pour vivre de manière plus écologique sans vouloir changer la face du monde en un clin d'œil.
- ✔ Vous n'avez pas honte de montrer un livre « pour les Nuls » dans votre bibliothèque ou dans vos toilettes, parce qu'il faut bien commencer.
- ✔ Vous vous servirez des adresses indiquées dans ce livre pour en apprendre davantage, vous irez chercher toutes les informations qui ne figurent pas dans les chapitres qui suivent et, à l'avenir, vous vous tiendrez au fait des nouvelles idées et initiatives écologiques.

L'organisation de ce livre

Cet ouvrage comprend six parties. Chacune d'elles est subdivisée en chapitres qui abordent différents aspects de la vie écologique. Nous avons essayé de ne pas trop entrer dans les détails techniques, mais plutôt de privilégier une approche pratique.

Première partie : Votre environnement, vos responsabilités

Les deux premiers chapitres traitent de problèmes auxquels sont confrontés les terriens, et expliquent pourquoi les hommes peuvent être responsables des dégâts qui sont infligés à l'environnement.

Ces chapitres se soucient beaucoup du changement climatique. Les scientifiques s'accordent à dire que le climat terrestre se modifie : les tempêtes sont plus violentes, les inondations plus fréquentes, les étés plus chauds et plus secs, tandis que la glace des pôles commence à fondre. Bien souvent, ils évoquent la pression exercée sur la planète par les milliards d'êtres humains qui l'habitent, qui épuisent les carburants fossiles comme le pétrole et le charbon, et qui rejettent du gaz carbonique dans l'atmosphère.

D'autres experts déclarent que le changement climatique n'a rien à voir avec le comportement humain, et que ce phénomène se perpétue depuis des milliers d'années. Cette partie du livre expose les arguments du premier groupe de scientifiques soucieux de modifier notre style de vie, et décrit les effets attendus à long terme si les hommes n'adoptent pas une attitude plus écologique.

Deuxième partie : Une vie plus écologique

C'est d'abord chez soi qu'il faut vivre écolo : la deuxième partie de ce livre explique tout ce que l'on peut entreprendre, à domicile, pour défendre cette cause. Peut-être n'êtes-vous pas complètement convaincu qu'il faut changer de comportement, mais avez-vous envie d'adopter de nouveaux gestes pour que vos petits-enfants ne vous accusent pas d'avoir négligé tous les avertissements. Quel que soit votre état d'esprit, nous vous proposons des solutions simples et peu onéreuses qui vous permettront de participer au changement et de réaliser quelques économies.

Il est moins cher de vivre écolo que de gaspiller l'énergie : en effet, il s'agit avant tout d'acheter et de consommer moins, par exemple moins d'électricité et d'eau. Il est question d'apprendre à réutiliser, réparer et recycler autant de produits que possible, ce qui entraîne d'utiles économies.

Certaines manières de vivre écolo à la maison peuvent paraître chères au premier abord, mais elles seront amorties à long terme, et ce chapitre en parle. Vous pouvez investir dans des panneaux solaires pour chauffer votre eau et votre domicile. L'achat et l'installation de ces équipements restent onéreux, mais l'investissement permet de réduire les factures.

Dans cet ouvrage, nous ne cherchons jamais à vous convaincre de vous lancer dans de grandes révolutions. Nous soulignons au contraire que le plus petit changement vous rendra plus écolo. Nous ne voulons pas vous forcer à vivre au naturel – vous ferez ce que vous pourrez, en termes financiers ou autres. Cette partie du livre contient de nombreux conseils applicables en toutes circonstances.

Troisième partie : Acheter écolo

Si le principe de la vie verte repose sur l'idée d'acheter et de consommer moins, nous sommes conscients que vous ne pouvez pas vous abstenir de toute dépense. Vous aurez toujours besoin de produits de première nécessité comme la nourriture et les vêtements. Nous examinerons donc ce qui rend certains articles plus verts que d'autres. Parfois, il faut jouer à pile ou face pour choisir entre plusieurs arguments, et c'est vous qui aurez le dernier mot. Les étiquettes réunissent toutes les informations utiles mais il vous faudra du temps pour les assimiler toutes. L'apprentissage du shopping écolo est long, et les produits changent fréquemment. Restez vigilant pour ne pas manquer les nouvelles versions « plus vertes » de vos articles habituels.

Cette partie de l'ouvrage examine aussi les produits financiers écolo. Le plus souvent, on les qualifie d'« investissements équitables » parce qu'ils vous proposent de placer votre argent dans des sociétés ou des organisations privilégiant une attitude morale, en évitant les compagnies spécialisées dans les ventes d'armes ou de tabac, par exemple. Vivre écolo, c'est aussi adopter un comportement équitable.

Quatrième partie : Penser écolo ailleurs que chez soi

Si la vie verte commence à l'intérieur de la maison, elle ne s'y limite pas. Vous pouvez vivre écolo en dehors de chez vous, au travail, à l'école et dans votre communauté. Cette partie du livre explique comment diffuser des idées écologiques. En agissant, vous influencerez les autres, mais vous pourrez aussi leur réclamer des changements. Parlez à votre patron de ce qu'il faut faire pour que votre lieu de travail soit plus vert. Suggérez aussi des moyens de réaliser des économies, aucun chef d'entreprise ne reste insensible à ce genre d'argument. En tant que parent d'élève, vous pouvez parler aux professeurs de transformations possibles pour rendre l'école plus écolo ; si vous proposez de mettre la main à la pâte, vous serez sûrement accueilli à bras ouverts. Cette partie contient des conseils pratiques que vous pouvez mettre en œuvre vous-même.

Cinquième partie : Voyager sans endommager la planète

Vous découvrirez là des façons écolo de voyager et de vous reposer. Le moyen le plus vert consiste à marcher ou à faire de la bicyclette pour ne pas utiliser de carburant. Il vous faudra peut-être manger un peu plus pour trouver l'énergie de bouger, mais songez que vous serez mince si vous laissez votre voiture au garage. Si vous habitez près d'une station de bus ou d'une gare, vous pouvez vous y rendre à pied et emprunter les transports en commun pour la suite du voyage.

Bien sûr, il n'est pas toujours évident de prendre les transports en commun ou de marcher pour se rendre au travail, à l'école, pour aller faire les courses, voir des amis ou la famille. Bien souvent, les gens optent pour la voiture parce qu'il n'existe pas de moyen accessible ou pratique de se déplacer autrement. Mais vous pouvez réduire le nombre d'allers-retours en partageant votre véhicule, changer vos habitudes, optimiser un trajet et le mettre à profit pour combiner davantage de tâches. Si vous ne pouvez pas délaisser la voiture, faites en sorte que votre prochain véhicule soit plus vert que les précédents. Pratiquement toutes les semaines, on voit apparaître sur le marché de nouveaux modèles qui gaspillent moins d'énergie.

La plupart des gens prennent l'avion et la baisse des tarifs provoque un accroissement du trafic. Ces voyages libèrent de vastes quantités de gaz carbonique dans l'atmosphère. Si vous pouvez vous déplacer en train, en bateau ou en bus, vous devenez plus écolo. Mais si vous devez prendre l'avion, ne multipliez pas les étapes ou essayez de compenser les émissions de gaz carbonique en finançant la plantation d'arbres. De nouvelles technologies permettront peut-être de rendre les avions plus écologiques. Si ça n'est pas arrivé encore, il ne faut pas culpabiliser pour autant. En attendant, vous ferez le nécessaire pour devenir un voyageur plus écolo.

Sixième partie : La Partie des Dix

Cette partie comporte cinq chapitres bourrés d'adresses vous permettant de recueillir d'autres informations, des sites web où vous trouverez d'autres idées nouvelles, des projets amusants auxquels vous pourrez vous associer ou que vous mettrez en œuvre dans votre région, et des idées pour faire circuler les idées écolo parmi les jeunes.

Les icônes utilisées dans ce livre

Si vous feuilletez cet ouvrage, vous remarquerez dans les marges de petites icônes. Elles attirent l'attention sur certains conseils et vous rappellent les informations utiles au nouveau citoyen écolo que vous êtes.

Cette icône signale les objectifs utiles à concrétiser.

Peut-être avez-vous déjà lu ou entendu cette information, mais il est utile de la garder en tête pour vous en servir plus tard.

Nous avons essayé de ne pas abuser de cette icône dans le livre, mais elle sert à indiquer ce qui pourrait arriver si le pire survenait.

L'information présentée sous cette rubrique explique certaines expressions ou procédures techniques sous une forme plus conviviale que celle que vous trouveriez dans d'autres ouvrages.

Cette icône indique les actions à envisager ou les projets que vous pouvez mener à bien pour devenir plus écolo.

Par où commencer ?

Prenez plaisir à parcourir ce livre. Vous n'êtes pas obligé de le lire de A à Z. Gardez-le à portée de main et picorez des informations çà et là. Même si vous vous contentez de consulter les mémentos, vous deviendrez un citoyen écolo en un rien de temps. Si vous aimez jardiner, commencez par le chapitre 5. Si vous avez une passion pour la cuisine, allez directement au chapitre 7. Si votre communauté urbaine vous oblige à recycler, le chapitre 6 vous sera utile. Si vous organisez vos prochaines vacances, le chapitre 14 vous offrira une belle entrée en matière.

Nous avons essayé de rendre ces pages aussi lisibles que possible, de vous donner beaucoup d'idées et de sources supplémentaires d'informations. Nous espérons que vous aimerez cet ouvrage, que vous deviendrez un peu plus écolo, que vous propagerez la bonne parole et que vous suivrez nos conseils. Mais n'oubliez pas qu'à l'instant où ce livre sera imprimé, de nouveaux produits auront fait leur apparition dans les rayons des supermarchés, et que vous devrez rester informé des dernières nouveautés.

Première partie

Votre environnement, vos responsabilités

« Il dit qu'il y a des déchets
radioactifs dans le jardin :
c'est ça, le blues écolo ! »

Dans cette partie...

Si vous voulez que la planète reste en bon état pour en faire profiter vos petits-enfants, il vous faut assumer rapidement la portée de vos actes.

Dans cette première partie, j'explique pourquoi les problèmes s'aggravent. De nombreux scientifiques sont d'accord pour dire que la planète est confrontée à des changements en raison de l'impact de l'activité humaine. Que vous le sachiez ou non, vous faites pencher la balance. Quand vous aurez lu cette partie et que vous aurez compris comment vos activités quotidiennes peuvent contribuer à endommager la terre, vous vous demanderez ce que vous pouvez faire pour que cela cesse et pour réparer les dégâts. Il n'est pas trop tard si tout le monde accepte l'idée d'avoir un rôle à jouer.

Chapitre 1

Être plus écolo pour le bien de la planète et de ses habitants

Dans ce chapitre

▶ Résumer les problèmes

▶ Enclencher de petits changements

▶ Expliquer le concept de développement durable

▶ S'engager dans la voie écolo

▶ Tirer parti de la vie écolo

Si les terriens pouvaient utiliser les ressources naturelles du globe – bois, carburants fossiles comme le pétrole et le charbon, eau, minerais et métaux – à un rythme qui permettrait à la planète de remplacer au fur et à mesure ce qui a été consommé, cette pratique serait durable. Mais les êtres humains épuisent les ressources beaucoup trop rapidement pour que la terre puisse les reconstituer. Comme la population mondiale s'accroît, la planète a de plus en plus de mal à nourrir tous ses habitants. Tout ce que vous faites pour limiter l'épuisement des ressources est bénéfique et vous aide à mener une vie plus « durable » ou plus écolo.

Dans certains cas, il est possible de renverser la tendance en se servant de *ressources renouvelables* qui peuvent être reconstituées à mesure qu'elles sont consommées. Vous pouvez acheter de l'électricité produite par une éolienne, par exemple. Le vent est renouvelable, de même l'électricité qu'il génère ; il s'agit d'une énergie écologique.

Vivre écolo ne consiste pas seulement à consommer moins de précieuses ressources et à respecter le développement durable. Il s'agit de choisir l'option la plus verte dans tout ce que vous consommez, qu'il s'agisse de nourriture, de vêtements, de produits ménagers ou cosmétiques.

La vie écolo suppose également de réparer la planète quand vous ne pouvez pas éviter de lui porter tort – par exemple, vous pouvez compenser les émissions de carbone dont vous êtes responsable quand vous prenez l'avion. Il existe aussi une façon verte de s'occuper des animaux et des êtres humains. La plupart des sympathisants écolo refusent que les animaux souffrent, alors que ces derniers nous apportent de la nourriture, des vêtements et des traitements médicaux. Ces personnes étudient également les produits qu'elles achètent en veillant à ce que les travailleurs d'autres pays soient correctement payés et qu'ils aient des conditions de travail décentes, ainsi qu'un mode de vie normal.

Comprendre l'impact de vos choix

Beaucoup de principes écolo nous ramènent à la manière dont nos parents et nos grands-parents vivaient. Ils achetaient moins parce qu'ils disposaient d'un budget moindre et ils réutilisaient, réparaient ou recyclaient les objets puisqu'ils ne pouvaient pas s'en offrir de neufs. Personne n'appelait ça des principes écolo parce que c'était partout pareil.

Étant donné qu'une plus grande quantité d'objets a été rendue disponible à des prix raisonnables et que les revenus moyens des personnes ont augmenté (ce qui a permis de dépenser davantage), il est devenu important de disposer du dernier modèle en tout. Les vieux articles ont été jetés alors qu'ils fonctionnaient encore, parce que tout le monde voulait avoir les plus récents et les plus branchés. Personne n'a beaucoup réfléchi à la quantité de ressources qu'il fallait utiliser pour fabriquer les produits, ni s'est demandé si ces ressources allaient un jour s'épuiser. Les consommateurs ne se souciaient pas de savoir ce qui arrivait aux déchets qui atterrissaient dans la poubelle et qui étaient collectés par le camion benne.

Tout cela change parce qu'il devient évident que ce mode de vie entraîne plusieurs types de conséquences, la plupart du temps négatives, pour la planète. Les ressources se tarissent ou deviennent trop chères à extraire du sous-sol. Les processus de fabrication épuisent les ressources et l'énergie. À leur tour, ces processus de fabrication rejettent des produits toxiques dans l'atmosphère. De même que les voitures, les avions et les autres véhicules qui utilisent de l'essence et du diesel rejettent des gaz d'échappement, notamment du gaz carbonique et des particules (le chapitre 2 explique comment la terre est polluée par ces rejets).

Les êtres humains constituent le facteur clé de ce problème. Vous prenez tous les jours des décisions qui nuisent plus ou moins gravement à la planète. Si vous décidez de voyager en avion plutôt qu'en train pour rejoindre votre destination, vous contribuez à rejeter beaucoup de gaz carbonique dans l'atmosphère. Si vous vous rendez à votre travail en voiture, vous exercez un impact négatif sur l'environnement. Si vous y allez à vélo, votre action est neutre.

Vous êtes responsable de l'énergie et des ressources utilisées pour fabriquer tout ce que vous achetez. Si vous utilisez longtemps un article que vous

Il est important de se soucier du cycle de vie des produits consommés et de gérer sa consommation en conséquence.

Il faut prendre conscience de la responsabilité que nous avons envers l'environnement

possédez déjà, vous ne pouvez pas être accusé des dommages provoqués par une nouvelle fabrication. Mais si vous jetez votre vieux produit dans une décharge, vous êtes responsable des substances chimiques toxiques que toutes ces décharges répandent par infiltration dans les champs aux alentours, ainsi que des gaz nocifs qui sont émis pendant tout le temps nécessaire pour que cet objet se désintègre.

C'est une lourde responsabilité et il n'est pas toujours possible de se passer d'un produit, d'utiliser un vieil objet ou de retarder l'achat d'un nouveau. Mais il est utile de réfléchir à l'impact qu'aura toute décision individuelle, et d'en peser le pour et le contre.

Parfois, il est impossible de gagner la partie. Si vous continuez à vous servir de votre vieux lave-vaisselle, vous consommerez davantage d'eau et d'électricité que si vous en achetiez un autre, moins gourmand. Avant de prendre la moindre décision, renseignez-vous afin que votre décision soit la plus écolo possible.

Changer ce que vous pouvez, comme vous le pouvez

Il faut changer petit peu, peu à peu. Au départ, il est essentiel d'évaluer notre milieu et mode de vie, de fixer des objectifs et de les accomplir

Vous ne pouvez ni changer le monde ni sauver la planète en une nuit. La plupart des gens ne peuvent se permettre de remplacer immédiatement leur vieille voiture par un véhicule plus propre et moins glouton, de passer à l'alimentation bio ou de remplacer en une fois tous les produits ménagers et les ampoules par des versions plus écolo. Cependant, vous pouvez apporter votre contribution. Il y a beaucoup de changements que vous pouvez réaliser le plus vite possible, en décidant aujourd'hui d'acheter moins, de réutiliser et de recycler au maximum. L'idée, c'est d'accomplir un pas à la fois et de ne pas vous faire de reproches parce qu'il vous est impossible de devenir plus écolo plus vite.

Certains des changements, conseils et suggestions de ce livre sont plus faciles à adopter que d'autres. Ce que vous êtes capable de faire dépend parfois de l'endroit où vous vivez, du type de logement que vous occupez, de votre budget, et même de votre travail. Cela dépend aussi de vos croyances et de vos principes.

Si vous ne recyclez pas encore, le moment est sans doute venu d'essayer. Vous pouvez recycler la majeure partie du papier et du carton, le verre et les bouteilles en plastique, les canettes de boisson et de nourriture en métal. Il y a sûrement des lieux appropriés pour recycler d'autres types de plastique à proximité de chez vous. Le recyclage suppose que tous les occupants de la maison y participent et qu'ils réfléchissent à la nécessité de changer.

Faire de petits gestes

Une maxime ancienne dit que le seul moyen d'avaler un éléphant consiste à le déguster morceau par morceau. Le même principe s'applique lorsqu'il faut adopter un mode de vie plus écolo. Acceptez d'adopter de petits gestes au fur et à mesure qu'ils deviennent possibles, et apprenez à les gérer. Le plus grand pas consiste à décider de penser plus vert.

Il faut d'abord réfléchir aux priorités. Par exemple, tout le monde ne s'accorde pas pour dire que l'alimentation bio est meilleure que l'alimentation non bio, ou même qu'elle est meilleure pour la planète. Quelqu'un qui vit dans un endroit mal adapté à une petite voiture n'acceptera sans doute pas d'échanger sa grosse berline contre un modèle plus petit et moins gourmand en essence. Tout le monde ne peut pas se permettre de changer ses appareils ménagers anciens contre des modèles plus récents et plus efficaces. Et l'on sait que le fait de jeter de vieux appareils ménagers contribue à remplir les décharges.

élément intéressant à reprendre

Vous avez vos priorités et elles sont aussi défendables que celles du voisin. En lisant ce livre, dressez la liste des changements que vous souhaitez appliquer au fil du temps, ainsi que ceux que vous aimeriez adopter dans un monde idéal. Et quand vous le pouvez, cochez sur la liste ce que vous avez accompli.

Les autorités considèrent la réduction des déchets comme une priorité. Elles veulent que chacun achète des produits moins lourdement emballés, réutilise les sacs en plastique au supermarché, et recycle autant que possible tous les ustensiles usagés.

Engrangez les informations dans ce livre et sur Internet. Dans cet ouvrage, nous vous indiquons des sites web qui vous donneront des renseignements et vous dirigeront vers d'autres sites utiles. Si vous n'avez pas d'ordinateur, utilisez celui qui est mis à votre disposition dans la bibliothèque la plus proche. Plus vous lirez, plus vous découvrirez qu'il y a de nombreux arguments pour vous convaincre de réduire l'impact humain sur la planète.

Il peut être difficile de se forger un avis et de savoir jusqu'à quel point on doit devenir écolo. Ne vous laissez pas décourager par cette idée. Gardez l'esprit ouvert et tenez-vous prêt à remettre en question vos priorités quand vous verrez surgir de nouvelles informations. La vie écolo est constamment réévaluée, et les arguments vont changer. En attendant, prenez des mesures modestes chaque fois que vous sentez que vous êtes prêt et inspiré par la perspective écolo.

Créer de nouvelles habitudes à la maison

Si charité bien ordonnée commence par soi-même, la vie écolo suit le même principe. Les chapitres 3 et 4 indiquent quels sont les problèmes à prendre en considération à l'instant où vous déménagez, où vous cherchez un nouveau logement, où vous décidez de sa taille et de son emplacement, et des questions quotidiennes qui se posent dans la cuisine, dans la salle de bains, devant le linge et la vaisselle à laver, et même dans la chambre à coucher.

Changez de petites choses quand vous le pouvez. Remplacez les ampoules ordinaires par des ampoules à économie d'énergie ; échangez les appareils ménagers en fin de vie contre des appareils ménagers consommant moins d'électricité. Si vous adoptez quelques-unes – ou même une seule – des suggestions écolo qui sont faites ici, vous êtes en bonne voie. Ce livre se concentre sur les conseils pratiques qui vous aident à opter pour un mode de vie plus écolo au fil du temps. Faites un seul geste et vous serez déjà écolo !

En cherchant de nouveaux gestes verts, vous allez prendre de nouvelles habitudes. Franchissez un petit pas, puis réfléchissez au suivant et, en un rien de temps, le mode de vie écolo deviendra une seconde nature chez vous, la pierre d'angle de votre vie quotidienne.

- ✔ En sortant du lit, prenez une douche plutôt qu'un bain pour utiliser moins d'eau et moins d'énergie pour la chauffer. La prochaine fois, réduisez la durée de votre douche pour économiser encore plus d'eau.

- ✔ Portez des vêtements en coton bio, et mangez des céréales bio au petit déjeuner. Buvez du café équitable.

- ✔ Rendez-vous à pied jusqu'à la gare la plus proche et laissez votre voiture au garage.

- ✔ Au travail, servez-vous de papier recyclé, imprimez sur les deux faces, puis jetez le papier usagé dans le panier réservé au recyclage quand vous avez terminé. Éteignez les lumières derrière vous ainsi que votre ordinateur quand vous n'êtes pas dans votre bureau, et à la fin de la journée. Vérifiez que vos collègues le font aussi.

- ✔ Sur le chemin du retour, achetez des aliments bio pour le dîner afin de ne pas avoir à reprendre la voiture pour faire des courses quand vous arriverez chez vous.

- ✔ Lavez les poêles lourdes et les plats dans l'évier avec un produit biodégradable. Le reste de la vaisselle ira dans un lave-vaisselle peu glouton en électricité, et vous ne le mettrez en marche que lorsqu'il sera plein.

- ✔ Avant d'aller vous coucher, vérifiez que toutes les lumières de votre logement sont éteintes et que les appareils électriques ne sont plus en mode veille.

La vie écolo n'est pas nécessairement compliquée. En parcourant ce livre, vous trouverez ces mesures et beaucoup d'autres, ainsi que les raisons pour lesquelles elles sont utiles et bénéfiques. Mais il y a beaucoup d'initiatives positives à prendre et, si vous n'êtes toujours pas convaincu que les êtres humains peuvent créer la différence, ni même qu'ils en ont besoin, le chapitre 2 explique les dommages infligés à la planète et ce qui arrivera si nous n'y changeons rien.

stéréotypes à contrer

Au moment où vous introduirez des principes écolo chez vous, vos proches pourront participer. Les enfants apprennent la vie grâce aux adultes et ils passent le mot à leurs amis qui en informent leurs parents. Donnez à chacun un rôle à jouer en le rendant responsable d'un aspect de votre mode de vie écolo.

importance de la transmission de l'information et la prise de conscience des responsabilités

Mesurer votre empreinte environnementale

→ sujet important ←

Il serait bien que je trouve comment calculer l'empreinte écolo

Une façon utile de comprendre l'impact que vous exercez sur l'environnement consiste à mesurer votre empreinte environnementale (c'est-à-dire la superficie nécessaire, sur la planète, pour assurer votre consommation de biens et de ressources). Considérez cet effet comme un moyen de prendre en compte ce qu'il faut de terre pour fabriquer votre nourriture, puiser vos sources énergétiques, transporter vos marchandises, assurer vos services et contenir vos déchets.

→ website très intéressante

Le WWF et de nombreuses organisations pour la défense de l'environnement utilsent un indicateur nommé « l'empreinte environnementale ». Selon cet indicateur, il reste 1,8 hectares biologiquement productifs par personne sur la planète. En France, l'empreinte environnementale moyenne est de 5,2 hectares par habitant. Nous sommes donc en surrégime par rapport aux ressources de la planète. Le citoyen francais moyen consomme bien plus que sa part sur ce que la planète peut encore lui donner. Si tous les habitants de la Terre vivaient comme un Francais, il faudrait deux planètes supplémentaires pour pouvoir vivre tous ensemble !
Vous pouvez mesurer votre empreinte environnementale en remplissant un questionnaire mis à votre disposition sur le site du WWF : www.wwf.fr/s_informer/calculer_votre_empreinte_ecologique/.

Commencez par vérifier combien d'hectares vous utilisez pour mener le style de vie qui est le vôtre, et par réfléchir à la manière dont vous pourriez réduire votre impact personnel sur la planète.

Miser sur la neutralité carbone

Quand vous prenez l'avion ou que vous utilisez votre voiture, vous contribuez à rejeter du carbone dans l'atmosphère. Quand vous chauffez votre logement, que vous allumez les lumières ou que vous achetez de nouveaux produits, du gaz carbonique est évacué dans l'air, à un moment de la production d'électricité ou du processus de fabrication. En tant que dernier utilisateur du produit, vous êtes responsable des émissions de carbone.

Miser sur la neutralité carbone vous permet de réduire au maximum votre empreinte environnementale (voir le paragraphe précédent) et de compenser les émissions de carbone.

Pour ce faire, il existe deux associations en France : l'association Goodplanet de Yann Arthus-Bertrand et CO2 Solidaire (www.co2solidaire.org). Il existe aussi un opérateur privé très fiable www.climatmundi.fr. Tous font de la compensation carbone en France et aident diverses entreprises à réduire leur empreinte environnementale. Une autre mesure est proposée. Elle permet de financer la plantation d'arbres pour absorber le carbone que vous avez contribué à émettre dans l'atmosphère. Cette compensation est organisée par l'association Planète Urgence. Son programme Urgence Climat propose de racheter vos émissions de CO_2 en finançant des projets de reforestation. Pour calculer et compenser vos émissions de CO_2, allez sur www.urgenceclimat.org

voir page 31

compenser le gaz carbo en plantant des arbres

ou en donnant de l'argent à un organisme

Le problème, dans la compensation de l'émission de carbone, c'est que la totalité de la planète devrait être couverte d'arbres. Le seul vrai moyen pour stopper l'émission de trop grandes quantités de carbone serait d'utiliser moins de carburant et d'énergie, de prendre moins l'avion, de laisser plus souvent la voiture à la maison et d'acheter moins. Le fait de financer des arbres ne nous tire pas d'affaire.

Respecter l'idée essentielle de la conservation

L'idée de la dépense est une vieille lune, mais celle de la conservation est nouvelle. Si vous économisez l'électricité, l'eau, le carburant et les ressources, il faudra moins en extraire pour les transformer. Non seulement les matériaux bruts, comme le charbon et le pétrole, seront extraits à un rythme moins soutenu, mais il faudra moins d'énergie pour les traiter et ainsi, moins de gaz nocifs seront rejetés dans l'atmosphère. Le seul moyen de conserver ce que la planète peut nous offrir consiste à réduire notre consommation.

L'eau et l'énergie sont les deux ressources que vous pouvez conserver de manière efficace et en quantités importantes. En France, avant la canicule, très peu de gens réfléchissaient à l'idée d'économiser l'eau. Un individu gaspille en moyenne 12 litres d'eau en laissant couler l'eau pendant qu'il se lave les dents. Le seul fait de fermer le robinet à cet instant, de prendre des douches plutôt que des bains et de tirer la chasse d'eau moins souvent permet de récupérer quotidiennement des litres et des litres d'eau. Vous ferez des économies encore plus importantes si vous installez une citerne de récupération d'eau de pluie pour laver votre voiture et arroser votre jardin, si vous réutilisez l'eau de la vaisselle pour rincer les toilettes ou laver votre voiture.

Si vous faites installer un compteur d'eau et des systèmes qui vous montrent quelle est la consommation électrique de certains appareils, vous l'évaluerez mieux. Vous verrez pourquoi les factures s'allongent et vous déciderez de réagir. Ainsi, vous conserverez de précieuses ressources naturelles, et vous ferez des économies. Les chapitres 4 et 5 vous en disent plus long sur la conservation de l'eau et de l'énergie.

En matière de consommation énergétique et de recyclage, vous pouvez créer un vrai changement, à la fois pour l'environnement et pour votre compte bancaire. En remplaçant toutes vos ampoules ordinaires par de nouvelles ampoules à économie d'énergie, vous épargnez jusqu'à 12,6 euros par an. Baisser le chauffage d'un degré au thermostat permet de réduire d'un dixième votre facture d'électricité. Si vous éteignez (complètement) la télévision, les ordinateurs et si vous retirez de la prise le chargeur de votre mobile au lieu de laisser tous ces appareils en veille, vous récupérez beaucoup d'argent. La plupart des appareils électriques utilisent, en mode veille, 85 % de l'énergie qu'il leur faut quand ils fonctionnent à plein. En économisant l'énergie, vous contribuez à réduire la demande globale, mais vous diminuez aussi vos dépenses. Vous trouverez d'autres renseignements sur la bonne utilisation de l'énergie à la maison sur le site de l'Ademe, l'Agence de l'environnement et de la maîtrise d'énergie : www.ademe.fr/particuliers/fichesmaison/index.htm et aussi négaWatt : www.negawatt.org.

Réduire, réutiliser, réparer et recycler sont les mots les plus importants pour l'adoption d'un mode de vie plus écolo. Une grande partie de ce que vous jetez à la poubelle peut encore être utilisé :

magazinage

- ✔ **Les sacs en plastique** peuvent être réutilisés au supermarché. Cessez de les jeter et d'en demander de nouveaux. Quand ils ne sont plus assez solides pour ramener vos marchandises chez vous, faites-en des sacs-poubelle pour vider la litière du chat ou nettoyer la cage du cochon d'Inde.

- ✔ **Les petits cartons en plastique**, comme ceux qui contiennent les plantes, peuvent être lavés et réutilisés comme rangements dans le réfrigérateur ou les placards.

- ✔ **Les bouteilles en plastique** peuvent être remplies d'eau et gardées au frais au frigo.

- ✔ **Le papier** possède deux faces, souvenez-vous-en. Imprimez sur les deux côtés. Passez ensuite les feuilles à la déchiqueteuse et servez-vous des languettes de papier pour la litière du hamster ou du lapin.

> ✔ **Les vieux torchons et les sachets de thé usagés** donnent d'excellents résultats dans le lavage de la voiture, des fenêtres et des sols.
>
> ✔ **Le marc de café et d'autres déchets alimentaires** peuvent être intégrés au compost qui vous servira au jardin (pour plus de détails, voir le chapitre 5).

Vous pouvez également réparer et réutiliser les vêtements usagés ainsi que les appareils électriques. Si vous ne réutilisez pas certains objets, souvenez-vous qu'ils peuvent servir à d'autres. Les donner au Secours catholique ou à des amis est également un moyen de les recycler.

Si toutes les autres voies ont été épuisées, triez les objets qui peuvent être recyclés, et ceux qui iront dans votre poubelle domestique. Réduisez autant que possible les déchets.

Quand vous avez trié ce qui va dans votre poubelle, vous pouvez apprendre à réduire la quantité des objets que vous faites entrer chez vous. Beaucoup de produits ont des emballages qui ne peuvent être recyclés ni réutilisés, mais cherchez dans les magasins des produits équivalents qui sont présentés plus simplement. Le chapitre 6 vous offre d'autres informations sur la manière de réduire, réutiliser, réparer et recycler les objets.

Acheter des produits conformes à l'éthique et écolo

Le shopping vert ne vous oblige pas à acheter seulement des produits écolo. Les questions éthiques jouent un rôle important pour la plupart des consommateurs qui veulent acheter vert. Vous pouvez choisir les options les plus écolo possible, par exemple des légumes cultivés localement, avec peu ou pas de produits chimiques, et transportés sur de courtes distances pour réduire la quantité de carburant utilisée. Parmi les options vertes, citons les vêtements dont la matière est bio, les marchandises fabriquées à partir de produits recyclés plutôt qu'à l'aide de ressources puisées directement dans le sous-sol, les articles de seconde main ou un peu démodés, les produits fabriqués dans des matériaux biodégradables.

Mais l'autre aspect essentiel du shopping vert est l'aspect éthique : vous pouvez veiller à la manière dont on traite les personnes et les animaux impliqués dans la production. Les acheteurs veulent être sûrs que les ouvriers, les producteurs, les fournisseurs et les fermiers qui interviennent dans la chaîne de production sont correctement payés, bénéficient de bonnes conditions de travail et peuvent assurer la production parce qu'il leur reste assez d'argent, quand ils se sont nourris et qu'ils ont nourri leur famille, pour entretenir leur lieu de vie, acheter de nouveaux équipements et d'autres semences. Ils réprouvent le travail des enfants et l'existence d'ateliers clandestins, et veulent être certains que les produits qu'ils achètent n'ont pas été produits dans ces conditions révoltantes.

D'autres questions se posent à propos du traitement infligé aux animaux. Comme les végétariens, ceux qui mangent de la viande souhaitent qu'elle provienne d'animaux élevés dans des conditions décentes, non entassés en batterie dans de mauvaises conditions d'hygiène. Pour cette raison, les ventes d'aliments biologiques et d'animaux élevés en plein air sont en augmentation constante. Les chapitres 7 et 8 vous en disent plus sur le shopping vert et éthique dans le secteur alimentaire et non alimentaire. Ils expliquent comment fonctionne le système du commerce équitable, créé pour que les producteurs gardent une part juste du prix payé par les consommateurs, qu'ils aient de meilleures conditions de vie et puissent rester dans la production.

Respecter l'environnement au travail

Parfois les gens abandonnent tous leurs principes quand ils se rendent au travail. Il est facile d'être écolo chez soi et d'oublier que l'on peut l'être au bureau. Vous pouvez influencer plus de monde sur votre lieu d'activité que chez vous, persuader votre patron et vos collègues d'être verts et de porter le message de l'écologie à leur famille et à leurs amis.

Toutes les mesures que vous prenez chez vous – adoption d'appareils et d'équipements peu gourmands en énergie, stratégies visant l'économie d'eau et d'électricité, pratiques de recyclage et de réutilisation – peuvent être appliquées sur votre lieu de travail.

Votre patron n'appréciera pas que vous convoquiez une réunion pour vous plaindre que votre environnement de travail n'est pas assez vert à votre goût. Mais si vous réclamez cette réunion en proposant beaucoup de changements, si vous avez réfléchi à la manière de les mettre en œuvre, si vous en justifiez le besoin et le potentiel d'économies, il sera intéressé. Le fait d'imprimer les feuilles sur les deux faces divise le budget papier par deux ! Vous n'obtiendrez peut-être pas tout ce que vous avez demandé, mais vous aurez lancé le mouvement. Même si votre employeur ne peut se permettre d'acheter des équipements plus efficaces sur le plan de la consommation d'énergie, il acceptera probablement la visite d'un expert en économies d'énergie qui identifiera les postes permettant de réduire les factures.

Même si votre patron n'envisage pas de pratiques écolo, vous pouvez persuader vos collègues de participer à un système de covoiturage, d'utiliser les deux faces du papier machine et de vérifier que les lumières et les équipements électriques sont éteints quand ils ne servent pas. Étudiez la manière dont votre poste de travail peut devenir plus vert, avec l'aide du chapitre 10, et faites l'essai.

Voyager malin

Le plus gros problème pour l'environnement est posé par les émissions de carbone pendant les voyages. Les voitures et les autres véhicules équipés d'un moteur à combustion brûlent du carburant pour avancer et émettent des gaz à effet de serre. Les carburants utilisés proviennent en plus grande partie du charbon et du pétrole, de plus en plus rares et plus chers. Des alternatives sont à l'étude, comme les biocarburants et l'hydrogène, présentés dans les chapitres 12 et 13, mais, pour le moment, très peu de véhicules les utilisent.

Les voitures et les avions sont les principaux responsables. Les voitures sont plus nombreuses à circuler car les pays en voie de développement ont le vent en poupe, et beaucoup de personnes peuvent se permettre de déserter les transports en commun. Les vols sont plus abordables, car les compagnies à bas prix offrent davantage de destinations ainsi que des sièges moins chers. Ainsi, tout un chacun voyage plus souvent par avion. Le chapitre 12 examine l'avenir des routes terrestres et aériennes. Certains scientifiques sont d'avis que les nouvelles technologies permettront de fabriquer des moteurs plus efficaces qui endommageront moins la planète. D'autres pensent que l'accroissement de la demande en voitures et en voyages aériens annihilera les avancées technologiques. Selon eux, les embouteillages à terre et la pollution dans les airs finiront par bloquer la planète tout entière.

Actuellement, le voyageur écolo pédale ou marche au lieu de prendre le volant. Si ça n'est pas possible, il utilise les transports en commun. Il évite les voyages en avion s'il peut prendre le train car ce dernier est beaucoup plus écolo. Le paragraphe intitulé « Miser sur la neutralité carbone », un peu plus haut dans ce chapitre, explique comment compenser les émissions de carbone liées à vos voyages.

Mieux investir

Vous pouvez rendre votre vie plus écolo même sur le plan financier. Que vous dépensiez votre argent, que vous préfériez l'épargner ou l'investir, vous influencez le sort de la planète et de certains de ses habitants. Vous contribuez à les appauvrir si vous investissez sur les mauvais produits. Vous pouvez éviter de leur nuire, voire leur faire du bien si vous prenez des décisions conformes à l'éthique.

En choisissant de n'acheter que des produits éthiques et écolo, vous ferez augmenter la demande de ces produits et davantage de producteurs recevront le message. Les consommateurs qui ont l'argent détiennent du pouvoir. Si les producteurs sont persuadés qu'ils doivent opter pour des méthodes de production plus écolo, s'il existe davantage d'options vertes sur le marché, les prix baisseront, et plus de gens pourront acheter écolo.

De la même manière que les clients peuvent initier le changement en dépensant leur argent, ils peuvent refuser d'acheter certains produits. Si vous vous dispensez de certains articles et services que vous jugez nocifs pour la planète, les personnes ou les animaux, la société qui les vend le remarquera et sera forcée de réagir en proposant un meilleur produit.

En partant du principe qu'il faut acheter moins pour être vraiment écolo, vous pouvez tirer profit de comptes verts ou de produits d'investissement écologiques. Réfléchissez bien à la manière dont vous voulez (ou ne voulez pas) que votre argent soit utilisé, et consultez un conseiller financier spécialiste de l'éthique, issu d'un organisme financier indépendant. Vous obtiendrez une liste établie par le guide *Environnement : comment choisir ma banque ?*, publié par les Amis de la terre, www.amisdelaterre.org, avec la CLCV, www.clcv.org, ou en vous adressant au collectif associatif des finances solidaires, Finansol : www.finansol.org. Le chapitre 9 offre davantage d'informations sur les investissements éthiques ou écologiques, ainsi que sur les différents comptes verts proposés par les banques et les autres institutions financières.

Créer une société écolo

Vous ne pouvez pas sauver la planète à vous tout seul, mais vous pouvez modifier un peu votre attitude, ce qui fera changer votre famille et vos amis. Eux-mêmes influenceront leur réseau de familles et d'amis, et la bonne parole circulera.

La société progresse parce que les gens évoluent et donnent l'exemple. Si davantage de gens réclament des produits cultivés à proximité de leur domicile ou d'aliments bio au supermarché, les grandes chaînes s'approvisionneront plus souvent auprès de fournisseurs locaux qui adapteront à leur tour leurs méthodes de culture pour répondre à la demande. Les consommateurs opèrent des choix plus verts qu'avant et les supermarchés se transforment petit à petit.

Vous pouvez obtenir un résultat similaire en parlant aux professeurs de vos enfants et aux autres parents, afin qu'ils adoptent des méthodes plus écolo à l'école, en achetant et en utilisant du papier recyclé, en l'imprimant sur ses deux faces afin de réduire le gâchis, en recyclant mieux les déchets de la vie

→ Projet que les ados pourraient faire

scolaire et en faisant pousser des légumes sur ce coin de terre inutilisé à côté du terrain de foot. Le chapitre 11 vous donne d'autres idées pour contribuer à rendre plus verte l'école de vos enfants.

Partout où les gens se rassemblent et forment une communauté – au travail, dans les groupes religieux, dans les organisations féminines ou au golf –, vous pouvez aider à créer une réalité plus écologique. Si les petites structures évoluent dans leur fonctionnement et leur organisation, vous œuvrez à une société plus verte.

Vous ne pouvez pas tout faire vous-même, mais il est possible d'encourager les gens à vivre de manière plus écolo et à agir pour la sauvegarde de la planète. Vos enfants vous remercieront d'avoir fondé un monde plus accueillant pour qu'ils puissent y élever leur propre famille.

Organiser des projets communautaires viables

→ Projet com. pour tous. Tenter d'impliquer l'ensemble de la comm.

Si, dans votre région, aucun projet communautaire ne se penche sur les questions d'environnement, créez-en un. Il est peu vraisemblable que l'environnement dans lequel vous vivez soit parfait. Certaines portions de rivières ou de canaux proches ont besoin d'être nettoyées ; des terrains négligés peuvent – avec la permission de leurs propriétaires – être transformés en prairies pour attirer les oiseaux et les insectes ; un vieux bâtiment peut être restauré. Les projets communautaires qui impliquent des personnes de tous âges et de toutes conditions sont ceux qui marchent le mieux, parce que leurs membres tirent des enseignements de la proximité d'autres personnes. Et il y a toujours quelqu'un pour remonter le moral des troupes quand l'accablement rôde. Le chapitre 19 vous propose dix types de projets environnementaux pour donner du punch à la communauté. Il est possible de monter un système d'échanges locaux ou un projet de recyclage, de lancer une entreprise de bénévolat virtuel ou de covoiturage.

→ Il y a des organismes ressources

Mesurez les problèmes d'environnement qui se posent dans votre région et allez glaner des informations auprès d'associations nationales en consultant leur site web. Il en existe des douzaines qui sont citées dans ce livre et dans le chapitre 19. Contactez les organisations existantes, notamment des écoles et des groupes communautaires, si vous pensez qu'ils voudront participer. Vous n'avez besoin que de quelques personnes de bonne volonté pour faire démarrer votre projet.

Consultez un avocat pour savoir comment mettre votre organisation sur pied car vous aurez sans doute besoin d'une assurance pour protéger les personnes impliquées. D'autres points méritent d'être vérifiés si vous utilisez un lieu de réunion ou si des enfants participent à votre projet.

Soutenir les initiatives locales

En 1992, les Nations unies ont lancé un plan d'action révolutionnaire en faveur du développement durable, intitulé Agenda 21 (les projets qui lui sont associés sont regroupés sous l'appellation Agenda 21 local). Il s'agit d'établir une liste de projets modèles qui contribueront au développement durable au cours du xxie siècle, et d'inciter les personnes à agir pour l'écologie ou le développement durable, à leur niveau, notamment dans les instances de pouvoir locales, les entreprises et la communauté.

Tout projet relevant de l'Agenda 21 devrait obtenir deux résultats au niveau local :

- l'implication de la communauté dans le développement et la mise en place d'un programme de développement durable ;
- le soutien des individus et des entreprises locales, ainsi que l'accès égalitaire aux opportunités créées par le projet.

Fondamentalement, un projet associé à l'Agenda 21 doit impliquer la communauté locale dans les décisions, dans les changements à promouvoir, et aider la communauté locale à agir.

Généralement, les conseils municipaux locaux doivent développer ces projets et les mettre en place. Votre mairie peut encadrer des projets comme ceux qui suivent :

- projets d'utilisation rationnelle de l'énergie et de l'eau ;
- projets de recyclage et de réduction des déchets ;
- lombriculture, compostage et jardinage vert ;
- projets autour des énergies alternatives, comme l'éclairage photovoltaïque dans les espaces verts ;
- promotion des transports en public, de la marche à pied et de la bicyclette ;
- informations publiques sur l'unicité de la flore, de la faune et des écosystèmes locaux, qui peuvent inclure une bourse d'échange de plantes gratuites ;
- expositions sur les aménagements domestiques pour la réduction de la consommation d'énergie ;
- programmes éducatifs pour les membres des différentes communautés locales ;
- aide à la prise de conscience des ouvertures offertes par les métiers de l'écologie, notamment en contactant les visiteurs dans les parcs et les jardins.

à faire

Si vous tapez « Agenda 21 local » sur votre clavier dans la fenêtre ouverte par un moteur de recherche, vous trouverez une liste complète de sites relevant des autorités locales qui vous présenteront leurs projets, notamment ceux qui sont mis en place dans votre région.

Soutenir les commerçants locaux

Vous pouvez soutenir vos commerçants locaux sur le plan social et économique en achetant chez eux votre alimentation, vos cadeaux, vos objets d'artisanat et de décoration pour la maison, les vêtements produits localement et vendus dans votre région. Vous pouvez même envisager d'investir une partie de l'argent que vous avez économisé dans des entreprises locales qui s'occupent d'écologie.

Glaner les fruits d'un style de vie écologiquement durable

Comme souvent lorsque vous agissez en fonction des meilleures motivations, vous récoltez ce que vous semez ! Il y a de nombreux avantages à un mode de vie écolo qui peut améliorer votre existence à plusieurs niveaux.

Protéger l'environnement permet de faire des économies

En devenant écolo, vous pouvez épargner. En voici quelques exemples :

- Vous commencez à moins consommer. Par exemple, vous éteignez vos lumières, ce qui réduit votre facture d'électricité ; vous prenez des douches au lieu de bains, vous recyclez vos eaux usagées, ce qui réduit votre facture d'eau.

- Vous faites pousser vos légumes et vos fruits dans un jardin plus écolo, ce qui revient beaucoup moins cher que de les acheter dans un magasin.

- Vous marchez, vous faites du vélo et vous prenez les transports en commun, ce qui est largement moins coûteux qu'une voiture.

- Vous recyclez et vous réutilisez vos appareils ménagers et vos vêtements, ce qui vous fait économiser beaucoup d'euros !

Être écolo, c'est être rentable

De nombreuses entreprises comprennent désormais que plus elles contribuent à protéger l'environnement et la communauté, plus elles sont susceptibles de trouver des clients fidèles et de gagner de l'argent. Les clients ne tolèrent plus les sociétés qui souillent la nature en rejetant des produits toxiques dans les rivières proches, ce qui a pour conséquence de tuer la faune et la flore. Ils veulent savoir qu'ils achètent des marchandises à des producteurs qui ne détruisent pas les ressources naturelles de la planète, qui paient décemment leurs salariés et leur accordent des conditions de travail correctes. Les entreprises sont toujours en décalage avec le désir des consommateurs, il leur faut donc un certain temps pour devenir plus vertes et plus éthiques. Cela dit, les efforts financiers qu'elles doivent consentir à court terme finiront par être payants. De même, les réglementations se durcissent pour tout ce qui concerne l'industrie et son impact sur l'environnement. Les entreprises feraient donc bien de suivre les meilleurs exemples autour d'elles et de rester à l'avant-garde.

Les avantages économiques sont nombreux car de plus en plus de gens soutiennent les sociétés engagées dans l'éthique. Voici quelques moyens par lesquels vous pouvez encourager les entreprises à devenir plus écolo :

avant d'acheter, se renseigner sur les motivations et les initiatives des entreprises

- ✔ acheter des produits bio et provenant d'entreprises respectant l'éthique ;

- ✔ investir votre argent dans des entreprises respectant l'éthique ;

- ✔ boycotter les sociétés qui continuent à menacer l'avenir de la planète à long terme, notamment celles qui dépensent de l'argent pour l'environnement tout en continuant à s'impliquer dans des projets contraires à l'éthique écologique.

Vivre écolo vous protège des médecins

Si vous suivez les nombreux conseils fournis dans ce livre, vous conserverez une meilleure santé. Voici quelques exemples :

- ✔ Marcher ou rouler à bicyclette au lieu d'utiliser la voiture vous oblige à faire de précieux exercices lorsque vous travaillez pendant de longues heures et que vous n'avez pas le temps de pratiquer un sport. En outre, plus les gens désertent leur voiture, plus la pollution se réduit, ce qui est une bonne nouvelle pour ceux qui souffrent d'asthme.

- ✔ Il n'est pas prouvé scientifiquement que l'alimentation bio soit meilleure pour vous, mais elle est élaborée avec moins de produits chimiques.

- ✔ Le fait d'orner et de décorer votre maison à l'aide de matériaux naturels réduit la quantité de produits chimiques toxiques dans votre environnement immédiat.

Laisser un héritage vert aux générations futures

Bonne stat ←

réflexion intéressante

qu'en est-il pour les canadiens

Si tous les êtres humains utilisaient les ressources du globe au même rythme que les Américains, il faudrait six planètes pour nourrir la totalité de la population. Comme les économies des pays en voie de développement progressent, leurs habitants s'enrichissent et veulent disposer des mêmes biens que ceux dont profitent les Occidentaux : voitures, voyages par avion, gadgets électroniques et nourriture abondante. Qui pourrait les en blâmer ? Mais une seule terre ne peut pas tout fournir à long terme. Si vous voulez qu'il reste quelque chose pour vos petits-enfants, il faut agir maintenant.

En continuant à gaspiller et en ignorant à quel point la planète est sollicitée, nous sommes guettés par quelques-uns des événements suivants :

✔ L'augmentation du niveau des mers résultant de la fonte des calottes glaciaires provoquera la disparition des terres émergées. Les petites îles disparaîtront les premières, sans doute suivies par de vastes régions côtières.

✔ La force accrue des tempêtes et des inondations contribuera à rayer de la carte de nombreuses populations.

✔ Les inondations plus fréquentes, dues à la montée du niveau des mers, ravineront les terres cultivées, ce qui soumettra les autres zones à une plus forte pression pour qu'elles produisent de manière intensive.

✔ L'augmentation de la production de nourriture pourrait conduire à une baisse de qualité et déclencher des conséquences importantes sur la santé des populations.

✔ La modification des écosystèmes favorisera l'apparition de nouveaux virus dans les zones densément peuplées.

✔ Les terres sèches existantes deviendront encore plus sèches, ce qui réduira la quantité d'eau disponible pour les zones urbaines et limitera la production agricole dans les zones rurales. Dans les pays en voie de développement, cela pourrait entraîner une aggravation de la pauvreté.

Si vous envisagez de ne consommer que ce dont vous avez besoin, si vous arrêtez le gaspillage, si vous agissez plus naturellement, vous contribuerez à préparer pour les générations futures une planète plus généreuse.

Chapitre 2

Comprendre l'environnement et ses problèmes

Dans ce chapitre :

▶ Comprendre comment les hommes abîment la planète

▶ Apprendre la vérité à propos du réchauffement climatique

▶ Régler globalement le problème

*L*es unes des journaux et des magazines en disent long : « La calotte arctique n'en a plus que pour quelques décennies, le réchauffement de la planète a provoqué 2 500 ouragans, la multiplication des catastrophes naturelles, les températures de la terre battent deux mille ans de records, le réchauffement global aura un coût économique. » La plupart des scientifiques pensent que le changement climatique est déterminé par les êtres humains et par leur comportement. Mais certains d'entre eux contestent l'étendue du problème. Si les experts ne sont pas d'accord entre eux, comment sommes-nous supposés savoir ce qui se passe ?

 Le site du Groupement international des experts du climat (le Giec) est une bible d'informations sur le réchauffement du climat. Rappelons qu'ils ont reçu le prix Nobel de la paix cette année : www.ipcc.ch

L'opinion publique semble admettre l'idée que les hommes et leur mode de vie exercent un impact négatif sur la planète. De plus en plus de gens pensent qu'il est important d'introduire des changements, même modestes, pour multiplier les espoirs de maintenir la Terre dans l'état où elle se trouve aujourd'hui pour les générations futures. Sans doute vous êtes-vous déjà forgé une opinion, sinon vous n'auriez pas ouvert ce livre.

Ce chapitre explique les torts qui ont été portés à la planète et ce que nous pouvons faire pour inverser le processus.

Réflexions sur la consommation

Quand on néglige un objet, son fonctionnement devient souvent aléatoire. Si vous ne l'entretenez pas, il tombera facilement en panne. Les êtres humains n'ont pas pris soin de leur planète ; il est temps de cesser de lui nuire, et de commencer à la réparer.

Le problème, c'est que les hommes aspirent à ce qu'ils jugent être un meilleur style de vie, à posséder des voitures, des télévisions, des ordinateurs, des lave-vaisselle, des grille-pain, etc. Comme la demande augmente, il faut davantage de ressources pour en tirer les matériaux bruts à partir desquels on fabriquera ces produits, et plus d'énergie pour leur trouver une place dans le processus de fabrication.

Plus il y a de gens, plus il y a de demande, et plus la situation empire. La population augmente et réclame plus de biens de consommation, de voitures et de voyages en avion. Non seulement des ressources précieuses sont épuisées, mais des gaz nocifs sont rejetés dans l'air ambiant par la combustion de carburants fossiles comme le pétrole et le charbon, utilisés pour créer de l'énergie. De même, lorsque ces objets sont usés, il faut s'en débarrasser.

Des signes d'alarme suggèrent que la planète s'abîme en raison de toute cette consommation, comme l'indique le changement climatique qui provoque des inondations, des ouragans, la fonte des glaces aux pôles, des vagues de sécheresse qui entraînent des famines et d'autres catastrophes naturelles dont on entend parler aux quatre coins du monde.

Changement climatique

Combien de fois avez-vous pensé que le dernier été avait été plus chaud que le précédent ou que l'hiver était d'une douceur incroyable ? Peut-être votre cerveau vous joue-t-il des tours du fait de l'âge ? Peut-être pas.

La question du changement climatique est largement débattue par les scientifiques et les politiques depuis quelque temps. Le débat ne porte pas tant sur le fait que le climat change – puisque la science l'a démontré – que sur l'étendue du phénomène, sur le surgissement de problèmes dans l'avenir et sur la nécessité ou non d'agir pour arrêter ou inverser ces tendances.

Les statistiques publiées par le comité intergouvernemental des Nations unies sur le climat indiquent la portée du problème :

> ✔ La température moyenne enregistrée à la surface du globe a augmenté d'environ 0,6 °C depuis la fin du XIX\ :sup:`e` siècle.

🖝 Le rythme du réchauffement constaté depuis 1976 a été de 0,17 °C par décennie.

🖝 La taille des glaciers alpins et continentaux diminue du fait du réchauffement enregistré dès le xxe siècle.

🖝 Les lacs et les fleuves de l'hémisphère Nord sont gelés pendant une durée annuelle inférieure de quinze jours à ce qu'elle était pendant les années 1970.

La raison pour laquelle le climat change sur la planète tient au fait que les humains rejettent trop de dioxyde de carbone et d'oxyde d'hydrogène dans l'atmosphère. Ceux-ci forment des *gaz à effet de serre* qui retiennent la chaleur à la surface de la terre, ce qui a pour effet de la réchauffer.

Le fait de couper les arbres ne fait qu'aggraver la situation. Les arbres contribuent à absorber le dioxyde dans le cadre du processus de photosynthèse. Ils le retiennent jusqu'à ce que le dioxyde se décompose. En l'absence de ces arbres, le dioxyde de carbone qu'ils retenaient est diffusé dans l'air ambiant. Comme les plantations d'arbres sont moins importantes que les coupes claires dans les forêts du globe, la situation empire.

Le réchauffement de la planète

Le changement climatique est probablement le plus sérieux des problèmes environnementaux actuels. La terre se réchauffe aujourd'hui à un rythme beaucoup plus soutenu que par le passé. De nombreux scientifiques expliquent que le réchauffement climatique est responsable de la montée du niveau des mers, des conditions climatiques anormales et de la modification des écosystèmes. Les calottes glaciaires ont commencé à fondre et le niveau des mers monte. Si le manteau polaire continue à se trouer au rythme actuel, des pays verront certains de leurs villages et de leurs villes côtières disparaître sous les eaux. Certaines îles de petite taille pourraient être englouties. Toutefois, la hausse de la température terrestre ne provoque pas partout une augmentation de la température ambiante. Certaines régions deviennent plus froides parce que l'eau des calottes glaciaires se mélange à l'eau de mer.

La combustion et le raffinage des carburants fossiles comme le pétrole, le charbon et le gaz pour la production d'énergie électrique et pour l'utilisation de véhicules (notamment les voitures et les avions) sont les principaux coupables. En effet, lors de leur élaboration, les carburants fossiles émettent des gaz à effet de serre comme le dioxyde de carbone. On les appelle « gaz à effet de serre » parce qu'ils agissent comme une véritable serre autour de la planète, créant une nappe qui piège la chaleur entre les gaz et la terre.

Ignorer le temps qu'il fait – à vos dépens

Selon le comité intergouvernemental des Nations unies, l'impact du changement climatique augmente l'exposition aux variations de température, accroît la pluviométrie, la fréquence et la gravité d'événements climatiques comme les tempêtes et les inondations. Parmi d'autres effets, citons la montée du niveau des eaux et un danger accru de feux de forêts, d'attaques d'insectes et de maladies infectieuses, le tout résultant de l'augmentation moyenne de 0,6 °C des températures du globe.

Tout cela ne serait pas très grave si les hommes étaient capables de s'adapter au changement climatique. Mais si les nouvelles technologies permettent de prédire de façon plus précise les tempêtes et les inondations, dans de nombreux cas il y a peu de moyens de les arrêter ou de leur échapper. Les populations ne peuvent que les attendre puis réagir face à leurs conséquences.

Si la terre continue de se réchauffer, vous verrez davantage :

- de grands feux de forêt proches de zones urbaines, en raison de l'extrême chaleur ;

- d'épidémies de maladies infectieuses originaires des zones tropicales ;

- d'années de sécheresse dans les régions sèches ;

- d'érosion côtière et d'éboulements de bâtiments dus à l'intensification des pluies ;

- d'inondations soudaines dues aux moussons et aux tempêtes.

Multiplication des catastrophes naturelles

L'incidence et la puissance des catastrophes naturelles augmentent. Les scientifiques s'accordent à dire que cette multiplication est directement liée à la montée des températures dans les océans. Les récents ouragans qui ont balayé les États-Unis, notamment celui qui a frappé La Nouvelle-Orléans en 2005 et les inondations qui ont dévasté le Sud-Est asiatique ainsi que l'Europe sont le genre de catastrophes naturelles qui, de l'avis des experts, augmenteront en fréquence.

L'assèchement de la terre

L'une des conséquences de l'augmentation des températures sur le globe est d'assécher encore plus les zones arides en prolongeant les sécheresses. Cela augmente la pression exercée sur les systèmes de distribution d'eau en zone urbaine et rurale qui est encore accrue par les vastes quantités d'eau gaspillées dans les maisons, sur les lieux de travail, dans les usines, les fermes et les sites de loisirs comme les terrains de golf.

La méthode traditionnelle qui consiste à installer des barrages sur des voies d'eau naturelles afin de créer de nouveaux réservoirs en bétonnant les rivières n'est plus efficace dans les régions les plus arides du monde. Les sources sont asséchées, et il faut donc penser à d'autres moyens pour apporter aux terriens l'eau dont ils ont besoin.

Repérer les signes du changement climatique

Vous savez probablement, par le biais des informations télévisées, que plusieurs régions du monde sont confrontées à de sérieux problèmes en raison du changement climatique :

- **Afrique** : c'est un continent dont le niveau de *sécurité alimentaire* est faible. C'est une manière de dire que la faim sévit quotidiennement dans de nombreux pays de ce continent. De toute évidence, la sécheresse aggrave la situation. Beaucoup de lacs intérieurs et de rivières qui fournissaient du poisson sont pratiquement à sec.

- **Asie** : les basses terres du Bangladesh et de l'Inde sont de plus en plus susceptibles d'être touchées par les inondations en raison de la montée du niveau de la mer, de l'intensité accrue des intempéries et de la baisse du niveau des nappes phréatiques provoquée par l'excès d'irrigation. Au Bangladesh en particulier, les grandes inondations annuelles, désormais courantes, forcent des millions de gens à quitter leur maison.

- **Australie et Pacifique** : presque chaque année, les grands feux de brousse menacent plusieurs villes, grandes et moyennes, parce que la pluviométrie a baissé. La hausse du niveau de la mer compromet l'avenir de nombreuses îles du Pacifique, et certaines des plus petites menacent d'être englouties, à l'exemple de Tebua Tarawa et d'Abanuea. Parmi les îles en danger, citons Kiribati, Tuvalu ainsi que les atolls qui forment les îles Marshall.

- **Europe** : les inondations annuelles ont perdu tout caractère exceptionnel dans certaines régions européennes, en raison de la fonte rapide des glaces alpines à la belle saison. Certaines inondations ont également été provoquées par des pluies diluviennes, comme celles qui ont noyé Prague en 2002.

- **Amérique Latine** : la forêt tropicale amazonienne qui abrite diverses espèces de grenouilles et de mammifères ainsi qu'une flore extraordinaire est mise en danger par la progression rampante des constructions et du défrichage agricole, mais aussi par le temps sec déclenché par le réchauffement global.

> ✔ **Amérique du Nord** : une grande partie des États américains commence
> à subir les effets du changement climatique, au vu des catastrophes
> naturelles en recrudescence ces dernières années. L'ouragan Katrina,
> qui a dévasté les bas quartiers de La Nouvelle-Orléans, a en partie
> résulté de la hausse du niveau de la mer. D'autres régions d'Amérique
> du Nord sont confrontées à des problèmes fort différents. C'est le cas de
> l'Oregon et de la Californie, où les feux de forêt font rage, de l'Arizona et
> de la Californie, où le manque d'eau se fait sentir. De même, le Nord du
> Canada s'alarme de la fonte des glaces des régions arctiques.

Réflexions sur l'impact humain

réflexion globale

pouvons-nous revenir en arrière... non, On ne veut que stabiliser la situation

Les écosystèmes changent du fait du réchauffement global, mais aussi de
l'impact humain par le biais des méthodes de production, de la croissance
urbaine, du défrichage et du tourisme.

Des changements irréversibles interviennent au cœur de certains des
écosystèmes les plus anciens et les plus précieux de la planète, notamment
dans la forêt amazonienne en Amérique du Sud, dans les Everglades
aux États-Unis, et dans la grande barrière de corail le long des côtes
australiennes. La faune, la flore et les insectes sont affectés par ces
modifications, et de nombreuses espèces sont menacées de disparition.

La production de déchets toxiques

Les tuyaux d'échappement et les cheminées d'usine ne se contentent pas
de rejeter des gaz à effet de serre. Les autres gaz nocifs et les particules
dangereuses qu'ils émettent peuvent aussi provoquer des infections
respiratoires et diverses maladies.

Il faut aussi compter avec les sous-produits néfastes qui proviennent des
industries chimiques en plein développement. Celles qui fabriquent des
médicaments, des matières plastiques, des textiles, des détergents, des
peintures et des pesticides sont obligées de se montrer beaucoup plus
prudentes dans la manière dont elles évacuent leurs sous-produits. Il n'y
a pas si longtemps, de grandes quantités de déchets étaient rejetées de
manière incontrôlée dans l'air, les rivières, les fleuves et partout où ces
usines pouvaient les cacher. Les méthodes de production modernes peuvent
réduire la quantité de déchets produite, mais il en reste beaucoup dont il faut
se débarrasser.

De nombreux détritus, une grande partie des emballages et la plupart des
produits en fin de vie aboutissent dans des décharges, ou sont brûlés dans
des incinérateurs. Dans les deux cas, ils émettent des produits chimiques
toxiques qui se retrouvent dans la terre ou dans l'air ambiant.

L'épuisement énergétique

L'énergie électrique est la plus populaire dans le monde. Pour fournir de l'électricité aux mégalopoles et aux villes moyennes par le moyen le plus économique et le plus fiable, on a recours aux centrales thermiques qui brûlent des carburants fossiles comme le charbon. L'énergie requise pour le transport provient du raffinage du pétrole, qui est également un carburant fossile. La combustion des carburants fossiles participe largement à la production de gaz à effet de serre que beaucoup de scientifiques désignent comme les responsables du changement climatique. Voyez l'encadré intitulé « L'impact néfaste des carburants fossiles », un peu plus loin dans ce chapitre.

Il existe désormais des sources d'énergie alternatives (comme le vent, l'hydrogène et l'énergie solaire) qui produisent peu ou pas de gaz à effet de serre. Si leur marché se développait, ces énergies pourraient devenir moins chères. Même si vous continuez à miser sur l'électricité et le pétrole, il y a certains petits changements que vous pouvez adopter pour moins dépendre d'eux. Ce livre vous apporte de nombreux conseils pratiques en ce sens.

Réduire les déchets

La manière dont les humains se débarrassent de leurs ordures montre à quel point ils exploitent la planète sans vergogne. Traditionnellement, les déchets sont incinérés ou envoyés dans des décharges, soigneusement éloignées des villes.

De nombreux pays ont cessé de brûler leurs détritus dans de grands incinérateurs, car ils constituent une importante source de pollution ambiante et de rejet de gaz à effet de serre. L'autre solution consiste à envoyer de plus en plus de déchets vers les décharges. Mais les villes manquent désormais de terrains puisque la quantité d'ordures continue d'augmenter. À proximité des décharges, la terre est contaminée par les produits chimiques toxiques qui proviennent des détritus.

Désormais, la plupart des pays se concentrent sur la réduction de la quantité de déchets qui sont acheminés vers les décharges. Ils utilisent la méthode de la carotte et du bâton pour convaincre le public de réduire le volume de ses poubelles, de réutiliser autant que possible les résidus végétaux dans le compost et de ne jeter que le minimum. Le chapitre 6 traite de la réduction des déchets et des moyens de s'en débarrasser.

La croissance de la population urbaine

On estime que dans un avenir proche, il y aura plus de dix villes au monde comptant une population supérieure à 20 millions d'habitants. Pour l'instant, la planète n'en compte que quatre : New York (États-Unis), Tokyo (Japon),

Séoul (Corée du Nord) et Mexico (eh oui, pardi, au Mexique). Parmi les nouvelles mégalopoles, il y aura bientôt Pékin en Chine, Le Caire en Égypte, Djakarta en Indonésie, Mumbaï (encore appelée Bombay) et Delhi en Inde, Lagos au Nigeria et São Paulo au Brésil.

Comme les populations rurales pauvres se pressent dans les grandes villes pour profiter des investissements massifs qui y sont consentis, de vastes agglomérations de gens démunis cherchent du travail et vivent sur place avec leur famille, dans des espaces restreints. Les conséquences, sur le plan social, sanitaire et environnemental sont impossibles à prévoir. Une grande partie de ces *mégalopoles* deviennent de parfaits incubateurs pour les virus meurtriers comme le sida et la grippe.

Les populations nombreuses puisent largement dans les ressources d'eau et d'énergie. La nourriture et les autres produits essentiels doivent être transportés dans les villes, parce que les citadins ne sont plus capables de produire leurs aliments et leurs vêtements. La quantité de déchets à évacuer augmente et, comme la richesse s'accroît, la demande en produits et en énergie suit le même chemin, ce qui intensifie les émissions de carbone et la pollution. Revers de la médaille, les zones rurales se vident et deviennent moins productives.

L'augmentation du nombre de voitures

Le nombre croissant de gens qui emménagent en ville contribue à l'extension rampante des zones urbaines. Le fait de posséder une voiture permet d'habiter hors des villes et d'aller partout où l'on veut, ce qui ne fait qu'aggraver le phénomène d'expansion. Et plus vous vivez loin du centre, plus vous avez besoin de posséder une voiture. C'est la quadrature du cercle de la vie moderne.

Si plus de gens décidaient de vivre à proximité des transports en commun et des commerces, la demande de voitures baisserait. Le chapitre 3 étudie certains des facteurs à prendre en compte et montre quel est le type de domicile le plus écolo.

La consommation d'énergie

Si vous traversez votre ville la nuit, remarquez combien de bureaux restent éclairés la nuit, même lorsque les employés sont tous rentrés chez eux. Des boutiques vides, des rues entières et des parkings sont illuminés jusqu'au matin, pendant que ceux qui les utilisent le jour sont chez eux et se servent à leur tour de l'électricité.

Plus les gens s'installent en ville et plus les zones urbaines s'étendent, plus on voit s'accroître la demande en électricité pour éclairer des zones que presque personne n'occupe la nuit. Plus les gens emménagent en ville pour travailler dans des usines et des bureaux, plus il y a de demande en chauffage, climatisation et équipements de bureaux qui utilisent de l'électricité. Les grandes villes tentaculaires exercent une forte pression sur la consommation d'énergie.

L'impact néfaste des énergies fossiles

Les *combustibles fossiles* sont des substances énergétiques formées par des plantes et des micro-organismes enfouis de longue date. Souvent localisés dans le sous-sol marin, ils se présentent sous la forme de pétrole, de charbon et de gaz naturel. Les carburants fossiles ont beaucoup contribué au développement de la société moderne, en lui donnant la possibilité d'industrialiser et de transporter matériaux et personnes d'un lieu à un autre. En 2002, on a calculé que la population mondiale engloutissait 29 milliards de barils de pétrole, 5 milliards de tonnes métriques de charbon, et 2,6 trillions de mètres cubes de gaz naturel. Près de 84 millions de barils de pétrole ont été utilisés chaque jour en 2005.

Ces substances sont extraites de la croûte terrestre et sont généralement raffinées pour obtenir des carburants adaptés comme l'essence, le fuel de chauffage et le kérosène. Le principal impact écologique de ces carburants fossiles est lié à leur combustion. Lorsqu'ils sont brûlés, ils génèrent du soufre, de l'azote et du carbone qui, mélangés à l'oxygène, produisent des composés appelés oxydes. À leur tour, ceux-ci forment des gaz qui provoquent des problèmes environnementaux, notamment le changement climatique, la pollution par les particules et les pluies acides.

Les combustibles fossiles sont consommés beaucoup plus rapidement qu'ils ne sont formés dans la croûte terrestre. De ce fait, ils seront bientôt épuisés. Parmi les sources alternatives d'énergie qui exercent un impact minime sur l'environnement, citons l'énergie éolienne et solaire.

Évaluer les coûts de la mondialisation

La croissance économique a conduit de nombreuses sociétés occidentales à relocaliser leurs unités de production dans des pays en voie de développement afin de tirer profit des ressources et de la main-d'œuvre moins chères. Les entreprises qui ont pris cette initiative sont celles qui fabriquent une grande partie de vos appareils ménagers, de vos vêtements et de vos équipements de cuisine.

Dans les pays en voie de développement, les gens travaillent pour ces entreprises en échange d'un salaire assez faible, parce qu'ils n'ont pas vraiment d'autre choix. Toutefois, dans les villes occidentales, les entreprises locales qui étaient jadis spécialisées dans l'élaboration de ces produits mettent leurs salariés au chômage. Le coût de l'aide publique à ces personnes constitue un problème pour les pays occidentaux, et les problèmes sociaux qui résultent des forts taux de chômage, notamment la consommation de drogues et la montée de la délinquance, deviennent très lourds dans les zones urbaines en pleine expansion.

Vous devez réfléchir à toutes ces questions morales quand vous vous demandez comment vivre de manière plus écolo. Le fait d'acheter des produits fabriqués à l'étranger par des salariés mal payés peut ressembler à de l'exploitation ; en même temps, si ces personnes ne reçoivent pas le maigre salaire qui leur est attribué, elles ne pourront peut-être pas nourrir leur famille. Plus les produits sont bon marché, plus les gens peuvent se les offrir, et quand la demande augmente, la consommation d'énergie nécessaire à la production s'en trouve accrue. Cela alourdit les rejets de carbone. Acheter vert, c'est définir vos priorités, et cette démarche s'accompagne de plusieurs dilemmes.

Confrontation aux problèmes de santé

Vivre écolo, c'est aussi essayer de ne pas nuire aux personnes qui se trouvent à mille lieues de chez vous et décider de ne pas abîmer leur environnement. Il est donc important de freiner la propagation des maladies.

La concentration de la population mondiale dans les grandes zones urbaines conduit de plus en plus de gens à vivre près de sources de pollution et d'infections. La multiplication des voyages en avion permet aux maladies de se diffuser sur de plus grandes distances. Les progrès de la médecine ont permis de sauver des millions de vies et d'allonger l'espérance de vie dans de nombreux pays. La santé est beaucoup mieux assurée mais de nouveaux problèmes sanitaires surgissent.

Propagation de virus virulents

Depuis plusieurs années, les experts du monde entier craignent une pandémie – c'est-à-dire une épidémie qui pourrait tuer des centaines de millions de personnes sur la planète. Autrefois, les virus se propageaient plus lentement parce que les gens voyageaient très peu en dehors de leur communauté. De ce fait, les maladies apparaissaient de manière isolée. Aujourd'hui, les virus circulent à la vitesse des avions. Une personne malade, mais qui l'ignore, peut se rendre de Thaïlande en France et entrer en contact avec une vaste population urbaine, qui relaiera à son tour la maladie en France et dans le reste du monde, et ce, en l'espace de quelques heures.

Lorsque les virus se diffusent de cette manière, ils peuvent aussi occasionner de terribles dégâts chez les animaux, les insectes et dans toute la faune sauvage, endommageant des écosystèmes et des environnements naturels.

Besoin d'air

Les pays qui ne contrôlent pas la quantité de gaz d'échappement et de rejets dans l'atmosphère sont confrontés à de gigantesques factures sanitaires.

Les personnes qui vivent à proximité d'un site industriel dans les pays qui n'imposent pratiquement pas de régulation sur la pollution de l'air, de la terre et de l'eau risquent toutes sortes de problèmes de santé, notamment de l'asthme et d'autres maladies respiratoires.

Même dans des pays comme la France, où les lois sur l'environnement sont prises très au sérieux, le volume du trafic urbain crée des risques sanitaires du fait de maladies provoquées ou aggravées par la pollution de l'air. Vous trouverez d'autres informations dans le paragraphe intitulé « L'invisible peut vous faire mal », qui vous renseignera sur les types de particules susceptibles de flotter dans l'air ambiant et de provoquer des maladies.

Pollution de l'eau

Dans les sites industriels proches de cours d'eau, les produits toxiques s'infiltrent dans la terre et rejoignent les rivières. Cela arrive encore en France, malgré une application rigoureuse des lois sur l'environnement, ce qui entraîne un risque d'empoisonnement de la population.

Dans certaines parties du monde où les usines se débarrassent couramment de leurs déchets dans le cours d'eau le plus proche, alors que les habitants dépendent de cette eau pour leurs besoins quotidiens, les dangers sont immenses. Dans de nombreux pays, les déjections humaines sont également évacuées dans la rivière la plus proche.

De plus en plus de gens se voient menacés par la contamination de l'eau dans les zones où les régulations sur l'environnement ne sont pas encore respectées. Vous lirez d'autres renseignements dans le paragraphe intitulé « Le géant rampant – les déchets toxiques dans votre eau ».

Empoisonnement de la nourriture

La nécessité de nourrir la population mondiale croissante et la demande d'aliments bon marché sont à l'origine de la production alimentaire de masse. Les méthodes d'élevage intensif ont été développées pour répondre à la demande et pour apporter rapidement la nourriture dans l'assiette du consommateur. Les additifs chimiques, les antibiotiques et les hormones artificielles servent à accélérer la croissance des animaux et des volailles, mais aussi à prévenir les maladies au sein des troupeaux, alors que les pesticides et les engrais artificiels augmentent le rendement de la terre.

Les effets à long terme de ces méthodes sur la santé n'apparaissent pas toujours au premier abord, mais ils sont inquiétants. Par exemple, la présence d'antibiotiques dans la chaîne alimentaire conduit les consommateurs à développer une résistance à ces substances, ce qui provoque divers problèmes, car ils sont essentiels au traitement de certaines maladies. L'épidémie d'encéphalopathie spongiforme bovine (ESB) était la conséquence directe du mélange de certains produits carnés à la nourriture des vaches. Cette pratique avait été adoptée pour réduire les coûts de la production de la viande de bœuf. Le chapitre 7 se penche sur les aliments que vous consommez et vous explique comment acheter les denrées les plus écolo.

L'épuisement des ressources

L'équation est simple : la planète lutte pour nourrir sa population parce que ses habitants consomment les ressources plus rapidement qu'elle ne les produit. Ils abîment la terre trop vite pour qu'elle puisse se régénérer. Additionnés, ces facteurs créent un résultat négatif. De nombreux scientifiques pensent que la planète va épuiser ses ressources au cours de ce siècle si le taux actuel de consommation ne se ralentit pas.

Le monde occidental est largement à blâmer. Les chiffres suivants, indiqués par le groupe Enough www.enough.org.uk au cours de sa croisade contre la consommation, parlent d'eux-mêmes :

✔ Les États-Unis, qui comptent seulement 6 % de la population mondiale, consomment 30 % de ses ressources.

✔ Un cinquième de la population mondiale consomme plus de 70 % des ressources naturelles de la planète, et possède 80 % de ses richesses. Cette frange se concentre surtout aux États-Unis, au Canada, en Europe occidentale, en Arabie Saoudite, en Australie et au Japon.

✔ Le monde produit assez de blé pour nourrir tous les habitants de la planète en leur fournissant plus de 2 500 calories par jour ; et pourtant, la faim sévit encore dans de nombreux pays en voie de développement.

✔ Un cinquième de la population mondiale (toujours la même classe privilégiée) est responsable de plus de la moitié des polluants à effet de serre et de 90 % des gaz qui amenuisent la couche d'ozone.

Ces statistiques montrent à quel point le monde occidental utilise plus que sa part des ressources mondiales.

Il ne faut pas être grand clerc pour voir que la terre ne pourra pas éternellement résister à ce traitement. Elle ne peut se régénérer en suivant le rythme de la consommation humaine. Certaines ressources risquent de s'épuiser.

✔ **La terre** : la quantité de terres agricoles encore disponibles est inférieure de moitié, environ, à celle qui serait nécessaire pour subvenir aux seuls besoins des Européens. Cela résulte largement de l'urbanisation, du défrichage et du grand nombre de terres infertiles (déserts, forêts, et climats inhospitaliers).

✔ **L'eau :** les ressources en eau diminuent en raison de la rapide croissance démographique dans les pays en développement et du gâchis dans le monde occidental. La quantité totale de précipitations est suffisante pour désaltérer la population actuelle du monde, mais une grande partie des pluies se concentrent dans des régions spécifiques, en privant d'eau les autres pays.

✔ **L'énergie :** la consommation d'énergie augmente plus vite que la population mondiale. Elle compte trop sur les carburants fossiles comme le charbon et le pétrole pour assurer son énergie. De nombreux scientifiques s'accordent à dire qu'il ne nous reste que cinquante ans de réserves de pétrole si nous continuons à l'utiliser à ce rythme.

✔ **Ressources biologiques :** diverses études montrent que les êtres humains dépendent d'environ 10 millions d'autres êtres vivants pour assurer leur nourriture. Une grande partie de ces espèces qui interviennent dans la chaîne alimentaire sont menacées d'extinction en raison de l'impact humain sur les écosystèmes à l'intérieur desquels elles vivent.

Deux siècles de prospérité et de pollution accrues

Les dates présentées ci-dessous indiquent la progression de la pollution :

✔ **1800-1860 :** mécanisation : de nouvelles techniques d'ingénierie ont conduit à l'avènement de machines et d'usines plus modernes. Les machines à vapeur et les chemins de fer ont entraîné l'augmentation des zones urbaines.

✔ **1830-1900 :** développement de la ville industrielle : les villes se sont fortement développées en raison de la multiplication des postes et du développement des usines. On a vu surgir de graves problèmes sociaux et de logement en même temps que les premiers grands problèmes d'environnement.

✔ **1870-1914 :** deuxième révolution industrielle : l'avènement de l'électricité et les progrès de la médecine créent une nouvelle vague industrielle.

✔ **1914-1930 :** Première Guerre mondiale : la guerre écluse les ressources globales mais l'ère de la production de masse permet au monde de les récupérer.

✔ **1930-1968 :** modernisme : la Deuxième Guerre mondiale et les progrès réalisés en matière d'armement sont rapidement suivis par l'apparition de l'énergie nucléaire, l'exploration de l'espace, une meilleure compréhension de l'ADN et des mécanismes de la vie. La période de l'après-guerre est caractérisée par une rapide expansion urbaine et un développement de la consommation.

✔ **1960-2000 :** l'ère de l'ambivalence ; l'impact de la consommation débridée conduit à la naissance du mouvement écologiste. L'avènement de l'informatique multiplie les échanges d'informations.

L'invisible peut vous faire du mal

Le réchauffement de la planète n'est que l'un des effets de la combustion incontrôlée des carburants fossiles, qui répond à divers besoins énergétiques, logistiques et industriels. Les gaz produits peuvent également poser de graves risques sanitaires. Par ailleurs, de nombreux produits toxiques sont rejetés dans l'environnement, dans l'air ambiant, le sol, les voies d'eau, et même dans la nourriture que vous absorbez.

Vous n'avez besoin que de l'air que vous respirez

Vous ne le voyez peut-être pas, mais une partie de la pollution suspendue dans l'atmosphère menace directement votre santé. Le dioxyde de carbone et les oxydes d'azote contribuent largement à la formation des gaz à effet de serre qui provoquent le réchauffement global. Voici certains des dangers qui nous menacent :

- **L'ozone** : l'ozone bénéfique est présent dans la couche large de 10 à 50 km qui entoure la surface de la terre et nous protège des rayons ultraviolets du soleil. L'ozone néfaste est formé par les produits polluants rejetés par les voitures, les usines et les raffineries qui entraînent une réaction chimique en présence de la lumière solaire. Il peut déclencher des infections respiratoires et augmenter l'incidence de l'asthme.

- **La pollution par les particules :** la plupart des polluants présents dans les fines particules sont uniquement visibles au microscope. Mais lorsqu'ils sont agglomérés, ils constituent la brume de pollution que l'on aperçoit les jours sans vent. Les particules sont directement produites par les gaz d'échappement et les fumées d'usine, par exemple. Elles régissent aussi au contact d'autres polluants. Les particules provoquent de grandes difficultés respiratoires et sont même responsables de diverses maladies pulmonaires et cardiaques.

- **Le monoxyde de carbone :** le monoxyde de carbone (CO) est un gaz incolore et inodore difficile à détecter. Il se forme quand le carbone présent dans le pétrole ne brûle pas complètement. Les voitures produisent une grande quantité de CO, surtout en hiver quand vous faites démarrer votre moteur et que le processus de combustion reste incomplet. Les industries et les feux de broussailles contribuent également aux émissions de CO. Dans l'organisme humain, le carbone perturbe la circulation sanguine et affecte les personnes sujettes aux problèmes cardiovasculaires.

✔ **Le dioxyde de soufre :** C'est également un gaz sans couleur mais il diffuse une odeur d'œuf pourri qui permet de le détecter facilement. Ce gaz réactif est produit lorsque le charbon et le pétrole sont brûlés dans les centrales électriques et les chaudières industrielles. Son odeur forte éloigne les riverains des zones industrielles. Outre son odeur désagréable, il agresse fortement les poumons et le cœur.

Quand vous regardez les informations régionales à la télévision, soyez attentif aux prévisions météo et au bulletin qui fournit l'« index de qualité de l'air ». Il mesure la quantité des principaux gaz et particules rejetés dans l'air à certaines heures de la journée.

Le géant rampant – les déchets toxiques dans votre eau

Un autre polluant tout à fait mesurable passe généralement inaperçu, jusqu'à ce qu'il soit trop tard pour le combattre : il s'agit de la pollution chimique. Les plus grands utilisateurs de produits toxiques sont les industries qui fabriquent les médicaments, les plastiques, les textiles, les détergents, les peintures et les pesticides. Quand leur fabrication a commencé il y a plusieurs décennies, les déchets toxiques étaient invariablement rejetés dans les voies d'eau les plus proches, dans l'air, ou simplement enfouis dans le sol.

Parmi les principales substances toxiques, il faut citer :

✔ **Les retardateurs de flamme bromés :** ils sont utilisés dans les plastiques des boîtiers d'ordinateur, les appareils ménagers, les équipements intérieurs automobiles, les tapis et la mousse de polyuréthane présente dans les meubles et la literie. Ces produits peuvent se retrouver dans la poussière des maisons et des bureaux. Ils sont associés à divers cancers et à certaines complications gynécologiques.

✔ **Les dioxines :** il s'agit de produits dérivés de la fabrication du PVC (polyvinylchlorure que l'on retrouve dans les plastiques et les encadrements de fenêtres), des produits de blanchiment industriels et de l'incinération. Ils peuvent déclencher des maladies du système immunitaire, de l'appareil génital, des cancers et entraîner des perturbations de la croissance.

✔ **Les métaux :** parmi les métaux lourds toxiques, indestructibles et non dégradables dans l'environnement figurent le plomb et le mercure. Le plomb est la toxine industrielle la plus présente dans l'environnement. C'est lui qui fait peser la plus grande menace sur la santé. Il se diffuse dans l'atmosphère par le biais du pétrole et de la peinture. De faibles quantités de plomb et de mercure peuvent provoquer des maladies mentales, le ralentissement des processus d'apprentissage et freiner la croissance des enfants.

✔ **Les pesticides organochlorés :** ce type de pesticides comprend le DDT, la dieldrine, l'heptachlore, le chlordane et le mirex, que l'on utilise pour le jardinage et les travaux agricoles. On peut les retrouver dans le sol, la nappe phréatique, les rivières et les fleuves. La plupart de ces produits ont été interdits dans de nombreux pays, y compris en Angleterre et en France. Pour plus d'informations, consultez le site suivant : http://e-phy.agriculture.gouv.fr car ils sont responsables de certains cancers et s'avèrent toxiques pour le système immunitaire.

✔ **Les produits chimiques perfluorés :** ce sont des acides utilisés dans la fabrication d'articles quotidiens comme les vêtements, les traitements antitaches et les produits cosmétiques. Ils sont associés au cancer et à diverses affections du foie.

Quatre sites qui traquent les produits toxiques :

✔ **MDRGF :** www.mdrgf.org (MDRGF : Mouvement pour les droits et le respect des générations futures). Cette association dénonce les effets sanitaires et environnementaux des pesticides. Elle promeut des alternatives agricoles plus respectueuses de l'environnement.

✔ **ARTAC :** www.artac.info (Association pour la recherche thérapeutique anticancéreuse). Elle met en évidence le lien entre les produits toxiques et le cancer.

✔ **Greenpeace :** www.greenpeace.fr. Sa campagne vigitox (www.vigitox.org) et son guide *cosmetox* donnent la liste de tous les produits contenant des substances qui posent problème.

✔ **Écologie sans Frontière :** www.ecologiesansfrontière.org, spécialiste de la pollution.

Les réglementations gouvernementales imposent aux industriels de se montrer beaucoup plus prudents dans la manière dont ils se débarrassent de leurs déchets toxiques ; diverses mesures ont été prises pour minimiser l'impact humain et environnemental de ces déchets.

Penser en termes de mondialisation, agir au niveau local

Est-il possible d'arrêter et même d'inverser le mouvement pour sauver la planète ? Oui, mais cela suppose des efforts conjugués de la part des particuliers, des entreprises et des États.

Dans cet ouvrage, vous trouverez toutes sortes de conseils pour opérer un véritable changement chez vous et dans votre communauté, afin de contribuer à le créer à l'échelle du monde.

Adopter le point de vue global de Kyoto

Le protocole de Kyoto précise les points suivants :

En 1990, la Commission intergouvernementale qui a réfléchi au changement climatique a indiqué qu'il fallait réduire de 60 % les émissions de gaz nocifs dans l'atmosphère pour réparer les dégâts sérieux occasionnés sur la planète.

En 1998, à Kyoto, au Japon, 141 chefs d'État ont convenu d'une collaboration des pays industrialisés pour réduire les gaz à effet de serre de 5,2 % par rapport aux niveaux établis en 1990, dans chaque pays concerné et pour la période allant de 2008 à 2012. Les États-Unis d'Amérique se sont désolidarisés de cet accord en 2001. L'une des raisons alléguées par le président George Bush était que l'Inde et la Chine, considérées comme des pays en développement, ne participaient pas à cet accord. En termes de population, ces pays jouent indéniablement un rôle dans l'émission de gaz à effet de serre, mais les chiffres par habitant restent extrêmement bas. En revanche, les États-Unis sont responsables d'un quart de la production mondiale de gaz à effet de serre. En 1996, l'émission de dioxyde de carbone par citoyen américain était 19 fois supérieure à celle d'un citoyen indien. Globalement, les rejets américains sont encore deux fois supérieurs à ceux des Chinois.

Selon les statistiques, la défection des États-Unis réduit l'efficacité du protocole de Kyoto, mais il s'agit peut-être des premières réactions à un processus à long terme qui créera une véritable mobilisation des esprits. Les politiciens et les mesures politiques évoluent rapidement. La question du climat prend une telle place qu'elle ne peut plus être ignorée, et le protocole de Kyoto peut être considéré comme l'accord qui a donné le coup d'envoi au changement.

Vous pouvez faire évoluer votre style de vie sans demander la permission à quiconque. De la même manière, vous pouvez jouer votre rôle en aidant d'autres personnes autour de vous à adopter une approche écolo, notamment :

- ✔ en vous portant volontaire dans un groupe d'action communautaire qui partage vos centres d'intérêt, par exemple un groupe de défense des cyclistes ou de la nature ;
- ✔ en écrivant des lettres aux rédacteurs en chef de journaux, magazines, à différents webmestres, à vos conseillers municipaux, et à votre député ;
- ✔ en entrant dans un parti politique qui représente vos idées et dans lequel vous pensez pouvoir exercer une influence.

Si vous êtes nombreux à vous engager dans la promotion active de la vie écolo, il est probable que les politiciens responsables des décisions locales prendront les questions environnementales plus au sérieux.

Les personnes peu prévoyantes ont tendance à dépenser leur argent à court terme et à ignorer les implications à long terme. Il en va de même pour l'environnement. Bien des gens utilisent ce dont ils ont besoin et se soucient peu des conséquences futures.

Une grande partie des conseils de ce livre sont simples et peuvent être immédiatement mis en œuvre sans pour autant bouleverser votre style de vie. Si vous passez à l'action, vous contribuerez à faire pencher la balance du bon côté, et vous donnerez aux générations futures, à vos enfants et petits-enfants l'espoir de jouir d'une planète propre.

Deuxième partie
Vivre écolo

« J'espère seulement que notre projet de cottage écologique aura l'approbation de nos voisins. »

Dans cette partie...

Nous allons réfléchir à ce que nous pouvons faire pour vivre écolo. Certaines des mesures à prendre sont très simples et ne vous coûteront pas un centime. La plupart d'entre elles vous feront réaliser des économies. Les changements plus radicaux risquent de coûter de l'argent – ce sera le cas si vous remplacez vos ampoules ordinaires par des ampoules à économie d'énergie et si vous isolez votre intérieur, si vous faites installer une turbine éolienne sur votre toit – mais, au bout du compte, ces décisions vous conduiront à épargner à plus ou moins longue échéance.

Cependant, certaines des décisions à prendre pour vivre écolo relèvent du bon sens et ne nécessitent qu'une modification des habitudes et des mentalités. Toute la famille peut jouer son rôle à la cuisine, dans le séjour et au jardin. La clé de la vie écolo consiste à réduire le nombre de produits que vous utilisez, à réutiliser les choses ou à les donner à quelqu'un qui peut s'en servir, à réparer plutôt qu'à acheter de nouveaux articles et à réduire la quantité de déchets que vous produisez par le recyclage et le compost.

Chapitre 3

Vivre dans une maison verte

- -

Dans ce chapitre

▶ Imaginer la vie écolo parfaite

▶ Étudier des solutions énergétiques alternatives

▶ Réfléchir à l'emplacement de votre domicile

▶ Changer vos comportements pour que votre maison soit plus verte

▶ Construire une maison verte

- -

*Q*uel que soit le type de logement que vous recherchez, vous devrez choisir de le louer ou de l'acheter, de vivre dans une maison ou dans un appartement, décider de l'argent que vous y investirez et de l'endroit où vous voudrez vivre. Quelle que soit votre décision finale, celle-ci exercera une influence essentielle sur la manière dont vous interviendrez dans le sort de la planète.

Ce chapitre explique pourquoi votre logement est important sur le plan de l'environnement, et ce qui le rend écolo. Il vous dit aussi comment rendre votre domicile plus vert en économisant des ressources précieuses comme l'eau et l'énergie, comment adopter des équipements plus rationnels sur le plan énergétique et, même, comment progresser vers la production personnelle d'énergie.

Vous n'avez pas besoin de dépenser des sommes folles pour vivre écolo chez vous. La méthode la plus simple et la plus efficace consiste à *rationaliser votre consommation d'énergie*, en réduisant vos factures d'électricité et de gaz (ce qui vous enrichira, au passage) et en adoptant un fournisseur d'énergie verte.

Imaginer la maison idéale sur le plan du développement durable

Que vous soyez en train de déménager, d'essayer d'adapter votre logement existant à un mode de vie plus écolo ou encore en train de construire une maison, la taille et l'emplacement de votre habitation sont les deux questions primordiales.

✔ La taille d'un logement dicte le type d'énergie qu'il faudra pour le chauffer et l'éclairer, le nombre d'appareils ménagers à utiliser et, dans une certaine mesure, la quantité d'eau qui sera consommée.

✔ L'emplacement dicte largement les autres ressources à utiliser : l'essence pour la voiture si vous êtes loin des transports en commun, les infrastructures locales comme les routes et les magasins de proximité. L'emplacement influence le type d'énergie auquel vous aurez accès, et les infrastructures nécessaires pour approvisionner cette énergie (sous forme de gaz et d'électricité, par exemple), en même temps que l'eau et le système de télécommunications que vous utiliserez chez vous.

Il faut étudier ces deux aspects si vous voulez influencer tant soit peu l'environnement.

Sérier les questions – plus grand n'est pas toujours charmant

Un logement qui occupe moins d'espace – comme un appartement ou une maison de ville – encourage un style de vie moins nocif pour l'environnement. De tels bâtiments requièrent moins de terrain et se trouvent généralement dans les lieux les plus accessibles. De ce fait, ils incitent à un moindre usage de la voiture.

Les logements qui tiennent beaucoup de place, par exemple les propriétés indépendantes ou les maisons mitoyennes avec grand jardin dans de tranquilles quartiers résidentiels, sont appelés *logements à faible densité*. Ils utilisent beaucoup d'espace urbain et deviennent de moins en moins accessibles par les transports en commun et les services communautaires. Dans les grandes villes comme Paris, Lyon et Marseille, les routes qui mènent au centre-ville sont saturées par les personnes qui vont et viennent entre leur domicile et leur travail.

Il y a aussi les immenses maisons installées sur des terrains cachés parmi des dizaines d'autres maisons du même style. Elles vous offrent beaucoup plus de mètres carrés, mais exigent une grande quantité d'équipements, de routes, de voitures, etc. Ces maisons immenses occupent de vastes superficies, elles ont une entrée imposante et de multiples chambres, des salles de réception, de nombreuses salles de bains et plusieurs garages. Aux États-Unis, on les appelle des « McMansions » parce qu'on dirait que quelqu'un a pris un menu « deluxe » chez McDo : « Vous me mettrez trois salles de bains, une grande salle de séjour, un bureau, une salle de loisirs, cinq chambres à coucher et un jacuzzi, taille maxi, s'il vous plaît. » Quand vous traversez ces quartiers, vous vous demandez où sont les magasins, la gare et la station de bus la plus proche.

Malheureusement, ces nouvelles banlieues ont souvent été conçues sans réflexion sur les infrastructures et les services, ce qui fait que leurs habitants se retrouvent au milieu de nulle part, sans beaucoup d'espaces verts ni d'espaces communautaires. Ils sont obligés de faire appel à papa-maman pour conduire les membres de la famille à droite et à gauche, parce qu'il n'y a pas d'autre possibilité de transport.

Quel espace vous faut-il ? La question n'est pas aisée et beaucoup de gens choisissent plus grand chaque fois qu'ils déménagent, pour le plaisir de disposer de plus de place. Réfléchissez bien aux besoins de chacun des membres de la famille. Regardez le logement que vous occupez et demandez-vous de manière réaliste si le confort de chacun est respecté. Souvent, une maison semble trop petite parce qu'elle contient trop d'objets, alors qu'ils sont inutiles. Au lieu de dépenser une fortune pour vous installer dans une maison plus grande, dépouillez votre cadre de vie actuel. Donnez ou recyclez ce dont vous n'avez pas vraiment besoin, notamment les vêtements, les meubles, les livres, les appareils ménagers et, lorsque vous reverrez la couleur du sol, votre logement vous semblera bien plus grand. Demandez-vous si cette salle de bains supplémentaire est vraiment nécessaire. Si vous ne recevez pas régulièrement d'invités, pourquoi ne pas installer un canapé convertible dans votre séjour ?

Concevoir sa maison pour ne pas gaspiller d'énergie

La consommation domestique représente environ 15 % de l'énergie utilisée dans les villes. Vous pouvez vivre confortablement, tout en agissant au sein de votre communauté, afin de réduire ce pourcentage.

La maison, c'est peut-être le cœur des choses, mais c'est aussi l'endroit où interviennent la plupart des émissions de CO_2. Généralement, la voiture est la grande responsable, car c'est elle qui concentre la plus grande part des rejets nocifs, mais beaucoup de logements émettent plus de dioxyde de carbone que les voitures qui sont garées devant. Les bâtiments d'habitation utilisent environ 40 % de l'énergie du globe, et consomment 16 % de son eau. En devenant plus écolo, vous contribuerez à faire baisser ces chiffres.

Un dossier d'information sur le logement

Quand vous achetez un logement, il se peut que vous ayez des difficultés à vous documenter sur ses besoins énergétiques : en effet, la plupart des vendeurs ne se préoccupent pas des questions écologiques. Désormais, lors de la vente d'un logement, le propriétaire doit constituer un dossier d'information destiné à l'acheteur potentiel. Ce dossier doit lui donner une idée de la consommation énergétique du logement. Cette décision vise à faciliter et accélérer le processus de vente/achat. De plus, il faut inclure dans l'acte de vente un certificat relatif aux performances énergétiques du logement.

Les certificats de performance énergétique donnent à tous les logements présents sur le marché une sorte de label de qualité en fonction de leur efficacité énergétique. Les « notes » vont de A à G, et ressemblent aux mentions qui sont faites sur les performances d'appareils ménagers tels que des réfrigérateurs ou des lave-linge. A est la meilleure note accordée, et G la plus mauvaise. Des experts ont été formés pour procéder à des inspections sur les logements afin de leur attribuer une note énergétique.

Depuis le 1er novembre 2007, le diagnostic de performance énergétique ou DPE est obligatoire lors de la vente d'un bien immobilier.

Les inspecteurs qui décernent les certificats de performance énergétique sont capables de vous donner une liste de suggestions pratiques pour réduire vos factures d'électricité et de gaz. L'Ademe estime qu'en suivant ces conseils, un particulier moyen pourra épargner jusqu'à 420 euros par an sur ses factures de chauffage domestique.

Une maison *qui utilise rationnellement l'énergie* est un endroit où tout a été conçu dans cette optique (par exemple, les ampoules ordinaires ont été remplacées par des ampoules à économie d'énergie, et les appareils ménagers présentent tous un excellent ratio énergétique). Une autre façon de devenir écolo consiste à utiliser de l'électricité verte, produite par des sources renouvelables comme l'énergie éolienne et solaire. Les énergies renouvelables peuvent servir à chauffer l'eau ou la maison, mais aussi, de plus en plus, à la rafraîchir en été. Vous pouvez acheter de l'énergie verte auprès de votre fournisseur énergétique ou même, si vous en avez les moyens, installer des équipements pour produire vous-même votre électricité.

Une maison verte

- **capte l'énergie solaire** : les panneaux solaires placés sur le toit peuvent chauffer l'eau et produire de l'électricité applicable à d'autres fonctions. La conception du bâtiment peut également jouer un rôle utile. Le fait de placer les pièces à vivre vers le sud, d'avoir un maximum de fenêtres, permet aux rayons du soleil de chauffer plus facilement la maison.

✔ **est bien isolée** : selon que vous voulez conserver la chaleur ou la chasser, la structure interne du bâtiment, le type de fenêtres utilisée, la décoration des pièces et l'isolation globale joueront sur le caractère écolo du logement.

✔ **laisse entrer la lumière par les fenêtres** : même si les verres épais sont très efficaces pour empêcher la chaleur d'entrer, le verre est probablement le plus grand générateur de chaleur dans votre logement. Le moyen le plus efficace de rafraîchir une pièce en été consiste à couvrir les fenêtres ou à fermer les rideaux. Vous pouvez installer des écrans et des stores, voire planter de la végétation dans l'axe de la lumière, et vous serez étonné du résultat.

✔ **sait tirer parti de l'ombre** : les arbres, les haies et les buissons extérieurs peuvent ombrager la maison en été et agir comme brise-vent en hiver. Placez-les entre les fenêtres et le parcours du soleil devant votre logement. Les stores et les écrans posés sur les fenêtres orientées au sud permettent de faire baisser la température quand il fait trop chaud.

✔ **possède un bon système d'aération** : les bâtiments de construction récente sont conçus pour assurer une bonne circulation de l'air à l'intérieur des pièces. Si vous rénovez votre domicile, vous pouvez améliorer la circulation de l'air en aménageant les espaces, les murs et les portes pour faire entrer la fraîcheur dans votre logement, et en faisant communiquer les pièces de façon à ce que l'air circule d'un bout à l'autre du bâtiment.

Si vous cherchez à emménager dans une maison plus verte, de nombreux conseils vous seront fournis dans les encadrés intitulés « L'information sur la maison » et « Évaluer l'utilisation optimale de l'énergie dans un nouveau logement ».

Explorer les énergies renouvelables

Vous pouvez rationaliser l'utilisation de l'énergie dans votre logement en devenant moins dépendant de l'électricité distribuée par votre fournisseur habituel, en comptant davantage sur les énergies renouvelables et durables (les chapitres 1 et 2 vous expliquent pourquoi elles sont si importantes pour l'avenir de la planète).

La plus grande partie de l'électricité que vous obtenez en appuyant sur vos interrupteurs est, en France, produite par des centrales nucléaires (à 77 %).

Évaluer l'utilisation optimale de l'énergie dans un nouveau logement

Le vendeur d'un logement doit fournir à son acquéreur un document indiquant sa consommation d'énergie. Ce document, le diagnostic de performance énergétique ou DPE, est également appelé « étiquette énergie logement ». Il s'agit d'une double étiquette : la première concerne la consommation d'énergie et la deuxième l'impact de cette consommation sur l'effet de serre. Plus de 3000 professionnels réalisent ces diagnostic. Vous les trouvez dans les annuaires professionnels rubrique « experts en techniques du bâtiment » ou dans les espaces info énergie de l'Ademe.

Les scores du DPE tiennent compte :

- des niveaux d'isolation thermique ;

- du type de chauffage et de son efficacité ;

- de la ventilation de la propriété.

Par ailleurs, il évalue de manière indépendante les logements neufs ou rénovés.

Vous saurez ainsi si votre habitat est économe ou pas, et vous recevrez des conseils pour économiser de l'énergie et de l'argent en améliorant la performance énergétique de votre logement.

En France, depuis novembre 2007, la législation impose à tous les constructeurs de logements d'afficher leur note de DPE.

Toutes sortes de points sont étudiés, allant de l'emplacement du logement par rapport aux transports en commun à son efficacité thermique, son adaptation au recyclage et ses matériaux de construction. Le code s'applique aux logements neufs, anciens ou rénovés, qu'il s'agisse de maisons ou d'appartements. La note minimale des écomaisons est supérieure à celle qui est requise par le code de la construction. Certains promoteurs conçoivent désormais leurs constructions pour répondre à ces critères. Le gouvernement français a l'intention d'utiliser ce code pour en faire la base de révisions ultérieures du code de la construction en 2010 et 2015.

Créer votre énergie verte

Les énergies vertes alternatives qui sont susceptibles de remplacer l'électricité sont :

- **L'énergie solaire :** produite par le soleil, elle est captée par des panneaux solaires (que l'on appelle des panneaux photovoltaïques) pour être transformée en électricité ;

- **L'énergie éolienne :** produite par le vent, elle propulse les pales d'une turbine éolienne afin de créer de l'énergie dans un générateur électrique ;

- **L'hydroélectricité :** la force du courant d'un fleuve est assez forte pour qu'un générateur puisse créer de l'énergie électrique.

✓ **La biomasse :** les déchets, notamment la paille et d'autres matières biologiques peuvent être brûlés pour produire de l'énergie ;

✓ **La géothermie :** la chaleur emprisonnée dans la terre par le soleil est pompée pour servir à chauffer la maison et son eau.

Vous pouvez installer les équipements nécessaires pour générer votre propre énergie verte et vous en servir pour réduire votre facture d'électricité classique. La source énergétique alternative la plus facile à adapter est celle de l'énergie solaire, spécialement pour le chauffage de l'eau. Dans les zones rurales, beaucoup créent leur électricité à bon marché en se raccordant à de petits générateurs d'électricité éolienne et hydroélectrique.

Recueillir les rayons du soleil

L'énergie solaire n'est que l'une des solutions alternatives pour remplacer le courant électrique traditionnel. Vous ne serez peut-être pas capable de générer toute l'énergie nécessaire pour répondre à vos besoins domestiques, mais plus vous utiliserez d'énergie solaire, moins vous aurez besoin d'électricité, et moins vous épuiserez de carburants fossiles. Cela signifie que vous émettrez une moindre quantité de gaz à effet de serre.

Il y a trois moyens de produire de l'énergie à partir des rayons du soleil :

✓ **L'énergie solaire passive** est la plus efficace dans les nouveaux logements, parce qu'elle suppose d'installer des portes et des fenêtres en verre pour tirer le meilleur parti du « passage » du soleil. Les portes et fenêtres en verre qui sont installées sur les murs placés face au sud peuvent augmenter de manière significative la température de toute la maison. Si vous ajoutez une serre en verre, vous obtiendrez le même effet. Il s'agit moins de fabriquer de l'énergie que de bénéficier de la puissance du rayonnement solaire, ce qui vous permettra d'utiliser moins d'énergie conventionnelle.

✓ **Les panneaux solaires actifs** installés face au sud permettent aux rayons du soleil de chauffer l'eau qui passe dans les petits canaux situés à l'intérieur des panneaux. Cette eau est ensuite pompée dans la chaudière.

Il peut être assez onéreux d'installer des panneaux solaires – les moins chers coûtent environ 2 800 euros. Il faut de quinze à vingt ans pour amortir cette installation.

La quantité d'eau que vous obtiendrez dépend de la taille des panneaux solaires et de la force du rayonnement dans votre région. Elle dépend également du climat, du type de convecteurs utilisés dans le logement, de la quantité d'eau chaude correspondant à vos besoins et de la taille de votre chaudière. Plus vous installez de panneaux, plus vous pouvez chauffer d'eau de cette manière.

L'avantage, c'est que vos factures d'eau en sont réduites d'autant.

Au cours de l'été 2006, une grande société électrique a lancé sur le marché des panneaux solaires. Elle estime qu'un logement moyen a besoin de neuf panneaux – pour un coût total de 12 600 euros – afin de diviser ses factures de chauffage par deux. D'autres détaillants vont sans doute suivre et faire baisser les prix.

Vous trouverez d'autres renseignements avec les associations de l'annuaire de l'énergie solaire : www.portail-solaire.com Consultez également l'Agence nationale de l'habitat : www.anah.fr et le Comité de liaison des énergies renouvelables : www.cler.org. Vous obtiendrez peut-être une subvention pour l'achat et l'installation de vos panneaux solaires. Reportez-vous, un peu plus loin dans ce chapitre, à l'encadré intitulé « Trouver de l'argent pour les produits énergétiques ».

✔ **Les panneaux photovoltaïques** transforment les rayons du soleil en énergie électrique à usages multiples. Ces panneaux, qui se présentent comme de grandes plaques de verre, sont placés dans un cadre à l'extérieur de la maison ou intégrés au toit.

Grâce à l'un de ces panneaux, vous pouvez produire jusqu'à la moitié de l'énergie dont vous avez besoin. Toutefois, ils restent chers et ne sont amortis qu'au bout d'une période assez longue. La bonne nouvelle, c'est que si vous installez assez de panneaux pour produire une quantité d'énergie supérieure à vos besoins, vous pourrez revendre de l'électricité au réseau national.

De petites versions de ces panneaux servent de plus en plus souvent à alimenter des systèmes d'alarme. Elles permettent de recharger les batteries. De même, vous pouvez acheter des chargeurs solaires de téléphones mobiles qui recourent à une technologie similaire.

Utiliser l'énergie du vent

En France, l'éolien se développe beaucoup. La première éolienne a été installée il y a seize ans par le leader actuel français, la *Compagnie du vent*, qui maîtrise l'ensemble des métiers de l'électricité éolienne, de la création à l'exploitation de parcs éoliens. Pour tout savoir sur cette énergie, allez voir ces sites : http://fee.asso.fr/liens/ ; http://www.enr.fr, rubrique Liens (menu en haut de page) et http://www.planete-eolienne.fr

Pendant que le débat se poursuit, pourquoi ne pas installer votre propre éolienne dans votre jardin si vous disposez d'un espace suffisant ? Vous pouvez également en installer de petites sur le toit de votre maison. Vous éviterez les plaintes des voisins si vous choisissez les modèles les plus modestes et les plus silencieux qui viennent de sortir sur le marché.

Il faut une turbine équipée d'une pale d'environ cinq mètres afin de générer assez de courant pour une maison de taille moyenne. À moins de vivre à la campagne dans beaucoup d'espace, vous devrez donc installer une éolienne plus petite qui ne produira qu'une partie de l'énergie nécessaire.

Vous devez obtenir la permission des autorités locales pour installer votre turbine et la faire fonctionner, mais les régulations en place sont conçues pour encourager les projets de production d'énergie à petite échelle, et le gouvernement a promis de lever les obstacles administratifs. Consultez votre mairie pour obtenir plus de renseignements.

Le coût de la turbine et de l'installation ne sera amorti qu'après plusieurs années si vous calculez vos dépenses en fonction des économies à réaliser sur vos factures d'électricité, mais vous devriez plutôt considérer ces décisions comme des investissements à long terme. Il vous faudra de 3 500 à 7 000 euros pour chaque kilowatt d'énergie produite par votre turbine. Au fur et à mesure que la demande augmentera, les systèmes seront fabriqués en masse, et leurs coûts vont sans doute descendre. Ils vous fourniront assez d'électricité pour faire fonctionner en même temps votre lave-vaisselle et votre télévision.

Cherchez les réponses à toutes vos questions à propos des éoliennes en consultant plusieurs sites : `http://www.planete-eolienne.fr` et le site plus général de l'association France énergie éolienne : `www.fee.asso.fr`. Ce site fournit des renseignements sur les sociétés qui construisent et installent de petites éoliennes, ainsi que sur les prix, les autorisations administratives et les subventions (pour plus d'informations sur les subventions, lisez l'encadré « Obtenir des subventions pour produire de l'énergie », un peu plus loin dans ce chapitre).

Chauffer la maison à partir de ses fondations

En France, il est possible d'utiliser la chaleur produite dans la terre pour chauffer les bâtiments et l'eau. Une pompe géothermique peut être installée dans une excavation ou une tranchée creusée dans votre propriété. Elle extraira la chaleur produite dans le sol par le rayonnement solaire, et vous vous en servirez pour chauffer l'eau et produire de l'électricité.

Un système moyen génère jusqu'à quatre fois plus d'énergie que celle qui est nécessaire pour alimenter la pompe. Certaines subventions sont disponibles et vous obtiendrez des détails auprès de l'Association française des pompes à chaleur, l'Afpac (`www.afpac.org`). Un système de 8 kW coûte entre 9 000 et 14 000 euros, somme à laquelle il faudra ajouter les frais de branchement au système de distribution.

La combustion de la biomasse

La biomasse, matière biologique renouvelable que l'on brûle pour obtenir de l'énergie, est alimentée par tous les arbres à croissance rapide que vous voyez pousser autour de vous, comme le saule et le peuplier, et par les copeaux de bois, la paille laissée dans les champs après la récolte, le fumier et les litières des animaux de ferme. Nos ancêtres utilisaient déjà la biomasse pour réchauffer leur eau et faire la cuisine, et bien des gens continuent à le faire dans les pays en développement.

Vous pouvez acheter des bûches issues de la biomasse pour les utiliser à la maison. Ce sont aussi des plaquettes que vous faites brûler dans un poêle à bois ou spécialement conçu à cet effet. Non seulement vous pouvez utiliser la biomasse chez vous, mais elle peut aussi alimenter des centrales thermiques qui brûlent normalement du pétrole.

La biomasse est conforme aux normes de l'énergie renouvelable : lorsque vous avez brûlé un lot d'arbres, un autre est mis en culture. L'intérêt de la biomasse réside dans le fait que, lorsque vous incinérez des déchets, la quantité de dioxyde de carbone rejetée est égale à celle que les plantes ont puisée dans l'atmosphère pendant leur croissance. Ensuite, les nouvelles plantes qui poussent absorbent le dioxyde de carbone que la combustion a dégagé. De ce fait, la biomasse représente le *nec plus ultra* en matière d'énergie renouvelable, si la source de ce carburant est gérée de manière durable.

La tourbe peut être brûlée, mais il faut des millions d'années pour qu'elle se constitue. Comme le charbon, c'est un carburant fossile, mais qui n'est ni durable ni renouvelable.

Obtenir des subventions pour produire de l'énergie

Vous pourrez peut-être demander une aide financière pour acheter des panneaux solaires ou une éolienne. Pour la France, les organismes à contacter sont :

✔ l'Agence nationale pour l'amélioration de l'habitat : www.anah.fr, 0826 803 939 ;

✔ le site des aides et crédits d'impôts : www.developpement-durable.gouv.fr ;

✔ l'espace info énergie : 0810 060 050.

Le bois comme énergie

Documentez-vous sur le bois utilisé comme énergie sur www.nfboisdechauffage.org, www.boisenergie.com ou www.netbois.com. Pour les chaudières à bois, allez sur www.flammeverte.com

Acheter et vendre de l'électricité verte

Si vous ne parvenez pas à produire votre énergie à partir du soleil ou du vent, vous pouvez toutefois être un consommateur écolo. Vous pouvez choisir d'acheter de l'électricité produite par les éoliennes, le soleil et les barrages hydroélectriques. La plupart des grands fournisseurs électriques possèdent des programmes énergétiques écolo.

Parlez-en à votre fournisseur d'électricité et, si vous n'êtes pas satisfait des réponses obtenues, changez-en. Désormais, vous pouvez librement acheter votre électricité, il est facile de trouver un autre interlocuteur. Vous obtiendrez davantage de renseignements auprès des réseaux de distribution de l'énergie (www.energie2008.fr) ainsi que sur le Comité de liaison des énergies renouvelables (www.cler.org) qui vient de créer un label baptisé EVE, soit Électricite verte écologique. Pour trouver un fournisseur d'électricité verte, allez voir sur http://www.enercoop.fr et http://www.electrabel.fr/content/alpenergie/index.html

Si vous installez votre générateur d'électricité écolo et que vous produisez davantage d'énergie que vous ne pouvez en consommer ou en stocker, il vous est possible de vous brancher sur le réseau national d'électricité et de vendre votre surplus d'électricité au réseau. La plupart des générateurs d'électricité verte n'en sont pas capables pour le moment. Ils sont juste assez puissants pour fournir une partie de l'énergie domestique nécessaire, mais dans quelques années, cela peut changer, qui sait ?

Faire le tour des lieux verts

L'impact que vous avez sur l'environnement ne se limite pas à celui de votre logement, il faut aussi regarder à quel emplacement il est situé. Si vous voulez vivre écolo, vous devez étudier l'endroit où vous habitez.

Se concentrer sur ce qui est proche

Le lieu où vous vivez va déterminer le caractère écologique ou non de votre vie au cours des années qui viennent. Vous mènerez plus facilement une vie verte si vous habitez à proximité de services du type magasins, écoles, cabinets de médecins, transports publics et clubs de loisirs.

N'oubliez pas que plus vous êtes proche des services publics, plus les logements disponibles sont petits. Ils le sont pour permettre à un maximum de personnes d'avoir accès au réseau de transports publics ou de marcher ou rouler à vélo jusqu'aux boutiques et aux services. Il faut une grande quantité de gens réunis dans une zone géographique relativement restreinte pour justifier le coût de transports en commun comme un réseau de chemin de fer, par exemple.

Les cabinets d'urbanisme ont reconnu qu'il était important, dans une zone urbaine, de fournir à un maximum de personnes l'accès à un logement à un prix décent. De nombreuses mairies encouragent maintenant les promoteurs à construire dans les centres-villes déjà constitués, près de gares, plutôt que sur les franges de la zone urbaine. Dans la plupart des grandes villes, le nombre des appartements a été considérablement augmenté, résultat direct de la demande accrue de citadins qui souhaitent se trouver près d'un bon système de transports ou à une courte distance à pied ou à vélo de leur lieu de travail.

Les logements les plus durables sont ceux qui sont situés près des services suivants, de préférence à une courte distance à pied.

- **Les transports :** la proximité des réseaux de transport, des stations de bus et des gares réduit vos besoins de vous déplacer en voiture. Une zone d'aménagement durable possède de bonnes pistes cyclables, bien éclairées et des trottoirs en bon état ; la circulation automobile y est faible.

   Les nouvelles zones d'habitation proches des transports publics sont appelées « zones de développement orientées vers le transit ». Les centres des grandes villes et les villes régionales où se concentrent les boutiques et les emplois sont les plus accessibles aux transports en commun. Elles commencent à promouvoir activement la marche à pied et l'utilisation de la bicyclette. Même les villes de province où la plupart des résidents vivent près de la rue principale, de ses magasins et de ses services, offrent une plus grande accessibilité aux transports que la plupart des grandes zones urbaines qui s'étendent de manière tentaculaire.

- **Les services essentiels :** la possibilité de marcher ou d'accéder à vélo aux services (écoles, églises, espaces verts publics, structures communautaires, infrastructures de gardiennage, bibliothèques et boutiques) facilite la vie et la rend plus écolo pour tous, surtout pour les enfants qui ne sont pas obligés de compter sur vous sans cesse pour les transporter.

- **Les infrastructures de culture et de loisirs :** l'accès aux espaces verts, aux parcs, aux infrastructures de loisirs et de détente vous permet de rester en contact avec la nature. Les théâtres, cinémas et salles de concerts nourrissent votre âme d'artiste.

- **Le centre de la communauté locale :** on reconnaît le caractère vivant d'une communauté au fait que de nombreuses personnes de tous âges et de toutes cultures se promènent dans les rues. Toutes les boutiques sont ouvertes, tous les services sont disponibles. Les rues et les ruelles sont propres, et plusieurs styles d'architecture se côtoient. Cela implique également un bon brassage socioéconomique.

Comparer la vie à la campagne et la vie à la ville

On estime qu'en 2007 la balance penchera pour la première fois du côté contraire à celui qu'elle a toujours occupé : plus de la moitié de la population vivra dans les zones urbaines, et non plus à la campagne. Cela signifie que de nombreux emplacements urbains accessibles sont devenus très chers, que l'on veuille y louer ou y acheter un logement.

Il n'est pas donné à tout le monde de pouvoir (ou de vouloir) vivre dans des centres-villes facilement accessibles. Si vous recherchez un style de vie plus écolo, il vous faut donc vous demander si la banlieue ou la campagne ne vous conviennent pas mieux en termes de développement durable.

Pour sauter dans les transports en commun

L'une des caractéristiques essentielles des nouveaux lotissements dans les zones urbaines de plus en plus tentaculaires est la distance entre votre logement et le reste du monde. S'il n'existe pas de chemins qui mènent à votre rue, à la boutique la plus proche ou à l'école voisine, le plus grand défi consiste à parcourir la distance pour y parvenir.

L'une des caractéristiques essentielles des nouveaux lotissements dans les zones urbaines de plus en plus tentaculaires est celle qui pénalise ceux qui n'ont pas accès à la voiture. C'est un grand problème quand l'un des membres de la famille prend la voiture pour la journée et qu'il n'y a pratiquement aucun autre moyen de sortir.

Faire le taxi pour les enfants

Quand les enfants sont petits, ils restent avec vous. Mais lorsqu'ils grandissent, ils ont besoin d'être accompagnés à la crèche, d'en revenir, d'aller à l'école, de voir leur baby-sitter, à moins que ce soit elle qui vienne à eux. Lorsque leur vie sociale s'enrichit, ils ont besoin de faire d'interminables trajets pour se rendre à diverses fêtes, activités extrascolaires, événements sportifs, clubs de loisirs, maisons de « copains », pour aller à la station de bus ou à la gare la plus proche.

Plus vous êtes éloigné de ces points, plus vous serez obligé d'emprunter les transports en commun ou, si ceux-ci sont trop éloignés, votre voiture. Il ne faut donc pas se contenter d'étudier vos propres besoins quand vous étudiez l'emplacement le plus écolo pour votre logement.

Choisir l'autre option – celle qui consiste à aller vivre à la campagne –, c'est mesurer à quel point le problème des distances est crucial. À la campagne, vous pouvez avoir un logement écolo et faire pousser vos légumes si votre jardin est assez grand, mais les transports en commun seront rares et vous passerez sûrement beaucoup de temps dans votre voiture.

Si vous allez faire les courses et que vous vous faites livrer, vous aggravez votre impact sur l'environnement. Vous devez prendre en compte le fait que l'eau, l'électricité, le gaz, le téléphone et les services postaux vous sont distribués, que vous abîmez les routes en les utilisant et qu'il faut dépenser de l'argent pour entretenir toutes les infrastructures. Comme beaucoup de gens, vous rêvez de vivre loin de tout, et surtout de la cohue, mais si vous voulez être écolo, vous devez penser à tous ces aspects dans votre décision. Cependant, les livraisons sont souvent intéressantes en termes de rejet de gaz carbonique : un camion peut livrer ses marchandises à 30 foyers, ce qui empêche 30 voitures de se rendre au magasin.

La vie de banlieue et la consommation

Le fait de vivre en banlieue entraîne souvent une forte consommation de ressources énergétiques comme l'essence et exerce une plus grande pression sur l'environnement. Par exemple :

- Les franges urbaines sont souvent pauvres en végétation et en terres agricoles. Les zones urbaines se sont étendues, les espaces verts ont été bétonnés et macadamisés. Lorsqu'il pleut beaucoup ou qu'il y a un orage, l'eau ne peut plus s'évacuer dans la terre, comme avant, ce qui provoque érosion et inondations.

- La nécessité de prendre sa voiture à tout bout de champ augmente la demande d'essence et de pétrole.

- Le désir de posséder de grandes maisons bien équipées, dotées de systèmes de climatisation, de piscines et de nombreuses pièces bien meublées contribue à augmenter la demande en énergie.

Reverdir les enclaves urbaines

La demande de vastes logements de banlieue a augmenté en même temps que celle des appartements. On a donc assisté à une régénération des centres-villes. Des mesures ont été prises pour inverser le mouvement de fuite vers la périphérie urbaine, qui n'offre aucun caractère de développement durable. On a notamment :

- développé les nouvelles zones de construction de manière plus intégrée, près du cœur des villages, des boutiques, des services et des moyens de transports, en donnant accès à ces infrastructures ;

- augmenté la diversité des logements disponibles, avec des appartements et des maisons de ville bâtis au milieu de lotissements résidentiels, groupant traditionnellement des maisons indépendantes ;

- créé des réseaux routiers qui permettent à la plus grande partie de la population d'accéder aux stations de bus et aux gares.

Vérifier quels sont les choix de votre mairie

Il est utile de bien choisir son lieu de vie mais, si votre mairie n'encourage pas le recyclage ou le développement durable, cela peut relativiser une grande partie des avantages qui sont liés au choix de votre emplacement en termes de vie écolo.

Lorsque vous pensez avoir trouvé un emplacement durable pour votre logement, renseignez-vous sur les mesures prises par votre mairie. Vérifiez son site sur Internet et voyez ce qui est dit à propos des points suivants.

✔ **État de l'environnement** : la plupart des conseils municipaux signent tous les ans un document qui dresse l'état des lieux de l'environnement dans la région. On y trouve le compte rendu des actions entreprises pour nettoyer l'eau, limiter la pollution, optimiser l'utilisation de l'énergie, les transports, la qualité de l'air, les émissions de gaz à effet de serre, la gestion des déchets, le recyclage, et pour limiter le bruit.

✔ **Services sociaux** : la majorité des conseils municipaux établissent une liste des services sociaux disponibles dans leur région. Vous pourrez y obtenir la liste des crèches avec leur adresse, celle des infrastructures sportives et de loisirs, des aides aux handicapés et aux personnes âgées, des activités pour les jeunes. La plupart des zones résidentielles de développement durable proposent ces services à proximité de chez vous.

✔ **Développement** : l'une des fonctions essentielles des conseils municipaux consiste à mettre au point des stratégies et des projets qui encadreront le développement futur. Examinez les projets de votre mairie. Si l'accent est mis sur le développement économique sans aucune référence à la protection de l'environnement, le lieu que vous avez choisi pourrait bien être moins écolo que vous ne le pensez. Les conseils municipaux qui encouragent les principes de développement durable évoqueront plus certainement la mise en valeur du cadre naturel, l'accessibilité des services, la vitalité du tissu social en même temps que le développement.

Adapter votre maison actuelle aux exigences écolo

Si vos parents et amis se trouvent déjà dans les parages, que vos enfants ont pris leurs marques dans les écoles locales, que les magasins, les lieux de culte et les infrastructures de loisirs sont tout proches, si les transports en commun vous conduisent rapidement et facilement à votre travail, le mieux est encore de rester là où vous êtes. Adopter un mode de vie écolo peut signifier que vous adaptiez votre logement actuel et vos habitudes pour apporter votre contribution à la protection de l'environnement.

Le facteur le plus limitatif de changement dans la maison est le prix. Les prix des équipements écolo baisse parce que la demande est en hausse, et vous pourrez peut-être obtenir des subventions (voir l'encadré « Obtenir des subventions pour produire de l'énergie » un peu plus haut dans ce chapitre).

Vous pouvez dépenser beaucoup d'argent pour rendre votre maison plus verte, mais il est possible de protéger l'environnement sans débourser un centime. Si chacun (vous compris) change ses habitudes, l'impact sera énorme, même si vous vivez dans le logement le moins adapté de toute la région. Le fait de remplacer tous vos appareils ménagers pour adopter des modèles à moindre consommation énergétique ne vous autorise pas à les utiliser 24 heures sur 24. Si vous agissez ainsi, vous êtes en flagrante contradiction avec les raisons qui vous ont conduit à les acheter.

Non seulement vos changements d'habitude sont bénéfiques pour l'environnement, mais ils vous permettent d'économiser. Comme le prix de l'électricité et du gaz augmente régulièrement, c'est une bonne nouvelle.

Ce livre vous offre toutes sortes de conseils pour économiser l'énergie ; les paragraphes suivants n'explorent que les principes de base.

Réduire votre consommation d'énergie

Si tout le monde divisait sa consommation d'électricité par deux, il y aurait une réduction notable de l'émission de gaz à effet de serre. Bien que vous ne soyez qu'un individu parmi d'autres, vous tirerez de gros avantages des conseils qui suivent, même si vous n'essayez aucune des alternatives énergétiques que nous présentons ailleurs dans ce chapitre.

✔ Enfilez un pull et baissez le thermostat. Passez plus de temps dans les pièces les plus fraîches de votre logement en été, et ne faites fonctionner ni le ventilateur ni la climatisation.

✔ Utilisez uniquement vos appareils électriques quand vous en avez besoin, et non tous les jours de la semaine. Si votre lave-vaisselle n'est pas l'un de ces modèles récents qui utilisent moins d'eau que pour une vaisselle à la main, essayez de faire au moins une vaisselle et un séchage à la main par semaine.

✔ Réfléchissez avant de tourner le commutateur. Il suffit peut-être de tirer les rideaux et de laisser entrer la lumière du jour, ce qui vous permet d'économiser de l'énergie. Quand vous devrez remplacer vos ampoules, installez des modèles à économie d'énergie.

✔ Demandez-vous si vous ne pouvez pas laver et sécher vos vêtements plus naturellement. Il ne faut que cinq minutes environ pour suspendre des habits sur un séchoir tancarville ou sur une corde à linge. Même si l'espace constitue un problème, suspendez les vêtements les plus petits et mettez moins de vêtements dans le sèche-linge. Ils sécheront plus vite parce que le tambour sera peu chargé, ce qui vous fera économiser de l'énergie.

Éteindre après avoir allumé

Les gens ont tendance à laisser les appareils allumés, qu'ils s'en servent ou pas. Voici quelques conseils pour n'utiliser l'électricité que lorsque vous en avez besoin :

✔ Éteignez les appareils électriques à la prise. De nombreux appareils, et surtout ceux qui visent des activités de loisirs, continuent à utiliser du courant lorsqu'ils sont en veille.

✔ Éteignez toutes les lumières dans les pièces où vous ne vous trouvez pas. Même la reine d'Angleterre le fait ! Installez des minuteries pour vous assurer que vous n'utilisez pas vos lumières sans nécessité.

Les lampes fluorescentes consomment moins d'électricité que les ampoules ordinaires. Lorsque vous devez utiliser des ampoules classiques, choisissez le voltage le plus bas et remplacez les ampoules usagées par des ampoules à économie d'énergie. À l'achat, celles-ci sont peut-être plus chères, mais elles requièrent jusqu'à deux tiers d'énergie en moins et durent huit à dix fois plus longtemps que les ampoules ordinaires. À long terme, elles vous font donc économiser de l'argent. C'est une mesure simple, mais dont l'impact est réel.

✔ Servez-vous de minuteries dans toute la maison pour certaines choses qu'il est impossible de vérifier en permanence, comme le ballon d'eau chaude et la télévision devant laquelle vous vous endormez régulièrement.

Baisser le chauffage

Baissez d'un degré ou deux le thermostat de votre chauffage. Une réduction d'un degré suffit à vous faire économiser un dixième de votre facture d'électricité. Réduisez également sur votre chaudière la température de l'eau chaude pour que vos douches soient à la bonne température, plutôt que de devoir mélanger de l'eau froide au jet. Vous pouvez tamiser les lumières, utiliser des ampoules à plus faible voltage. Et qui vous empêche de recourir aux bonnes vieilles chandelles à la cire d'abeille pour éteindre la lumière et créer une atmosphère romantique ?

Faire baisser votre consommation d'eau

Dans certains départements du Sud de la France la distribution d'eau est très perturbée après certains hivers secs ou étés particulièrement chauds. Les aqueducs, les réservoirs et les rivières peuvent être largement épuisés. L'été caniculaire de 2004 a montré que si notre climat se réchauffe, l'eau deviendra une question cruciale. Même sans pénurie d'eau, il est utile de réduire notre consommation parce que, à chaque fois que vous ouvrez le robinet, il faut de l'énergie pour amener l'eau jusqu'à vous. Tout cela contribue à l'impact que vous exercez sur l'environnement.

Vous pouvez jouer votre rôle en fermant le robinet pendant que vous vous lavez les dents, et en prenant des douches au lieu de bains. Mais il y a beaucoup d'autres petites choses que vous pouvez faire pour conserver l'énergie. En voici quelques-unes (vous en trouverez davantage aux chapitres 4 et 5).

- ✔ Intervenez pour empêcher les robinets de goutter – car ils peuvent laisser échapper jusqu'à 90 litres d'eau par semaine.

- ✔ Rincez-vous la bouche et les dents en utilisant un gobelet et économisez 9 litres d'eau à la minute, plutôt que de laisser le robinet couler.

- ✔ Conservez l'eau à boire dans une bouteille pour ne pas avoir à ouvrir le robinet à chaque fois que vous avez soif. Toutefois, souvenez-vous qu'à chaque fois que vous ouvrez le frigo vous consommez inutilement de l'énergie. Prenez l'habitude de boire l'eau à la température ambiante !

- ✔ Ne vous servez de votre lave-linge que lorsque vous l'avez complètement rempli. Une pleine charge de linge utilise moins d'eau que deux demi-charges.

- ✔ Arrosez vos plantes d'intérieur avec l'eau de cuisson des œufs ou des légumes, lorsqu'elle a refroidi (apparemment, les plantes aiment aussi le thé froid, et vous pouvez l'utiliser pour nettoyer le bocal des poissons. Le thé est riche en azote et en phosphore, et c'est un engrais de première qualité).

- ✔ Installez un système économiseur d'eau dans la chasse d'eau des toilettes et épargnez jusqu'à trois litres d'eau à chaque utilisation. Si votre chasse d'eau est ancienne, remplacez-la par un système plus moderne qui gâche moins d'eau.

- ✔ Faites installer un compteur d'eau par votre compagnie des eaux. Vous savez que vous payez chaque goutte, mais cela vous permet de savoir quelle est votre consommation et, bientôt, vous allez comptabiliser les économies !

- ✔ Prenez une douche de cinq minutes au lieu de prendre un bain. La douche n'exige qu'un tiers de l'eau du bain et vous permet d'économiser jusqu'à 400 litres par semaine.

✔ Entretenez bien vos tuyaux pour éviter les fuites et, quand vous quittez la maison par temps froid, mettez le chauffage au minimum pour éviter que les canalisations n'éclatent.

Isoler pour économiser

Une bonne isolation est l'un des moyens les plus efficaces pour rationaliser l'utilisation de l'énergie dans votre maison, qu'elle soit neuve ou ancienne. Si vous ne pouvez agir que sur un point et qu'il vous est impossible de faire installer un système de production d'énergie alternative (voir le paragraphe « Créer votre électricité verte »), pensez à l'isolation. Près de la moitié de la chaleur perdue dans une maison moyenne s'évapore par les murs et le grenier.

Isoler votre toit, vos plafonds et vos murs est l'un des moyens les plus efficaces pour garder la chaleur à l'intérieur et le froid à l'extérieur, et vice versa. Vous obtiendrez davantage d'informations en vous rendant sur le site de l'Ademe ou en contactant les « espaces info énergie » au 0810 060 050.

Beaucoup de constructeurs et d'architectes suggèrent de doubler les murs et les plafonds avec une feuille d'aluminium avant de procéder à l'isolation. Cette mesure complémentaire permet de prévenir l'humidité pendant l'été.

En combattant les courants d'air, vous prévenez la fuite de la chaleur pendant les mois les plus froids. Vérifiez que vos portes et fenêtres sont étanches pour que l'air froid ne pénètre pas dans votre logement et que l'air chaud ne s'en échappe pas. Les tapis, boudins et rideaux sont très efficaces. En leur absence, la chaleur s'évapore par les sols, les plafonds et les fenêtres.

D'autres renseignements vous seront fournis sur le guide pratique de l'habitat individuel : www.ademe.fr et le guide *Isolation* édité par l'Ademe et disponible dans les « espaces info énergie ». Profitez-en pour demander les renseignements sur le « diagnostic de performance énergétique » de votre logement qui vous dira si vous avez intérêt à isoler ou pas.
Vous pouvez devenir plus écolo en utilisant une *isolation verte*.

✔ **L'isolation du grenier par la fibre de cellulose**. Fabriquée à partir de journaux recyclés et ignifugés, cette isolation est spécialement adaptée aux greniers – elle offre une véritable alternative d'un bon rapport qualité-prix à l'isolation par fibres minérales (laine de roche).

✔ **L'isolation thermique** par la laine de mouton. Cette isolation est adaptée aux plafonds et aux toits en pente, ainsi qu'aux murs standards et en maçonnerie à pierres sèches.

Vous avez peut-être droit à des subventions si vous isolez votre logement, particulièrement si vous appartenez au troisième âge ou si vous souffrez d'un handicap. Parlez-en aux autorités locales ainsi qu'à votre fournisseur en électricité.

Se servir correctement des appareils ménagers

Vos appareils électriques peuvent être remplacés par des modèles plus efficaces en termes de consommation. Cependant, vous devez également penser à l'énergie nécessaire pour fabriquer de nouvelles machines et trouver un juste milieu. Un appareil ancien qui fonctionne bien est le choix le plus écologique : si vous en achetez un neuf, assurez-vous que l'ancien sera réutilisé ou recyclé. Quelle que soit l'efficacité de votre appareil actuel, réfléchissez à vos habitudes. Il ne sert à rien de posséder le lave-linge le plus efficace du monde si vous vous en servez plus souvent que vous n'en avez besoin, notamment si vous ne mettez que quelques vêtements dans le tambour à chaque cycle.

Vérifier les performances des appareils

Les appareils électriques que vous achetez, comme le ballon d'eau chaude, le lave-linge, le réfrigérateur-congélateur, le sèche-linge, le four électrique et le lave-vaisselle, bénéficient d'une classification pour leur consommation énergétique (c'est le label énergétique UE). Ils sont classés de A à G, A étant la meilleure note qu'ils puissent obtenir. La majorité des appareils ménagers relèvent de la classe A, mais vous ne devriez pas exiger moins. Lorsque vous faites l'acquisition d'un nouvel appareil, renseignez-vous sur les diverses possibilités offertes et vérifiez qu'il relève bien de la classe A.

Avec le guide pratique de l'Ademe *Les Équipements électriques* : www.ademe.fr vous verrez comment sont classés les différents appareils électriques avec l'« étiquette énergie » ; les sites www.guide-topten.com du WWF et de la CLCV www.clcv.org vous donneront accès à un comparateur d'achats pour les appareils ménagers.

Pour d'autres produits comme les télévisions, les ordinateurs et les équipements de bureau, les fabricants ont créé d'eux-mêmes un label appelé *Energy star*. Pour les personnes qui laissent les appareils en veille, les produits *Energy star* sont utiles, car ils consomment peu. Ces modèles possèdent également un mode *arrêt temporaire* qui utilise 75 % d'énergie en moins par rapport au mode veille. Renseignez-vous sur le site www.eu-energystar.org.

Les appareils en mode veille utilisent encore une bonne partie de l'électricité qui leur est nécessaire. Ce n'est qu'en étant complètement débranchés qu'ils cessent de consommer. Ne croyez pas les gens qui vous disent qu'éteindre un appareil consomme plus d'électricité que de le laisser en veille. Le mode « off » est *indéniablement* celui qui consomme le moins d'énergie.

Calculer votre utilisation optimale de l'énergie

Beaucoup de fournisseurs d'énergie vous aident à calculer votre utilisation optimale à l'aide de logiciels de calcul en ligne. L'Ademe et les « espaces info énergie » en possèdent un très simple qui vous permet de faire le tour virtuel de votre maison et vous montre comment devenir plus efficace dans la maîtrise de votre consommation, en intégrant les effets d'une isolation, de l'utilisation d'appareils électriques moins gloutons en électricité, et en remplaçant les ampoules ordinaires par des ampoules à économie d'énergie. Il vous indique quelle somme vous pouvez épargner à l'année pour chacune de ces suggestions que vous mettrez en œuvre. Un système de calcul des données existantes est intégré. Vous pouvez indiquer des renseignements et vous recevez une réponse en ligne. Par ailleurs vous pouvez obtenir une version papier de votre bilan énergétique.

Mon calcul montre que j'ai économisé la moitié du montant de mes factures en utilisant de bons appareils électriques, en remplaçant ma chaudière par une nouvelle chaudière à condensation, et en utilisant des ampoules à économie d'énergie. Si vous voulez en savoir plus, rendez-vous dans les « espaces info énergie » pour faire faire un diagnostic de performance énergétique DPE ou étiquette énergie logement ou pour faire un bilan carbone personnel sur www.bilancarbonepersonnel.org

Plaquez votre chaudière si elle est trop gourmande

Si votre chaudière a plus de quinze ans d'âge, elle est trop gourmande en carburant. Les nouvelles chaudières sont beaucoup plus efficaces en termes de consommation d'énergie. Non seulement vous accomplirez un geste pour l'environnement si vous la remplacez, mais vous réduirez vos factures d'électricité d'un quart et vous économiserez de l'argent à long terme. Si vous achetez une nouvelle chaudière à condensation, vous épargnerez encore plus. L'Ademe et les « espaces info énergie » peuvent vous donner plus d'informations sur les différents types de chaudières disponibles et sur leur efficacité. Vous pouvez contacter l'ademe et les espaces info energie : www.ademe.fr.

Se passer de climatisation

Si les étés doivent être plus chauds, comme on nous le prédit, l'utilisation de la climatisation va augmenter. Les fournisseurs d'énergie croyaient jusqu'ici que la demande en électricité connaîtrait des pics uniquement au cours des mois d'hiver, mais comme l'a montré l'été 2004 la demande en électricité peut être aussi forte au cours des semaines les plus caniculaires, parce que de plus en plus de foyers et de bureaux installent la climatisation. Toutefois, il y a bien d'autres moyens de faire régner la fraîcheur. La climatisation utilise une énergie précieuse et provoque davantage de rejets de gaz carbonique.

Laissez les rideaux et les persiennes fermés pendant la journée pour que les pièces ne se réchauffent pas trop. Si vous avez un jardin, plantez des haies pour protéger les fenêtres du soleil et faites en sorte que celles-ci restent à l'ombre. Ouvrez les portes et les fenêtres pour que l'air puisse circuler et que la moindre brise crée un courant d'air. Installez des stores extérieurs au-dessus des ouvertures orientées au sud, et laissez les fenêtres ouvertes la nuit (tout en vérifiant que vos volets vous protègent des voleurs).

Vous pouvez acheter un ventilateur à batterie solaire. C'est un excellent achat, puisque cet appareil utilise la puissance du soleil pour vous rafraîchir, ce qui est la vocation d'un ventilateur.

Construire la maison verte de vos rêves

Ce n'est certainement pas à la portée de tout le monde, mais l'un des moyens d'avoir la maison verte de vos rêves consiste à la construire entièrement, soit en la bâtissant de vos mains soit en l'achetant sur plan. Vous pouvez être aussi écolo que votre portefeuille vous le permet.

Pour vous aider, contactez le centre d'accueil de terre vivante (techniques de construction écologique) sur www.terre.vivante.org et aussi l'association Pégase-CREEE, www.Cr3e.com ainsi que la revue *La Maison écologique*, www.la-maison-ecologique.com

Tout d'abord, il faut penser aux matériaux. Pour l'achat de matériaux écologiques, il existe de nombreux sites et boutiques dont vous trouverez la liste sur le site : www.bienetremateriaux.com. Le bois est une source renouvelable, mais c'est aussi l'une des ressources naturelles qui s'épuisent plus vite qu'elles ne se régénèrent. En réduisant le nombre d'arbres sur la planète, les hommes affectent la qualité de l'air et agissent sur le réchauffement global. Utilisez aussi peu de bois que possible. Servez-vous de bois recyclé ou assurez-vous que le bois provient d'une plantation qui applique des principes de développement durable. Le bois doit être exploité par des fournisseurs accrédités par le Forest Stewardship Council (FSC= Conseil de bonne gestion forestière) créé et géré par la première association mondiale de protection de l'environnement, WWF. Voir les sites : www.wwf.fr ou www.fsc.org. Vous obtiendrez davantage d'informations en vous rendant sur le site internet de Greenpeace. L'association propose un guide « du bon bois » qu'il est utile de consulter ou d'imprimer en allant sur le site : www.greenpeace.fr/foretsanciennes/bois.php3

Parmi les autres matériaux de construction durables, citons :

- **Pour les étais de la maison (poutres, planchers, etc.)** : certaines innovations alternatives en bois ont été développées récemment. C'est le cas du bois composite constitué de poussière de bois et de plastique provenant du recyclage.

- **Isolation** : de nombreux produits d'isolation comme les garnitures de combles, les revêtements de sol et de mur ainsi que le cellulose proviennent de matériaux recyclés comme le verre et la fibre de verre.

- **Peintures :** la plupart des peintures écologiques sont à base d'eau (peintures acryliques) et contiennent moins d'additifs chimiques et de matières toxiques que les peintures ordinaires. Elles n'ont pas été testées sur des animaux, et leurs emballages sont recyclables. Certaines peintures ont même été mises au point avec des matériaux recyclés, mais pour l'instant, il n'existe pas de norme écologique. N'accordez donc pas trop de crédit aux formules exagérées que vous découvrirez sur les boîtes.

- **Carreaux en porcelaine :** ils peuvent être fabriqués à partir de verre et de porcelaine recyclés.

- **Murs :** il est possible d'acheter des planches alliant la pierre à plâtre et le carton dur pour construire des murs à l'aide de matériaux recyclés. C'est le cas du gypse et du papier recyclé.

Certaines maisons vertes ont été construites à l'aide de matériaux divers comme des pneus recyclés, de la paille et des briques obtenues à l'aide de cendres recyclées. Toutes sortes d'informations sont disponibles à propos des dernières technologies écolo sur Internet. Inscrivez « construire une maison verte » dans un moteur de recherche et vous obtiendrez une manne de renseignements. Rendez-vous à l'adresse de la maison en paille www.lamaisonenpaille.com ou à celle de l'Association francaise des constructeurs bois : www.maison-bois.org ou consultez l'annuaire national de l'habitat écologique de terre vivante : www.terrevivante.org. Vous pouvez aussi acheter la revue *La Maison écologique*, www.la-maison-ecologique.com

Renseignez-vous également auprès des sites généralistes consacrés à l'habitat écologique : www.ideesmaison.com et www.domsweb.org/ecolo/ et http://ecohabitation.com. N'hésitez pas également à consulter *Le guide pratique de l'éco-habitat nouveau* (Éditions Le Fraysse).

Chapitre 4

Vivre écolo chez vous

· ·

Dans ce chapitre

▶ Cuisiner et nettoyer dans la cuisine

▶ Réduire votre consommation d'eau dans la salle de bains

▶ Mieux se comporter dans la chambre

▶ S'amuser plus efficacement dans la salle de séjour

▶ Laver et sécher plus naturellement

▶ Avoir des enfants verts

▶ Composter vert

· ·

Si vous avez construit une maison verte, bien isolée, équipée d'appareils ménagers peu gloutons en énergie et de panneaux solaires conformes aux principes du chapitre 3, vous menez déjà une vie écolo. Toutefois, il faut aussi penser et agir écolo dans cette maison. Si vous ne pouvez acheter un frigo plus rationnel sur le plan énergétique ni une éolienne qui vous apportera de l'électricité verte, vous pouvez contribuer à protéger la planète en vous comportant d'une manière non hostile à la nature. Ce chapitre vous indique quelques astuces pour vivre écolo dans chacune des pièces de votre maison.

Travailler dans une cuisine verte

La cuisine est le cœur de tout foyer, et sans doute le lieu où vous pouvez économiser le plus d'énergie. La nourriture que vous achetez, la manière dont vous la stockez, la façon dont vous la cuisinez et la méthode que vous utilisez ensuite pour nettoyer le désordre créent la différence pour ce qui concerne vos rejets de gaz à effet de serre, la quantité de produits chimiques que vous jetez dans l'évier, et la quantité d'eau que vous utilisez.

Moins compter sur les appareils électriques

Il est difficile de vivre sans aucun appareil ménager, mais en réduisant leur nombre et en changeant la manière dont vous vous en servez, vous devenez plus écolo et vous réduisez vos factures.

Au fond de vos placards, il y a sûrement au moins un appareil que vous avez voulu posséder et dont vous avez compris ensuite qu'il n'était pas essentiel. Si vous décidez de vous en débarrasser, essayez de le donner à quelqu'un plutôt que de le jeter et qu'il atterrisse au beau milieu d'une décharge. Demandez à votre mairie s'il existe un lieu où votre appareil pourra être recyclé. Si ce n'est pas le cas, vous apprendrez à quel endroit vous pouvez vous en débarrasser.

Essayez de vendre vos appareils ménagers inutiles dans un vide-grenier, sur un site internet à enchères ou faites-en cadeau à quelqu'un (vous trouverez plus d'informations sur le *freecycling* dans le chapitre 17).

Le frigo est essentiel. Vous devez y conserver une grande partie de la nourriture que vous achetez, surtout lorsque vous avez ouvert les produits. Mais quelques petits changements dans la manière dont vous l'utilisez le rendront moins nocif pour l'environnement.

✔ Sortez les surgelés du congélateur la veille de les consommer et faites-les décongeler dans le frigo plutôt que dans le micro-ondes ou dans le four.

✔ Achetez des aliments frais que vous n'êtes pas forcé de conserver dans le frigo. Si vous n'êtes pas loin des magasins, vous pourrez vous passer complètement de congélateur. Mais si vous devez faire vos courses en voiture, il est plus écolo d'avoir un congélateur que de vous servir régulièrement de votre voiture pour acheter votre alimentation.

✔ Achetez des aliments qui se gardent dans un placard ; faites l'acquisition d'un réfrigérateur plus petit et moins gourmand en énergie. Vous obtiendrez davantage d'informations dans le chapitre 3. Le pain, le beurre de cacahuètes, les condiments, les alcools, certains fruits et légumes et l'eau peuvent être stockés à la température ambiante.

✔ Réglez les thermostats du frigo et du congélateur pour qu'ils soient à la température la plus rationnelle sur le plan énergétique : 3 à 5 degrés pour le réfrigérateur, et - 15 à - 18 °C pour le congélateur. Si la température dépasse cette fourchette, vos appareils utilisent plus d'énergie que nécessaire.

Les autres appareils comme les fours électriques et les bouilloires électriques consomment beaucoup également, mais vous pouvez vous en servir différemment pour optimiser leur consommation.

✔ Faites cuire vos aliments au gaz plutôt qu'à l'électricité. Même un four à micro-ondes consomme moins d'énergie qu'un four électrique.

✔ Ne faites pas bouillir plus d'eau qu'il ne vous en faut dans la bouilloire électrique.

Souvent, il existe une solution alternative pour ne pas utiliser un appareil électrique. Servez-vous de votre pelle et de votre balayette pour les petits travaux de nettoyage au lieu d'utiliser systématiquement l'aspirateur, et créez une ambiance romantique avec des bougies au lieu d'éclairer votre pièce à l'électricité. Réfléchissez avant d'appuyer sur le commutateur !

Bien utiliser l'eau

L'eau que l'on utilise pour les toilettes, pour la lessive et pour le nettoyage est généralement potable, alors que cela n'est pas nécessaire. Ne gaspillez pas une eau de bonne qualité en la laissant filer dans l'évier : elle devra être retraitée pour être à nouveau transformée en eau potable.

Dans le Sud de la France, l'été, certains agriculteurs sont traqués par la « police de l'eau » afin qu'ils n'en utilisent pas trop pour arroser le maïs, une culture qui demande beaucoup d'arrosage. Certains scientifiques font valoir que c'est le signe des temps nouveaux, qu'il faut apprendre à utiliser l'eau avec plus de parcimonie.

Autre raison de faire preuve de modération dans l'usage de l'eau : il faut beaucoup d'énergie pour acheminer l'eau des réservoirs jusqu'à votre robinet. L'eau doit être pompée à différentes étapes, avant d'arriver chez vous ; cela coûte cher. Elle doit être traitée et ce processus coûte aussi de l'énergie. Si vous économisez l'eau, vous préservez l'énergie, cela vous aide à réduire vos rejets de gaz à effet de serre (ces gaz, comme l'indiquent les chapitres 1 et 2, sont responsables du changement climatique et de tous les problèmes qui y sont associés).

Conserver au quotidien

Dès maintenant, vous pouvez conserver l'eau en réduisant la quantité que vous utilisez chaque jour. Un Américain consomme en moyenne 600 litres d'eau par jour, un Européen 200, et un habitant de Madagascar seulement 5 litres !

✔ Faites réparer au plus vite les robinets qui fuient. Pendant que vous attendez l'arrivée du plombier, recueillez l'eau dans des seaux, vous pourrez l'utiliser pour autre chose. Vous serez surpris de voir quelle quantité d'eau vous récoltez ainsi. Ne la jetez pas, servez-vous-en par exemple pour laver les carreaux, laver votre voiture ou arroser votre jardin.

✔ Vérifiez l'état de vos canalisations et faites en sorte qu'elles n'éclatent pas par temps froid. Les canalisations qui se rompent provoquent de grosses déperditions d'eau et peuvent endommager gravement votre maison, à l'intérieur comme à l'extérieur.

✔ Gardez une bouteille d'eau au frigo, si vous préférez boire de l'eau fraîche, au lieu de la gaspiller en la faisant couler longuement jusqu'à ce qu'elle soit à la bonne température.

Laver la vaisselle dans l'évier ou le lave-vaisselle

Il n'est pas facile de décider si l'on doit laver la vaisselle à la main ou à la machine. Pour trancher, prenez en compte les éléments suivants :

✔ Les lave-vaisselle les plus récents utilisent très peu d'eau, 9 litres par charge ; les machines plus anciennes utilisent environ 20 litres. Faire la vaisselle à la main nécessite environ 63 litres d'eau en moyenne. Si vous lavez les plats sous l'eau courante, la consommation peut aller jusqu'à 150 litres.

✔ Pour savoir si vous préférez faire la vaisselle à la main ou à la machine, outre la consommation d'eau, vous devez ajouter l'électricité nécessaire pour faire fonctionner le lave-vaisselle. Les derniers lave-vaisselle utilisent moins d'énergie pour chauffer l'eau que le ballon d'eau chaude moyen.

✔ Le troisième facteur à ajouter à votre calcul est le fait qu'il faut beaucoup d'énergie pour fabriquer un lave-vaisselle (dont un jour, vous devrez vous débarrasser !).

Voici quelques conseils qui vous aideront à agir de manière écolo si vous faites la vaisselle à la main.

✔ Pendant que vous attendez que l'eau soit suffisamment chaude, recueillez l'eau froide qui sort du robinet dans des bouteilles ou dans une bassine. Utilisez cette eau pour boire, faire la cuisine ou dégraisser les plats.

✔ Pour la vaisselle, utilisez une bassine plutôt que l'évier. Vous utiliserez moins d'eau. Remplissez la bassine d'eau chaude. L'eau de la vaisselle n'a pas besoin d'être bouillante si vous avez déjà dégraissé les plats les plus sales.

✔ Servez-vous d'un détergent naturel pour que l'eau de vaisselle puisse être jetée dans le jardin. Vous pouvez également recycler dans le jardin l'eau que vous avez utilisée pour dégraisser les plats.

✔ Lavez d'abord les ustensiles les plus propres, et allez vers les plus sales, pour avoir à changer l'eau moins souvent.

✔ Remplissez une seconde bassine d'eau tiède pour rincer les plats plutôt que de les passer sous le robinet. Servez-vous de cette eau pour laver les carreaux, les sols, la voiture, la cuvette des toilettes ou pour arroser le jardin.

Si vous optez pour le lave-vaisselle, suivez ces conseils pour réduire votre impact sur l'environnement :

- ✔ Chargez soigneusement votre lave-vaisselle et vérifiez qu'il est bien plein avant d'appuyer sur la touche de départ.

- ✔ Arrêtez-le dès qu'il a terminé son programme de lavage, avant qu'il n'entame le programme de séchage, pour que les plats sèchent naturellement sans utiliser le système de chauffage intégré au lave-vaisselle. Ce chauffage consomme une grande quantité d'électricité.

- ✔ Achetez un lave-vaisselle rationnel sur le plan énergétique, adapté à vos besoins, doté d'un cycle économique, qui utilise à la fois de l'eau chaude et de l'eau froide. De cette manière, vous pouvez appliquer un programme rapide, à une température plus basse, ce qui vous permettra d'économiser de l'énergie.

- ✔ Pensez à utiliser des produits d'entretien verts www.biodoo.com et www.biomarkets.com

Trier les déchets domestiques

La gestion des déchets est l'une des questions écolo les plus cruciales, parce que les états n'ont plus assez d'espace pour créer des décharges (la question des déchets fait l'objet d'une discussion détaillée dans le chapitre 6). Les déchets provenant de la cuisine – surtout des déchets bio et des emballages – constituent une grande partie des déchets domestiques. En réfléchissant à ce que vous jetez dans votre poubelle de cuisine, vous contribuez à réduire les besoins en décharges et en grands incinérateurs.

Le chapitre 6 évoque la manière de réutiliser et de recycler les déchets, mais voici ce que vous pouvez faire dans votre cuisine pour aider à régler ce problème.

- ✔ Soyez attentif aux emballages. Les aliments frais que vous achetez chez le boucher ou l'épicier peuvent être emballés dans du papier et des sacs biodégradables plutôt que dans des barquettes en plastique. Si vous achetez des aliments préemballés, veillez à ce que ces emballages soient recyclables. Mettez les fruits et les légumes dans des sacs en papier et non dans des sacs en plastique.

- ✔ Fabriquez-vous un compost. Réutilisez vos déchets alimentaires et les pelures de fruits et de légumes dans un compost au fond de votre jardin (le chapitre 5 vous explique comment faire). Utilisez les restes pour votre déjeuner du lendemain au lieu de les jeter à la poubelle.

- ✔ Recyclez les matières rigides. Vous pouvez trier une grande partie de vos déchets de cuisine, notamment le papier, les plastiques, les barquettes et les canettes en aluminium. Demandez au commerçant une boîte en carton pour emporter vos légumes ou réutilisez de grands sacs en plastique.

Réduisez les déchets au maximum et lorsque vous l'avez fait, réutilisez ou recyclez ce qui reste. Ce que vous considérez comme des déchets est utile à vos amis et voisins ou encore à un organisme de charité (voir le chapitre 6).

Les dégâts infligés à l'environnement par les bouteilles d'eau

Près de la moitié de l'eau mise en bouteilles se compose d'eau du robinet retraitée. Toutefois, en France, chaque personne consomme environ 140 litres d'eau en bouteilles par an. Pourtant l'eau du robinet est au moins aussi bonne que l'eau en bouteilles, selon les inspecteurs autorisés.

Le plus grand problème lié à l'eau en bouteilles tient au fait qu'elle est transportée dans le monde entier – souvent dans de lourdes bouteilles en verre – ce qui consomme une grande quantité d'énergie. Cette dépense en énergie provoque l'émission de gaz à effet de serre qui sont accusés d'aggraver le changement climatique, lequel menace à son tour les ressources en eau. Par-dessus le marché, les bouteilles en plastique finissent par échouer dans les décharges, à moins qu'elles ne soient recyclées. De ce fait, n'oubliez pas qu'en consommant de l'eau en bouteilles, vous ne contribuez pas à l'économiser.

Si vous vous servez d'eau en bouteilles au cours de longues marches ou en allant faire votre jogging, remplissez-la au robinet et réutilisez-la au lieu d'en acheter une autre.

Patauger dans votre salle de bains verte

La salle de bains est probablement l'endroit où vous passez le moins de temps, mais en raison des activités que vous y exercez, elle peut aussi être la pièce la plus nocive pour l'environnement. Le moyen le plus évident de rendre votre salle de bains écolo consiste à réduire la quantité d'eau que vous utilisez. Mais vous pouvez également créer un véritable changement en utilisant des cosmétiques et des produits de toilette verts. Il existe des détergents verts dont vous trouverez la description un peu plus loin dans ce chapitre, au paragraphe « Nettoyer vert ».

Réduire la consommation d'eau au minimum

L'un des moyens les plus efficaces d'économiser de l'eau consiste à fermer le robinet pendant que vous vous brossez les dents. Si l'eau s'écoule pendant trois minutes, vous gaspillez environ 15 litres d'eau. C'est presque autant que la consommation d'un lave-vaisselle. Si quatre personnes se lavent les dents pendant trois minutes, deux fois par jour, tout en laissant couler le robinet, elles gaspillent suffisamment d'eau pour remplir une baignoire.

Prendre des douches plutôt que des bains

Une douche utilise environ un tiers de l'eau nécessaire pour remplir une baignoire. Cependant, la quantité d'eau consommée dépend de la profondeur de votre baignoire, du recours ou non à une douchette à jet puissant, et du temps pendant lequel vous restez sous l'eau courante. Réduisez le temps que vous passez sous la douche à cinq minutes maximum.

Voici d'autres conseils pour conserver l'eau.

- ✔ Prenez un bain avec votre compagne ou compagnon ou servez-vous de la baignoire l'un après l'autre.

- ✔ Prenez une douche et non un bain, mais prenez conscience de la durée pendant laquelle vous faites couler l'eau. Une douche de dix minutes sous un jet puissant réclame encore plus d'eau qu'un bain.

- ✔ Rasez-vous devant le lavabo, et non sous la douche.

- ✔ Installez une douchette spéciale qui réduit le débit de l'eau ou aère l'eau, afin de réduire le volume d'eau que vous utilisez.

- ✔ Vérifiez que la douchette ou le robinet ne fuient pas, qu'il n'y a pas d'infiltration d'eau dans la salle de bains.

Si vous utilisez moins d'eau, vous consommez moins d'énergie pour la chauffer, et en réglant la douche sur une température un peu moins élevée, vous réduisez vos factures de carburant.

Tirer la chasse moins souvent

La chasse d'eau des toilettes engloutit un tiers de toute l'eau que vous utilisez dans votre maison. La plupart des toilettes sont désormais équipées d'une chasse à économie d'eau et d'une chasse « complète ». Utilisez la chasse à économie d'eau quand vous le pouvez.

En France une personne utilise en moyenne 30 litres d'eau par jour pour ses WC, soit 20 % de sa consommation quotidienne !
Avant d'actionner la chasse d'eau, demandez-vous si votre mouvement est vraiment nécessaire. Si vous êtes seul chez vous, et que personne d'autre dans la famille n'utilise les toilettes après vous, attendez l'occasion suivante pour appuyer sur le bouton. Vous pouvez aussi adopter le principe selon lequel il n'est nécessaire que d'évacuer les matières fécales solides. Vous économisez de l'eau à chaque fois que vous vous abstenez de tirer la chasse d'eau.

Servez-vous d'eau recyclée pour rincer les toilettes, de l'eau de pluie collectée dans le jardin par exemple. Le fait d'utiliser de l'eau potable pour les toilettes est absurde, du point de vue environnemental. Il existe des économiseurs d'eau pour recycler l'eau usée provenant de la douche, du bain, que vous pouvez stocker dans une citerne, avant de la réutiliser pour nettoyer les toilettes.

Les toilettes sèches constituent une autre option, mais elles sont chères à installer dans nos intérieurs. Les fosses septiques modernes recueillent les matières fécales dans un bac en ciment situé sous la maison et les transforment en engrais pour le jardin. Vous trouverez davantage de renseignements sur le système de toilettes sèches mises au point par un Belge : www.eautarcie.com

Adopter des produits cosmétiques verts

L'industrie des produits cosmétiques verts est en pleine expansion. Il existe désormais des versions bio de tous les produits, du parfum au rouge à lèvres, en passant par le coton démaquillant et les teintures pour les cheveux, la crème à raser et le déodorant. Le choix est vaste et peut parfois créer de la confusion.

Pour être aussi écolo que possible, vous pouvez explorer plusieurs voies :

✔ Cessez d'utiliser tout ce qui n'est pas essentiel. Il est possible de ne plus se servir de shampoing et d'après-shampoing, sans dommages (voir le chapitre 17).

✔ Réduisez le nombre de produits cosmétiques dont vous disposez dans la salle de bains. La plupart des gens consomment trop de dentifrice, il suffit de mettre sur la brosse le volume d'un petit pois.

✔ Regardez l'emballage. Choisissez des articles peu ou pas emballés, présentés dans des boîtes recyclables ou réutilisables, avec des produits qui contiennent le moins de produits chimiques possibles. Regardez autour de vous pour choisir celui qui vous convient le mieux.

✔ Vérifiez que les ingrédients sont des produits naturels, des extraits végétaux par exemple.

Vérifiez également que les ingrédients :

• n'ont pas été testés sur les animaux. En Angleterre, les expériences sur les animaux sont interdites pour les cosmétiques depuis 1988, mais ce n'est pas toujours le cas ailleurs, et les sociétés anglaises peuvent commercialiser des produits nouveaux qui ont été testés dans d'autres pays ;

- ne contiennent pas de produits chimiques nocifs. Ce n'est pas facile car près de 900 produits chimiques sont utilisés dans les cosmétiques. Ils sont souvent toxiques, selon le guide Cosmetox de greenpeace, (www.greenpeace.fr ou www.vigitox.org). Le lauryl éther sulfate de sodium, employé dans les gels douche et les shampoings (mais aussi dans les produits de dégraissage pour les moteurs !), et le propylène glycol, présent dans les crèmes pour la peau (mais aussi dans l'antigel !), en font partie.

Une quantité de produits naturels remplacent avantageusement les potions chimiques en tous genres. L'huile de mélaleuca, par exemple, est un antiseptique et un désinfectant naturel. Des extraits végétaux comme la lavande et la noix de coco peuvent être substitués aux shampoings et aux huiles industrielles. Consultez le vendeur de la boutique de diététique la plus proche de chez vous et, si vous tapez « produits de beauté naturels » sur un moteur de recherche, vous trouverez un vaste choix de sociétés spécialisées.

Voici d'autres suggestions à garder à l'esprit.

- ✔ L'industrie du coton est l'une de celles qui consomment le plus de produits agrochimiques, le coton étant généralement traité à l'aide de chlore. Achetez du coton biologique si vous le pouvez.

- ✔ Utilisez des rasoirs électriques ou des lames de rasoir, de façon à ne pas avoir à jeter les rasoirs à poignée plastique qui ne sont pas recyclables.

Les lieux qui proposent ces produits se multiplient presque chaque jour. Dans tous les centres-villes, vous verrez des magasins qui vendent des produits de beauté écolo en même temps que des aliments biologiques. Les supermarchés se prennent désormais au jeu. Vous découvrirez des gammes bio dans les grandes pharmacies, et même des chaînes spécialisées dans les produits naturels. Si vous ne trouvez pas un produit particulier en boutique, essayez Internet. Vous obtiendrez d'autres renseignements sur les produits cosmétiques verts avec le label Cosmebio : www.ecocert.fr. Certains articles verts peuvent être plus chers que leurs homologues classiques. Toutefois, plus il y aura de demande, plus les prix baisseront. En outre, vous pouvez économiser en choisissant simplement d'acheter des produits verts une fois que vous aurez consommé les précédents, au lieu de les remplacer tout d'un coup. De cette manière, votre portefeuille souffrira moins et vous ne jetterez pas de flacons à moitié pleins dans les décharges.

Vous ne pouvez remplacer tous vos produits par des articles entièrement dénués de substances chimiques. Par exemple, les teintures pour les cheveux utilisent beaucoup d'ingrédients potentiellement toxiques, mais il en existe des versions plus naturelles sur le marché.

Mais ne vous faites pas de souci si vous continuez à utiliser des produits qui pourraient être plus verts. Si vous ne pouvez vous en passer, votre action sur l'environnement se fera ailleurs. Et au moins, votre conscience est alertée.

Caresser des idéaux écolo dans la salle de séjour

La salle de séjour – si elle sert effectivement au séjour, et si vous ne passez pas tout votre temps dans votre cuisine – consomme beaucoup d'énergie. Les appareils servant aux loisirs, notamment la chaîne hi-fi et les lecteurs de DVD, utilisent une grande quantité d'électricité. Si vous lisez, vous laissez le plus souvent les lumières allumées en permanence. Quand vous vous reposez, le chauffage est allumé. Et si vous voulez disposer d'un cadre agréable, vous passez sans doute pas mal de temps à nettoyer cet espace de vie.

Le chapitre 3 montre que l'isolation de votre maison réduit la chaleur qui s'échappe et maintient la fraîcheur à l'intérieur en été. Cela signifie que votre pièce aura besoin de moins d'énergie pour rester à la bonne température. Mais ce n'est pas la seule façon pour réduire la consommation d'énergie dans la salle de séjour.

Trouver des loisirs écolo

Les appareils volumineux et puissants ne sont pas toujours beaux, en tout cas pour ce qui concerne l'énergie utilisée. Les télévisions à affichage à écran numérique (LCD) et les écrans à haute définition, les radios et les télés numériques utilisent davantage d'énergie que les modèles anciens, qui étaient plus petits et possédaient moins de fonctions. Quand vous remplacez un ancien modèle, demandez des détails sur la consommation énergétique du nouveau à votre détaillant.

N'allumez la télévision, la radio et la chaînes hi-fi que si vous la regardez ou les écoutez, afin de prévenir une consommation inutile.

Adopter la télévision de l'avenir

L'État cherche à se débarrasser des vieux systèmes de transmission utilisés pour la télévision. Entre 2008 et 2012, en fonction de l'endroit où vous vivez, vous aurez besoin d'une télévision numérique pour pouvoir regarder vos émissions.

Les nouveaux transmetteurs ne peuvent être débranchés, mais les concepteurs œuvrent à réduire l'énergie qu'ils consomment. Pour ne pas augmenter votre consommation d'électricité, gardez votre vieille télé jusqu'à ce que vous soyez obligé d'acheter un nouvel appareil.

Moins vous achetez de produits, plus vous réduisez la quantité d'objets fabriqués et les dégâts que leur production provoque sur l'environnement.

Chaque fois que vous achetez un article, pensez à la quantité d'énergie consommée pour le fabriquer et aux gaz à effet de serre qui sont rejetés dans l'atmosphère. Vous en apprendrez davantage sur les émissions de carbone dans les chapitres 1 et 2.

Quand vous achetez de nouveaux produits, donnez les anciens à des personnes qui les utiliseront – à des amis, des membres de réseaux d'échange (voir le chapitre 17) ou à des œuvres de bienfaisance. C'est ainsi que ces objets seront recyclés et réutilisés, au lieu d'atterrir dans des décharges.

Cesser de tout mettre en veille

Vérifiez que vous éteignez vos appareils électriques à la prise et qu'ils ne restent pas en mode veille quand vous quittez la pièce et avant d'aller vous coucher. Les gadgets électroniques utilisent beaucoup d'électricité quand ils sont en mode veille. En fait, certains appareils, et tout spécialement les modèles anciens, peuvent utiliser en veille jusqu'à 85 % de l'énergie qu'ils utilisent en mode fonctionnement.

Vous devez briser l'habitude du mode veille un peu partout dans la maison, et pas seulement dans la salle de séjour. Vérifiez les appareils qui se trouvent dans la cuisine, le bureau, les locaux techniques, les chambres. Parfois, les appareils en question sont en mode veille depuis plusieurs jours. Demandez à chacun de se montrer vigilant et d'éteindre, tous les jours à l'heure du coucher, les appareils qui n'ont pas à fonctionner à cette heure-là. Les seuls appareils électriques qui doivent rester branchés la nuit sont le réfrigérateur et le congélateur, le chauffage et le ballon d'eau chaude, ainsi que l'alarme.

Baisser le thermostat et enfiler un pull

La plupart des logements sont trop chauffés en hiver. On s'habitue au chauffage central et on en prend prétexte pour se promener trop légèrement vêtu. L'Ademe fait savoir que la température idéale pour les personnes en bonne santé se situe à 21 °C, mais que la plupart des gens se contentent de moduler cette température de 5 °C (en la faisant osciller entre 19 et 23 °C). Si vous baissez le thermostat d'un degré, vous réduisez jusqu'à 10 % sur votre facture de chauffage, sans compter que vous contribuez à préserver la couche d'ozone. Descendez-le d'un degré supplémentaire et enfilez un pull un peu plus chaud pour épargner plus d'argent et d'énergie. Vous obtiendrez d'autres informations auprès de l'Ademe : www.ademe.fr

D'autres suggestions peuvent vous réchauffer d'une manière écolo.

✔ Posez des feuilles d'aluminium derrière votre radiateur afin de renvoyer la chaleur dans votre pièce au lieu de la disperser dans les murs.

✔ Bloquez les foyers ouverts et les cheminées que vous n'utilisez pas pour empêcher l'air chaud de s'échapper par ces conduits et l'air froid de redescendre. Vous pouvez faire poser un ballon au sommet de la cheminée. Cela prévient les courants d'air, réduit les pertes de chaleur et vous fait économiser de l'argent.

✔ Vérifiez que votre maison est bien isolée, selon les principes expliqués dans le chapitre 3.

✔ Baissez le chauffage et la température du ballon d'eau chaude si vous partez. Toutefois, par temps froid, il faut faire en sorte que ces systèmes fonctionnent plusieurs heures par jour pour empêcher le gel des tuyaux.

Suivez les autres conseils de l'Ademe pour utiliser moins d'énergie et garder le contrôle de vos factures.

Bien dormir dans votre chambre verte

On néglige souvent la chambre quand il est question d'écologie. Après tout, vous y passez la plus grande partie de votre temps pour dormir et vous ne consommez pas beaucoup d'énergie pour cette activité. Toutefois, il est possible d'être plus efficace sur certains points.

Si vous dormez avec le chauffage, une couverture électrique, la climatisation ou si vous laissez tourner un ventilateur toute la nuit, vous pouvez réduire votre consommation énergétique. En hiver, baissez le thermostat et ajoutez une couverture sur le lit. Réchauffez-le à l'aide d'une bouillotte plutôt que de laisser une couverture électrique toute la nuit.

En été, si vous vous sentez en sécurité avec les fenêtres ouvertes, ouvrez-les en certains points stratégiques de la maison pour faire entrer l'air. Le fait d'ouvrir votre seule fenêtre de chambre peut ne pas s'avérer suffisant.

Par temps chaud, laissez les rideaux fermés pendant la journée pour vous protéger du soleil et maintenir la fraîcheur. En hiver, gardez-les fermés pour empêcher la chaleur de sortir.

Éteignez la télévision et tout autre appareil électrique dans votre chambre, à la prise, avant de vous endormir.

Laver vert

Le lave-linge et le sèche-linge sont deux appareils gloutons en électricité que bien des gens trouvent indispensables. Faites en sorte de les utiliser moins souvent – surtout le sèche-linge – et changez votre manière de les utiliser, cela rendra votre linge plus vert.

Se servir de détergents verts

Certaines poudres à laver présentées sur le marché sont moins agressives pour l'environnement que d'autres, lorsqu'elles entrent dans le circuit de l'eau à la fin du cycle de lavage. La plupart des supermarchés proposent des gammes de détergents verts. Choisissez une poudre à laver la plus écolo possible et n'utilisez que la moitié de la dose recommandée. Essayez de ne pas recourir aux produits chimiques pour vous débarrasser de la moindre tache parce qu'ils sont potentiellement nocifs.

Couches à jeter ou à laver ?

Le débat se poursuit pour savoir si les couches à jeter ou les couches à laver sont meilleures pour l'environnement. Les couches à jeter sont deux fois plus nocives pour l'environnement que les couches à laver. Cf. www.maternerbio.com et aussi www.natiloo.com ou www.allocouches.com ou www.grandir-nature.com.

Si vous vous servez de couches à jeter, achetez des marques qui utilisent un maximum de matériaux recyclés et biodégradables et le moins de produits chimiques possibles. Près de onze millions de couches sont jetées tous les jours en France : la majorité d'entre elles échouent dans des décharges où même les plus dégradables mettent des centaines d'années avant d'être absorbées par la nature.

La qualité écologique des couches à laver dépend des matériaux qui les constituent, de la manière dont vous les lavez et les séchez, des produits que vous utilisez dans votre lave-linge, et de votre comportement plus ou moins écologique. Si vous utilisez des couches lavables, le choix plus vert se portera sur le coton biologique.

Si vous pouvez vous permettre de faire laver vos couches par un service spécialisé, vous êtes très écolo. Parce que ces entreprises les lavent en grande quantité, leurs services sont très efficaces pour ce qui concerne l'énergie et l'eau utilisées. Pour obtenir davantage de renseignements sur les couches lavables : www.maternerbio.com ou www.allocouches.com.

Même si vous gardez votre poudre à laver traditionnelle, vous êtes encore plus écolo qu'avant lorsque vous en réduisez la quantité utilisée.

Ne lavez que lorsque vous pouvez remplir complètement la cuve du lave-linge. Toutefois, ne chargez pas trop le tambour, sinon les vêtements ne pourront pas être suffisamment agités pour être bien nettoyés.

Garder la température au minimum

Généralement, les lave-linge à chargement frontal consomment moins d'eau et de détergents que les machines qui se chargent par le dessus. Ils permettent un lavage à l'eau froide qui utilise moins d'énergie que les lavages à l'eau très chaude. Vous pouvez faire la plupart de vos lessives à 30 °C – surtout si vous lavez des vêtements que vous n'avez portés qu'un jour à votre bureau avant de les jeter dans le panier à linge sale. À basse température, vous pouvez mélanger des vêtements de couleurs différentes sans craindre de les voir déteindre, et charger davantage le tambour. Les lavages à 60 °C requièrent près d'un tiers d'énergie de plus que les lavages à 40 °C, et altèrent plus rapidement les couleurs.

Tous les vêtements n'ont pas besoin d'être lavés à chaque fois qu'ils ont été portés. Si un vêtement n'est pas très sale et sent seulement la transpiration, suspendez-le sur un cintre ou sur un fil devant une fenêtre ouverte, ça peut suffire.

Sécher naturellement

Si vous faites sécher le linge sur un fil ou un portant, vous réduisez votre utilisation du sèche-linge. Il n'est pas toujours possible de faire sécher le linge à l'air libre, surtout si vous vivez dans un petit appartement où l'espace est restreint ou si votre copropriété vous impose des restrictions pour ce qui concerne le linge sur les balcons.

Les vêtements séchés à l'air libre, sur des cintres, pliés et séchés dans une armoire chauffée par la présence de tuyaux chauds (sur le circuit de l'eau chaude) ont moins besoin d'être repassés.

Quand vous devez repasser, faites-le sur un linge légèrement humide ou servez-vous d'un pistolet à eau pour humidifier les vêtements plutôt que d'utiliser un fer à vapeur. Le fer à vapeur gaspille de l'énergie à réchauffer l'eau qui se trouve dans son réservoir.

Si vous avez besoin d'un sèche-linge, achetez-en un qui soit peu gourmand en énergie. Arrêtez la machine juste avant que les vêtements ne soient complètement secs. Ils peuvent finir de sécher à l'air libre ou pendant le repassage. Environ un tiers de l'énergie utilisée dans les sèche-linge est consommée à la fin du programme, lorsque le linge est déjà sec.

Séchez le linge légèrement humide en le rangeant dans un placard (si vous en avez un) chauffé par votre ballon d'eau chaude, si cela est possible et que vous disposez de l'espace nécessaire.

Récurer écolo

Pour ce qui concerne le ménage, il existe une méthode plus écolo pour pratiquement toutes les tâches domestiques. Si vous avez la chance de disposer d'une aide ménagère qui vient quelques heures par semaine, il se peut que vous n'ayez même pas idée des détergents utilisés dans votre maison. Faites le bilan et décidez de remplacer chacun des produits par une version plus écolo à votre prochain achat. Si vous avez une aide, parlez-lui de vos nouvelles dispositions, sinon vous pourriez rencontrer son opposition. Voici les règles fondamentales du ménage écolo.

- Utilisez le moins de détergent possible et choisissez celui qui contient le moins d'additifs.
- Servez-vous d'agents nettoyants naturels comme le vinaigre, le jus de citron, le borax et le bicarbonate de soude.
- Gardez les vieilles brosses à dent pour nettoyer les zones difficiles d'accès.
- Faites le ménage régulièrement pour que la saleté ne s'incruste pas et qu'elle ne devienne pas réfractaire aux produits naturels.
- Servez-vous d'un balai mécanique ou d'un balai et d'un ramasse-poussière plutôt que de votre aspirateur pour les petites opérations de nettoyage.

Pour ou contre les déodorisants domestiques

Les déodorisants domestiques contiennent des produits chimiques et masquent les odeurs au lieu de les supprimer. Les parfums d'ambiance que l'on branche à la prise utilisent de l'énergie pour diffuser leurs substances chimiques dans l'air. Chez certaines personnes, ils occasionnent des difficultés respiratoires et donnent des maux de tête.

Heureusement, vous pouvez vivre dans une ambiance agréable et parfumée en utilisant des solutions naturelles. Le vinaigre et le bicarbonate de soude dissous dans l'eau absorbent les mauvaises odeurs. Les tranches de citron que l'on fait bouillir avec de l'eau dans une poêle rafraîchissent également l'atmosphère. Si vous avez des fumeurs dans la maison, cachez un petit bol de vinaigre sous un meuble, et il désodorisera la pièce. Les bougies avalent la fumée de cigarette et empêchent les tissus de s'imprégner des odeurs.

Servez-vous d'huiles essentielles pour désodoriser vos pièces. Achetez un brûle-parfum, quelques petites bougies, et vos senteurs favorites flotteront dans l'air de manière plus naturelle. Vous pouvez aussi disposer des fleurs et des fines herbes de votre jardin dans une petite coupelle.

Nettoyer sans produits chimiques

Vous pouvez vous servir quotidiennement de produits qui sont probablement déjà rangés dans votre armoire, pour nettoyer presque tout ce qui se trouve dans votre logement, de la cocotte-minute aux parquets, des meubles en bois aux vitres, et bien davantage. La liste suivante n'offre qu'un aperçu de certains nettoyants naturels et de la manière de les utiliser.

✔ **Le borax** est un produit minéral naturel qui désinfecte et fait merveille comme poudre à laver ou comme nettoyant ménager. Ajoutez-en dans le logement réservé à la poudre à laver, pour qu'il blanchisse et adoucisse les serviettes de toilette blanches ou tout autre vêtement non coloré. Vous pouvez l'acheter au rayon droguerie des grands magasins et sur Internet.

✔ **Le bicarbonate de soude** est un abrasif léger. Servez-vous-en comme vous le feriez de n'importe quel produit du même type. Voici quelques suggestions :

- Faites briller les robinets et les autres accessoires en chrome avec un peu d'eau additionnée de bicarbonate de soude.

- Nettoyez les plans de travail, les appareils ménagers et d'autres surfaces avec un peu de poudre répartie sur un chiffon humide.

- Nettoyez l'intérieur de votre frigo avec une tasse d'eau tiède additionnée de trois cuillerées à soupe de bicarbonate de soude, et trempez un chiffon dans cette solution.

- Humidifiez les parois de votre four avec un chiffon humide, puis éparpillez du bicarbonate de soude dans le four. Attendez une heure avant d'enlever ce mélange avec le chiffon. Si les taches résistent, utilisez un produit nettoyant contenant aussi peu de produits chimiques que possible.

- Faites tremper pendant environ une heure les casseroles et les poêles sales dans une bassine remplie d'eau bouillante, à laquelle vous ajouterez deux ou trois cuillerées de bicarbonate de soude. Puis récurez avec un tampon abrasif.

- Servez-vous de bicarbonate pour retirer les moisissures dans la douche et sur le rideau de douche. Utilisez une vieille brosse à dents pour nettoyer les joints entre les carreaux de faïence.

- Versez une demi-tasse de bicarbonate de soude dans les canalisations de votre cuisine ou de votre salle de bains, puis ajoutez une demi-tasse de vinaigre avant de faire couler de l'eau bouillante. Ce mélange dissocie les acides gras qui bouchent les canalisations.

Vous pouvez acheter dans les drogueries de plus grandes quantités de borax ou de bicarbonate de soude qu'au supermarché. Si vous avez des difficultés à en trouver, demandez au droguiste de vous en commander.

✔ **Le vinaigre** dissout les graisses et désodorise. Servez-vous de vinaigre d'alcool blanc ordinaire (et non de votre coûteux vinaigre balsamique).

- Nettoyez les traces de calcaire dans la baignoire, le lavabo et l'évier de la cuisine. Faites tremper le pommeau de la douchette dans le vinaigre puis retirez les dépôts de calcaire en le brossant avec une vieille brosse à dents.

✔ **Le jus de citron** agit également sur les dépôts de calcaire. Si les taches sont rebelles, appliquez du jus de citron pendant quelques minutes ou faites tremper un chiffon dans le jus de citron et posez-le sur la zone à nettoyer. Le jus de citron en petites bouteilles est plus pratique que celui que vous devez extraire du fruit frais.

- Lavez vos carreaux. Après avoir utilisé de l'eau vinaigrée, faites briller les vitres avec du vieux papier journal froissé (si vos mains noircissent, le journal n'est pas assez vieux, ne l'utilisez pas). Procédez de même pour les vitres de votre voiture. Le vinaigre dissout la graisse accumulée. Plus le verre est graisseux, plus vous avez besoin de vinaigre. Au départ, faites moitié-moitié.

- Brossez la cuvette des toilettes avec ce mélange. Pour les salissures les plus rétives, répartissez du bicarbonate de soude dans la cuvette puis versez du vinaigre par-dessus. Attendez-vous à voir mousser le mélange. Servez-vous de la brosse des toilettes pour récurer la cuvette.

✔ **L'huile d'olive** enlève les traces de doigts sur l'acier inoxydable et si vous lui ajoutez un peu de vinaigre – environ une part de vinaigre pour trois parts d'huile –, vous obtiendrez de bons résultats sur un carrelage (ou dans une salade !).

Servez-vous d'un mélange de citron, d'eau et d'huile d'olive pour cirer vos meubles. Faites comme si vous utilisiez de la cire et essuyez le surplus avec un chiffon sec. Les proportions à utiliser dépendent du bois et de son degré d'encrassement. Au départ, mettez une cuillerée de chaque ingrédient.

Vous pouvez aussi essayer les cires naturelles, qui sont formidables pour les surfaces en bois. La cire d'abeille est disponible chez les antiquaires.

✔ **L'huile de castor** est excellente pour l'entretien du cuir. De la même manière qu'un massage régénère un muscle fatigué, un peu d'huile de coude ajoutée à ce produit naturel fera revivre votre cuir.

✔ **L'eau additionnée de bicarbonate de soude** contribue à faire disparaître les taches sur les tapis. Saupoudrez un peu de bicarbonate puis tapotez avec un chiffon mouillé pour enlever les taches.

> Pour le vin rouge et les taches de café, saupoudrez du bicarbonate sur la tache, frottez pour enlever le produit, puis brossez. Essayez la Maïzena sur les taches les plus rebelles. Mouillez la tache, frottez, puis brossez.

Faites des expériences avec divers produits naturels jusqu'à ce que vous ayez trouvé le mélange idéal pour le nettoyage de tous les objets de la maison. Quand vous avez fini par repérer le bon produit, remplissez-en une bouteille ou un pot, étiquetez-le et gardez pour un usage ultérieur.

 Le fait d'utiliser des produits naturels vous imposera un peu d'efforts parce qu'ils sont moins abrasifs et agiront moins vite que les produits chimiques. En même temps, l'exercice vous permettra d'économiser des frais d'inscription au club de gym !

Remplacer les aérosols par des systèmes écolo

Les aérosols font l'objet de discussions parce qu'ils contiennent des gaz sous pression qui se diffusent assez loin lorsqu'on appuie sur le vaporisateur, ce qui fait circuler les produits chimiques dans l'air. Les gaz peuvent déclencher des réactions allergiques chez certaines personnes, des crises d'asthme, et contribuent à polluer l'atmosphère. Les récipients métalliques peuvent être dangereux s'ils sont exposés à la chaleur. Même un récipient vide peut exploser s'il est en contact avec une température trop élevée.

Si vous voulez vaporiser votre cire naturelle ou certains produits nettoyants sur des surfaces diverses, achetez dans une jardinerie un vaporisateur à pompe comme ceux qui servent à projeter de l'eau sur les plantes.

Acheter les produits nettoyants verts

Même si vous pouvez préparer vous-mêmes de nombreuses recettes pour nettoyer divers objets dans la maison, vous aurez peut-être envie d'acheter des détergents écolo. Les plus populaires d'entre eux sont les poudres à laver le linge, les produits pour les toilettes, le papier toilette recyclé et les sacs-poubelle biodégradables, les liquides pour la vaisselle, les adoucissants pour le linge et les rouleaux de papier aluminium recyclé.

Si la vie est trop courte pour tout fabriquer vous-même ou si vous ne pouvez vous procurer la version naturelle du produit dont vous avez besoin, achetez-le. Lorsque vous éprouvez des difficultés pour le trouver en supermarché ou chez votre droguiste, essayez Internet. Voici deux sites qui en commercialisent : www.biodoo.com et www.acheterbio.com. La marque « L'arbre vert » est le leader français des produits écologiques d'entretien (www.arbrevert.fr) ; sachez-le !

Sensibiliser les enfants aux questions écolo

Il est plus facile d'être écolo quand toute la famille s'y met, comprend et participe à cette idée. Ce n'est pas la peine que vous utilisiez moins d'eau et d'énergie, que vous laissiez la voiture à la maison et que vous essayiez de réduire les déchets si tous les autres autour de vous sapent votre travail. Comme pour la plupart des principes que vous appliquez dans la maison, le fait d'être écolo est plus efficace si chacun comprend pourquoi c'est nécessaire.

Les jeunes enfants s'inspirant de votre exemple, n'hésitez pas à les sensibiliser à vos priorités écolo et répondez à toutes leurs questions au fur et à mesure qu'ils les posent. Ils grandiront en s'habituant à l'idée que le recyclage et le compostage font partie de la vie quotidienne et que vous préférez la marche ou le vélo à tout autre moyen de locomotion.

Les petits sont sensibilisés à la gamme des jouets disponibles sur le marché. Ils voient ce que leurs copains reçoivent en cadeau. Les publicités à la télé, dans les magazines et sur Internet exercent aussi un impact sur eux. Vous ne pouvez les blâmer de vouloir de la nouveauté. Parfois il est plus simple de céder à un enfant têtu que de lui expliquer pour la énième fois que l'achat de tous ces gadgets est mauvais pour la planète. Ne battez pas votre coulpe si de temps en temps vous le gâtez. Les problèmes surgissent avec les adolescents, s'ils voient leurs amis aller partout en voiture et prendre leurs repas dans des lieux de restauration rapide, avec de multiples emballages, alors qu'eux-mêmes ne se comportent pas comme ça. Ne soyez pas trop strict, le fait de consommer quelques hamburgers ne leur fera pas trop de mal. Mais expliquez-leur pourquoi ces aliments ne sont pas les meilleurs, dites-leur qu'ils portent tort à la planète, aux animaux et aux gens.

Les enfants plus âgés comprennent si vous leur expliquez à quel point il est important de s'occuper de la santé de la planète. Ils se le représentent encore mieux s'ils remarquent que leur mode de vie peut créer un changement pour un autre enfant qui vit aux antipodes. S'il y a des inondations dans un coin de l'Afrique que les scientifiques désignent comme la cible du changement climatique, à cause des émissions de carbone provoquées par les pays riches, expliquez le lien entre votre propension à acheter certains produits et la pluie qui cause des inondations.

Les enfants adorent les animaux. Donnez-leur des informations sur le travail des différents organismes à but non lucratif qui font de l'environnement un lieu sécurisant pour leurs compagnons de jeux, et qui protègent les espèces animales en danger d'extinction. Vous trouverez d'autres idées au chapitre 18, ainsi que les coordonnées de sites utiles à explorer sur Internet au chapitre 16.

Si vos enfants sont assez grands, permettez-leur de partager des décisions pour que la famille devienne plus écolo. Accordez-leur des responsabilités pour certains aspects de la vie verte de la maisonnée.

Dans leur chambre, mettez des meubles en matières renouvelables et durables, comme le bois issu du recyclage et de plantations conformes au développement durable (voir le chapitre 1). Expliquez-leur pourquoi certains bois sont plus verts que d'autres.

Ne pas oublier que les animaux peuvent être verts

Si vous êtes le propriétaire d'un animal domestique (en France il y en a 53 millions) d'un poisson rouge, d'un hamster, d'un cochon d'Inde, d'un poney du Shetland ou encore d'un chat ou d'un chien (comme la plupart des gens), vous pouvez les rendre écolo.

Si vous décidez d'acheter un chiot ou un chaton, vérifiez que les éleveurs ont bonne réputation et que la santé de l'animal ne pâtira pas d'une sélection trop rigoureuse de son hérédité. Il y a des centaines d'élevages où les chiens vivent dans des conditions infâmes, et où les motivations financières l'emportent sur tout le reste. Demandez à des amis et à des vétérinaires locaux qu'ils vous recommandent des adresses et n'hésitez pas à vous rendre sur place pour en avoir le cœur net. Les animaleries ne s'occupent pas forcément mieux de leurs pensionnaires. Vérifiez qu'elles respectent un code de déontologie. Adressez vous à www.protection-des-animaux.org ou www.fondationbrigittebardot.fr ou www.spa.asso.fr ou www.30millionsdamis.fr.

Assurez-vous de disposer du temps et de la patience nécessaires pour donner à votre animal l'amour, les soins et l'apprentissage dont il a besoin. Vérifiez que son espace de vie soit assez vaste et bien organisé. Il est cruel de laisser seul un grand chien dans un petit appartement toute la journée pendant que vous êtes au travail. Les chats adorent se promener dehors, mais vous ne pouvez les laisser sortir s'ils sont menacés par le trafic automobile. Mettez-leur un collier avec une clochette pour que les oiseaux soient prévenus de leur présence, sinon ils seront guettés et tués.

Les animaux grossissent. De nombreux propriétaires ne savent pas comment les nourrir et leur donnent trop de friandises. Souvent, ces compagnons à quatre pattes manquent d'exercice. Il est amoral de laisser les animaux devenir obèses. Prenez conseil auprès de votre vétérinaire pour savoir comment nourrir et faire courir votre animal qui est, après tout, votre meilleur ami.

Pour ce qui concerne l'alimentation et l'entretien des animaux, appliquez les mêmes principes verts que pour le reste de la famille. Si vos enfants n'ont pas le droit de consommer des aliments bourrés d'additifs et de colorants artificiels, s'ils utilisent des shampoings naturels sans produits chimiques, pourquoi votre chien serait-il traité différemment ?

Organiser votre enterrement écolo

Parmi les activités économiques écolo, les funérailles vertes sont celles qui sont les plus prisées en Angleterre ; ce n'est pas encore le cas en France. Pour pratiquement tous les aspects d'un enterrement, il y a une alternative écolo qui rend cet événement moins traumatisant pour la planète.

La plupart des gens refusent de parler de mort, mais si vous voulez un enterrement vert, il faut que vous meniez vos recherches, fassiez des projets, dressiez la liste de vos desiderata et que vous évoquiez vos souhaits devant vos proches.

En France, un enterrement moyen coûte environ 1 100 euros. Vous pouvez bénéficier de funérailles vertes pour une somme inférieure à celle-ci, ce qui permettra de ne pas endetter votre famille et protégera la planète.

Si vous voulez un cercueil en bois, choisissez-en un qui provienne d'une forêt à développement durable, comme l'indiquera un certificat. Dans ces forêts, les arbres sont remplacés au fur et à mesure qu'ils sont coupés. Vous pouvez obtenir d'autres renseignements auprès du Forest Stewardship Council www.fsc-info.org. Parmi les alternatives, citons les cercueils en carton ou en osier, qui sont biodégradables. Le cercueil en carton peut être placé à l'intérieur d'une coque en bois qui sera rendue aux pompes funèbres de votre choix à la fin de la cérémonie. Jetez un coup d'œil au site du cercueil écologique : ecopod.co.uk. Il est possible de bénéficier d'un enterrement ou d'une crémation sans utiliser du tout de cercueil.

Vos proches voudront savoir si vous voulez être enterré ou incinéré. Il y a des arguments écolo pour et contre chacune de ces décisions. Les cimetières sont confrontés à un problème d'espace pour les enterrements traditionnels, et la crémation dégage des gaz nocifs dans l'atmosphère. Les enterrements traditionnels recourent à des produits d'embaumement qui peuvent polluer le sol et les nappes phréatiques.

Une troisième option consiste à être enterré dans un site écolo ou naturel. Ces sites n'autorisent pas, généralement, l'utilisation de produits d'embaumement et vous devrez utiliser des cercueils biodégradables. Parce que les corps ne sont pas placés dans des cercueils capitonnés, ils se dégradent rapidement. Il n'y a pas de pierre tombale, la plupart des tombes sont plantées d'arbres, ce qui permet de bénéficier de conditions doublement écolo. Il existe environ 200 sites de ce type en Grande-Bretagne. Le Natural Death Centre dispose de toutes les informations nécessaires pour organiser un enterrement écologique. Rendez-vous sur le site web www.naturaldeath.org.uk. Il n'y a pas d'équivalent en France mais, pour en savoir plus, consultez la rubrique « adieu » de « trucsverts » du site www.mescoursessurlaplanete.com

Chapitre 5

Jardiner plus vert

∙ ∙

Dans ce chapitre

▶ Étudier votre jardin

▶ Fermer les robinets

▶ Se servir du jardin pour faire pousser des légumes

▶ Dire adieu aux produits chimiques et bonjour à l'huile de coude

▶ Transformer vos déchets en compost

▶ Soigner votre pelouse et ses abords

▶ Concevoir un jardin durable

∙ ∙

*J*usqu'à quel point votre jardin est-il écolo ? Souvent, les Anglais sont désignés comme les rois des jardiniers, et la grande majorité de la population de Grande-Bretagne a accès à un jardin ou à un espace vert. Nous avons beaucoup à apprendre d'eux ! Pour beaucoup, le jardin est une pièce de plus, un bel endroit bien entretenu où ils peuvent se reposer et profiter du beau temps. Pour d'autres, c'est un lieu fonctionnel, un endroit où ils peuvent faire pousser des légumes et créer un havre de paix pour la faune sauvage.

Quel que soit le regard que vous portez sur votre petit arpent du Bon Dieu, il y a beaucoup de manières de le rendre plus vert, et ce chapitre vous en dit long sur ce plan.

Sue Fisher, Michael MacCaskey et Bill Marken vous apportent d'autres informations précieuses dans *Le Jardinage pour les Nuls*.

Équilibrer l'écosystème du jardin

S'il est livré à lui-même, n'importe quel terrain se transforme en un écosystème complexe. Les plantes attirent les insectes qui à leur tour attirent des oiseaux et des animaux. Tout sert de nourriture dans l'écosystème. Ce que vous faites dans votre jardin exerce une influence sur la façon dont l'écosystème évolue. Moins vous exercez d'impact négatif, plus votre jardin devient vert.

Pour être écolo dans votre jardin, voici quelques principes de base.

- ✔ Arrosez au minimum et comptez sur d'autres ressources que celles du robinet.

- ✔ Faites pousser des plantes et des légumes pour le bénéfice de tout l'écosystème.

- ✔ Réduisez l'énergie et les produits chimiques que consomme votre jardin. Servez-vous de matières naturelles comme le compost que vous aurez fabriqué vous-même, le sang de bœuf, et certains types d'engrais animaux.

- ✔ Nourrissez vos plantes avec un compost de votre composition.

Dans votre jardin, la faune et la flore vont finir par se réguler. Les escargots empêchent les algues de pousser dans l'étang, les oiseaux réduisent la population des insectes, certains insectes bénéfiques comme les coccinelles dévorent les insectes nocifs comme les pucerons. Pour attirer les bons insectes dans votre jardin et empêcher les parasites de l'envahir, faites pousser des plantes adaptées.

À Paris, vous pouvez aller au Muséum d'histoire naturelle, ou vous rendre sur son site : www.mnhn.fr, qui dispose de quantités d'informations à propos des insectes. Vous pouvez également aller voir le site www.terrevivante.org

Faire participer toute la famille

Les jardins sont des lieux où toute la famille peut tester sa fibre écolo. Attribuez à chacun une fonction écologique dans votre espace extérieur. Les enfants adoreront probablement le compost et la lombriculture. Attribuez à chacun un petit coin où faire pousser des légumes ou des fleurs sauvages. Les membres d'une même famille peuvent se surpasser pour faire mieux que le voisin ! Confiez à quelqu'un le soin de compter les différentes variétés de végétaux qui surgissent dans votre jardin et de repérer chaque nouvelle arrivée. Il se peut que l'un de vos enfants ait envie d'étudier les solutions pour acclimater des plantes de la région, même s'il n'aime pas entretenir la terre.

Si vous n'avez pas de jardin, vous pouvez planter des herbes et diverses salades dans une jardinière sur votre balcon, trier les déchets domestiques pour les composter ou encourager le travail des lombrics. Chacun peut se rendre utile, et plus les membres d'une même famille sont écolo, plus la famille en bénéficie.

Surveiller l'arrosage

La pluie revêt une grande importance pour la plupart des jardiniers, et selon l'endroit où vous vivez, vous les entendrez souvent se plaindre du manque d'eau ou au contraire de son excès à certaines périodes de l'année. Si vous constatez le premier phénomène, vous pouvez protéger votre jardin de la sécheresse en installant un système de récupération de l'eau de pluie en prévision d'une interdiction d'arroser les jardins. Réfléchissez aux manières d'utiliser dehors l'*eau grise* (de l'eau déjà utilisée dans votre maison, par exemple pour la vaisselle, un bain ou une douche). Vous pouvez concevoir le genre de jardin qui reste vert sans nécessiter beaucoup d'eau.

Réfléchir aux sources d'approvisionnement et aux méthodes d'arrosage

Limitez les arrosages et cherchez à utiliser l'eau que vous avez récupérée plutôt que de verser de l'eau potable sur vos plantes. Quelques conseils vous aideront à faire preuve d'une plus grande efficacité écologique :

✔ Récupérez l'eau de pluie dans une citerne. Vous en trouverez de toutes sortes, et parfois elles décorent le jardin en ressemblant à des pierres.

Vous pouvez récupérer l'eau qui tombe de votre toit et dans les gouttières. Il est possible de dévier les conduites d'eau de la cuisine et de la salle de bains vers votre citerne plutôt que de laisser l'eau partir dans le système des égouts.

Même si vous ne disposez pas d'une citerne, vous pouvez vous servir de seaux ou de bassines pour porter l'eau de votre vaisselle ou de votre bain jusqu'à vos plantes.

✔ Arrosez votre jardin à l'heure la plus fraîche de la journée pour réduire l'évaporation. Faites-le tôt le matin ou tard le soir et n'arrosez que les zones et les plantes qui en ont besoin.

✔ Servez-vous d'un tuyau équipé d'un système de fermeture plutôt que d'un système d'arrosage automatique. L'arrosage automatique peut gâcher beaucoup d'eau et utiliser en une heure ce qu'il faut à une famille de quatre personnes en une journée ! Le système d'arrosage automatique ne met pas longtemps à noyer votre pelouse. Utilisez un tuyau dont vous pouvez couper le débit, ce qui peut vous permettre d'économiser jusqu'à 225 litres d'eau par semaine.

Le paillis préserve l'humidité dans le jardin. Si vous ajoutez par-dessus des écorces d'arbres, du compost, des coquilles de noix de coco ou même des journaux, le sol sera protégé du soleil et restera humide.

Tenir compte des besoins en eau de vos plantes

Vous pouvez aménager votre jardin afin de mieux conserver l'eau qu'il consomme. Pour cela, vous planterez des végétaux qui n'en réclament pas beaucoup. Demandez dans votre jardinerie quels sont les besoins en eau des différentes plantes qu'elle vend. Certaines s'épanouissent sans problème en terrain sec.

Les pelouses sont parfois gourmandes en eau. Pour épargner l'eau dans votre jardin, réduisez la surface de pelouse et optez pour des plantes grasses. Généralement, les arbres et les buissons qui ont pris racine n'ont pas besoin d'être souvent arrosés.

Au lieu de plantes trop exigeantes en eau, placez des objets comme des rochers, des briques, des bancs et du gravier pour obtenir un effet décoratif.

Faire pousser vos légumes

Vous pouvez cultiver vos légumes si vous disposez d'un tout petit peu de soleil et d'une alimentation en eau. Même si vous vivez dans un minuscule appartement, un appui de fenêtre suffira.

Jardiner bio

Comme je l'ai expliqué dans le chapitre 7, le moyen le plus écolo de se nourrir consiste à acheter des légumes de saison qui ont poussé dans votre région. Si ces légumes sont bio, c'est encore mieux. En cultivant vos légumes chez vous, sans pesticides, vous mettez toutes les pendules à l'heure écolo, et vous avez la satisfaction de disposer de vos propres récoltes.

Voici quelques principes du jardinage vert.

- **Faire tourner les cultures** : le fait de faire pousser des légumes différents, chaque année, dans différentes zones du jardin, enrichit le sol. Différents nutriments sont puisés par chaque culture et en créant une jachère tous les ans, vous donnez à la terre la possibilité de se régénérer et de reconstituer ses réserves.

- **Apporter de l'engrais** : les plantes ont besoin d'azote, de potassium et de phosphore. Si votre terre est pauvre et ne contient pas assez de ces nutriments, vous pouvez ajouter du sang séché et de la poudre d'os, de la potasse minérale ou un engrais liquide naturel. Pourquoi ne pas pratiquer la lombriculture ? (voir ci-dessous le paragraphe intitulé « faire travailler les lombrics »). Le paragraphe intitulé « Donner une seconde vie à vos déchets » aborde la question du compost comme source nutritionnelle pour la terre. Votre jardinerie vous conseillera sur les différentes sortes d'engrais, en fonction de votre type de sol.

Comptez sur les engrais naturels plutôt que sur les produits chimiques qui peuvent se retrouver dans votre nourriture et dans les cours d'eau tout proches.

✔ **Créer un compost** : servez-vous d'un compost « maison » pour apporter de l'énergie et de l'engrais à votre terre. Si vous n'avez pas assez de déchets verts pour créer un compost, vous pouvez en acheter un, de préférence biologique si vous faites pousser des légumes et des fruits selon les méthodes biologiques. Dans le paragraphe « Donner une seconde vie à vos déchets », vous en apprendrez davantage sur cette question.

Résistez à la tentation d'utiliser des matériaux à base de tourbe. Tous les ans, les jardiniers anglais utilisent près de 3 millions de mètres cubes de compost à base de tourbe, et de ce fait, ils épuisent les ressources naturelles du pays. La tourbe ne peut être replantée, elle n'est pas durable. Demandez à votre jardinerie de vous renseigner sur les alternatives écolo ou fabriquez votre propre compost.

✔ **Pailler :** le paillage permet de contenir les mauvaises herbes et de maintenir un bon degré d'humidité dans la terre. Le paillis le plus simple est une feuille en plastique, mais son équivalent biologique sera une couche d'une matière naturelle comme le compost, les écorces d'arbre, l'herbe coupée, la paille ou le fumier fermenté. Ce paillage biologique apporte des nutriments biologiques à la terre et empêche les mauvaises herbes de tout envahir. Vous n'avez donc pas à utiliser de produits chimiques pour vous en débarrasser.

En sarclant, vous stimulez la croissance des plantes, vous réduisez la quantité d'eau absorbée par la surface de la terre, et vous neutralisez les mauvaises herbes qui consomment une précieuse quantité d'engrais et d'eau.

Si votre jardin a été utilisé comme potager par vos prédécesseurs, il se peut qu'il contienne toutes sortes de substances chimiques. Il faut du temps pour que la terre s'en débarrasse et que vos récoltes deviennent biologiques. Pour que votre jardin vire au vert, vous pouvez vous renseigner auprès de l'Association des jardiniers biologiques de France www.univers-nature.com/jardin-bio/ ; vous pouvez consulter *Le Guide écojardinier 2007* de Botanic (disponible dans les magasins de la chaîne) ainsi que deux sites spécialisés dans l'écojardinage : Magellan, www.magellan-bio.fr et la Ferme de Sainte Marthe, www.fermedesaintemarthe.com

Étudier les normes de l'agriculture biologique

Les produits biologiques sont soumis à diverses normes établies par l'Union Européenne pour l'utilisation de pesticides et d'autres produits chimiques. L'alimentation biologique produite au Royaume-Uni ne doit pas être exempte de tout produit chimique. Toutefois, seules sept des 450 substances chimiques utilisés dans la production non biologique sont autorisées.

Vous obtiendrez davantage d'informations en vous rendant sur le site internet du ministère de l'Agriculture : www.agriculture.gouv.fr. C'est de ce ministère que dépendent les organismes certificateurs du Bio comme la marque AB (agriculture biologique), « bio-équitable »,

« cosmebio », « nature et progrès » ou « déméter »pour l'agriculture biodynamique... mais aussi du ministère de l'Écologie : www.developpement-durable.gouv.fr, de l'Agence francaise pour le développement et la promotion de l'agriculture biologique : www.agence-bio.org ou de l'association Objectif Bio : www.objectifbio.org.

Voir aussi la fédération Nature et Progrès : www.natureetprogres.org ainsi que le site d'Intelligence verte, l'association de Philippe Desbrosses, le pape du bio : www.intelligenceverte.org.

Jardiner petit

Même si vous ne possédez pas un jardin à proprement parler, vous pouvez faire pousser une quantité surprenante de végétaux dans des pots, sur des appuis de fenêtre, sur votre balcon. Même s'il y a juste assez d'espace pour quelques fines herbes ou quelques feuilles de salade, c'est un bon début, et il ne faut presque pas de place pour faire pousser des tomates.

Parlez à votre jardinier des meilleures variétés de plantes les plus adaptées à vos conditions.

Simplifiez les opérations pour faire pousser des plantes dans un espace réduit :

1. **Achetez des pots en terre ou en argile qui sont les plus naturels sur le marché.**

   S'ils sont fabriqués dans votre région, c'est encore mieux. Vérifiez que ces pots soient assez profonds pour permettre un bon enracinement (de 20 à 25 cm) et qu'ils soient troués au fond pour que l'eau puisse s'évacuer.

2. **Achetez des semences biologiques, disponibles dans la plupart des jardineries.**

3. **Plantez les semences dans un mélange pré-emballé de terre biologique qui contient des ingrédients naturels comme de la terre, du paillis, du compost, du fumier et du sable, jusqu'à ce que votre propre compost soit prêt.**

Pendant que votre mini-jardin pousse, suivez quelques conseils pour lui assurer une bonne santé verte :

- Donnez à vos plantes un engrais biologique qui contient des minéraux et du fumier animal obtenu par des méthodes d'agriculture durable. Vous pouvez aussi vous servir du liquide qui est produit par les lombrics.

- Servez-vous d'insecticides biologiques comme ceux qui contiennent un mélange d'ail, de piments et de pyrèthre séché (le pyrèthre est une plante de la famille des marguerites).

Cherchez d'autres conseils sur le site du réseau des semences paysannes pour préserver les bases génétiques de la nourriture de demain, www.semencespaysannes.org ou demandez des conseils à l'association Kokopelli, www.kokopelli.asso.fr, et, sur les dangers des pesticides, n'hésitez pas à vous renseigner auprès de l'association du Mouvement pour le droit et le respect des générations futures (MDRGF) : www.mdrgf.org

Jardiner à couvert

Si vous disposez d'assez d'espace pour avoir une serre, vous pouvez cultiver des plantes très différentes de celles qui s'acclimatent dehors.

- En été, le verre fait grimper les températures, de sorte que les plantes qui mourraient à l'extérieur peuvent s'épanouir. Vous tirerez parti de la chaleur pour cultiver des végétaux exotiques (plantes, fruits et légumes). Si vous vivez trop au Nord pour que vos fraises soient sucrées, elles se porteront à merveille sous l'écran de verre. Beaucoup se servent de leur serre pour faire pousser des tomates, parce qu'elles y prennent également un bon goût de soleil ou qu'ils peuvent jouer sur diverses variétés.

- En hiver, la serre peut devenir le refuge de plantes fragiles qui ne survivraient pas dehors. Il est possible de chauffer votre serre, mais ce n'est pas une pratique très écologique car vous consommerez de l'énergie et provoquerez des émissions de carbone. En fonction de l'endroit où vous vivez, vous cultiverez diverses plantes à partir de semences ou de bulbes, puis vous les replanterez dans votre jardin au printemps.

Appliquez les mêmes principes – servez-vous de semences et de méthodes biologiques, d'engrais et d'insecticides naturels et de compost maison – dans votre serre. Vous obtiendrez davantage d'informations en vous rendant sur le site du réseau des semences paysannes pour préserver les bases génétiques de la nourriture de demain, www.semencespaysannes.org, ou contactez le centre d'écologie pratique Terre vivante : www.terrevivante.org

Jardiner pour la communauté

Si vous n'avez pas accès à un espace privé et que vous aimez l'idée de faire pousser vos légumes, envisagez de vous inscrire dans une association de jardinage communautaire ou d'en créer une dans votre région. Les mairies, les églises, les hôpitaux ou les écoles mettent souvent des terrains à la disposition de personnes désireuses d'animer un projet de ce genre. Les bénévoles intéressés partagent leur temps et leur énergie pour gérer le jardin et pour récolter leurs propres produits.

Si vous tapez « jardin communautaire » sur un moteur de recherche, vous verrez apparaître des dizaines d'adresses. Rendez-vous sur le site de la fédération des Jardins familiaux : www.jardins-familiaux.asso.fr et glanez des renseignements sur l'organisation d'un jardin de ce type. Le jardin de groupe présente un avantage de taille : vous ne serez pas seul pour le cultiver !

Louer un jardin

L'une des possibilités qui s'offre aux apprentis jardiniers consiste à louer un terrain. Lorsque vous traversez le pays, surtout en train, vous apercevez des jardins potagers aux abords de la plupart des villes. Ils sont très populaires. De même, il est possible de partager la location d'un terrain avec des amis.

De nombreux terrains loués sont abandonnés parce qu'ils supposent d'investir une importante somme de travail. Ne vous laissez pas déborder. Organisez votre vie de jardinier. Acquittez-vous régulièrement de vos tâches au lieu de passer une journée entière à bêcher et de vous retrouver épuisé le soir. Le mal de dos risque de vous démotiver.

Faites pousser les légumes que votre famille apprécie, mais essayez aussi de varier les cultures. Vous pourriez, sinon, vous dégoûter des carottes ou des courgettes et finir par acheter vos autres légumes au marché.

Réservez un coin du terrain au compost et appliquez des méthodes de production biologiques pour que votre jardin loué reste bien vert.

Vos voisins jardiniers vous offriront des mines de renseignements sur ce qui pousse bien dans le coin, et sur ce qu'il vaut mieux oublier. La plupart des gens aiment donner leur opinion ! Sur le jardin dans tous ses états, des informations sont disponibles sur le site de l'Association du passe-jardins, www.jardinons.com, ou avec la Fédération nationale des jardins familiaux, www.jardins-familiaux.asso.fr

Oublier les produits chimiques et les accessoires gourmands en énergie

La remise qui se trouve au fond du jardin fait généralement l'objet de nombreuses blagues, mais il suffit de regarder sur les étagères et de constater le nombre de produits toxiques qu'elle abrite pour cesser de rire. La plupart du temps, cet endroit et les garages sont les lieux les moins verts du monde. On y trouve des herbicides, des tondeuses à essence, de vieux pots de peinture et des produits pour teinter le bois.

En créant votre jardin vert, vous pouvez chasser les produits chimiques de votre remise. Il suffit de réduire la surface de votre pelouse et d'agrandir votre jardin « durable », ce qui vous permet de vous débarrasser de ces substances toxiques. Il est possible de remplacer votre tondeuse et les autres équipements à essence par des machines que vous actionnerez à la main.

Réduisez la quantité d'énergie que vous utilisez au jardin en remplaçant vos appareils électriques par des appareils manuels. Le tableau 5-1 offre quelques suggestions.

Tableau 5-1 : Outils verts et outils non verts

Remplacez ceci...	Par...
Tondeuse électrique ou à essence	Tondeuse manuelle
Taille-haie électrique	Taille-haie mécanique
Scie électrique ou à essence	Petite scie manuelle
Souffleuse de feuilles électrique	Râteau
Perceuse électrique	Perceuse à batterie rechargeable

Pour vous débarrasser de vos produits chimiques en toute sécurité, appelez le Sivom local ou renseignez-vous pour savoir comment ne pas polluer le système des eaux usées. Vendez ou donnez les outils électriques ou à essence, pour qu'ils soient réutilisés et recyclés.

Donner une seconde vie à vos déchets

Les jardiniers bio considèrent le compost comme la clé du jardin à développement durable. Le compost tisse un lien entre le monde extérieur et le monde « intérieur » : en compostant vos déchets domestiques et en les utilisant pour nourrir le jardin, vous créez votre mini écosystème. Il est difficile d'être plus vert !

Le compost réunit des déchets biologiques en décomposition qui servent d'engrais pour la terre de votre jardin et pour les plantes qui y poussent. On peut y jeter tout ce qui pourrit naturellement et se décompose sous l'action de micro-organismes, comme les feuilles des arbres, l'herbe coupée, les morceaux d'écorce et le fumier. Si vous entassez vos déchets biologiques pour les composter ou si vous les empilez dans un bac à compost (que vous pouvez acheter dans une jardinerie), ils finissent par se décomposer, par brunir et tomber en poussière. Lorsque vous mélangez ces déchets décomposés à la terre de votre jardin, elle s'enrichit des substances nutritives contenues dans les déchets compostés et devient plus facile à travailler. Vous pouvez acheter du compost tout prêt dans les jardineries, au cas où vous n'auriez pas l'espace nécessaire pour créer le vôtre.

Le compost rend à la terre les substances nutritives que les plantes lui retirent. Il aide le sol de votre jardin à mieux nourrir les plantes en :

✔ humidifiant la terre, ce qui vous permet de moins arroser ;

✔ stoppant la fuite des éléments nutritionnels, ce qui est bénéfique à la croissance des végétaux ;

✔ protégeant la santé de la terre et en réduisant les risques de maladies.

Le compost présente un intérêt supplémentaire : il vous permet de vous débarrasser de vos déchets domestiques de la manière la plus écolo qui soit. Vos déchets ne parcourent plus de kilomètres et ne remplissent plus les décharges.

Composter vos déchets

Un tiers à la moitié des déchets domestiques peuvent être compostés pour le jardin plutôt que d'être envoyés à la poubelle, puis sur une décharge. Tout se qui se décompose, dans votre maison, peut entrer dans le compost : les peaux de bananes et les coquilles d'œufs, le carton, les pelures de légumes, les sachets de thé, c'est-à-dire une grande partie de ce que vous mettez dans la poubelle et qui sera collecté par la benne à ordures. Évitez d'y mettre la viande, le poisson, les journaux et la nourriture cuite, et vérifiez qu'il n'y a ni déjections de chats ou chiens, ni magazines à papier glacé, ni couches jetables. Vérifiez ces informations sur le site www.verslaterre.fr/particuliers/ ou sur www.univers-nature.com/activites/fabrication-compost.html pour savoir comment gérer votre compost.

Les deux ingrédients essentiels du compost sont le carbone et l'azote. Le carbone est présent dans la poubelle des déchets domestiques – si vous y avez mis du papier et du carton, par exemple – et l'azote abonde dans les fruits et les légumes. Ajoutez de la tonte d'herbe, du fumier (d'animaux de ferme ou de poulet, mélangé à de la paille, si possible), et cela vous donnera un excellent compost. Le meilleur mélange est constitué à égalité de carbone et d'azote. Consultez le site : www.verslaterre.fr/particuliers/ pour y trouver des conseils.

Coupez tout en petits morceaux pour aider le processus de compostage. Plus les morceaux sont gros, plus le compostage sera long.

Mettez tous vos déchets dans le composteur que vous achèterez dans votre jardinerie locale ou dans un magasin spécialisé. Si vous n'en possédez pas, affectez un petit coin de votre jardin dans lequel vous entasserez vos déchets, tout en y ajoutant un produit qui activera le compost. Voyez le site : www.eco-bio.info/compost.html

La clé d'un bon compost réside dans l'équilibre de ses ingrédients – ne donnez pas la priorité à un seul élément dont la quantité excédera celles des autres nutriments. Cela peut parfois faire plus de mal que de bien.

Pour que vos déchets se transforment en compost, ils ont besoin d'air et d'eau.

> ✔ Gardez un bon degré d'humidité dans le compost pour que les milliers de bactéries et de champignons nécessaires puissent accomplir leur travail. Si le compost est trop humide, il sentira fort, mais s'il est trop sec, il ne se passera rien.
>
> ✔ Retournez régulièrement le compost à l'aide d'une fourche et favorisez ainsi l'entrée d'un maximum d'oxygène. Plus vous le retournerez, plus le compost travaillera.

En pourrissant, les déchets produisent de la chaleur et des micro-organismes qui accélèrent le processus de compostage. Les organismes de plus grande taille comme les mouches, les vers et autres insectes vivant à l'intérieur du compost contribuent au processus de maturation.

Finalement, vous disposerez d'une matière brune ressemblant à de la terre. Les déchets domestiques peuvent mettre un an à produire une matière épandable. Si vous mettez un vieux tapis par-dessus le compost, vous maintiendrez la chaleur et vous accélérerez la décomposition.

Si vous vivez dans un appartement et que vous n'avez aucun endroit pour garder un bac à compost, envisagez de vous inscrire dans une association ou une coopérative. Proposez aux voisins de collecter et de composter les déchets domestiques. Demandez à votre mairie s'il existe déjà une association dans votre région. Vous obtiendrez davantage d'informations en vous rendant sur le site, www.natureet progres.org, ou en lisant *Compost et paillage au jardin* chez terre vivant, www.terrevivante.org

Miser sur la lombriculture

Le lombricompostage est le moyen parfait de gérer de petites quantités de déchets domestiques, si vous n'avez pas beaucoup d'espace à l'extérieur. La *lombriculture* repose sur une série de petits récipients ou caisses empilés dont la base présente des trous à travers lesquels les vers peuvent circuler. Ils se nourrissent des pelures de fruits et des déchets végétaux, du papier et du carton que vous entassez au sommet des caisses. Ils les digèrent et produisent des déjections que l'on appelle tortillons, qui constituent un compost très efficace.

1. **Construisez votre système de lombricompostage**

   Achetez un lombricomposteur dans un magasin spécialisé ou dans une jardinerie. Vous pouvez également en fabriquer un en utilisant des caisses de stockage qui n'ont servi à aucun autre usage. Idéalement, il vous en faut quatre.

   Percez une grande quantité de trous dans le socle de trois des boîtes, pour que les vers puissent se déplacer à l'intérieur. La seule caisse dont le fond n'est pas percé sera placée dessous, pour que les vers ne puissent pas s'échapper.

2. **Apportez tout le nécessaire à votre lombricomposteur.**

   Vous avez besoin de vers adaptés – la plupart des experts recommandent les vers rouges de Californie ou les vers tigrés. Le lombric de nos jardins n'est pas fait pour cette tâche.

3. **Installez les caisses et mettez-y les vers.**

   Au fond de la caisse la plus basse, mettez de la terre et du papier journal, ajoutez des fruits et des pelures de légumes, puis introduisez les vers.

   Protégez les caisses de la lumière en mettant un sac de jute ou plusieurs couches de papier journal au-dessus de la caisse.

4. **Ajoutez les autres caisses par-dessus la première.**

   Surveillez votre lombricomposteur pendant quelques semaines afin de vérifier que les vers grandissent et se multiplient. Si ce n'est pas le cas, c'est que vous ne les avez pas assez nourris. Ajoutez des déchets domestiques au mélange.

   En suivant l'étape 3, remplissez la deuxième caisse du même mélange, et posez-la par-dessus la première. Lorsque les vers quitteront la caisse du dessous et qu'ils entreront dans la deuxième caisse, ils laisseront derrière eux une bonne quantité de compost que vous pourrez étaler dans votre jardin et sur vos semis.

   Quand les déchets de départ commenceront à ressembler à du compost, ajoutez une caisse. Vous pouvez vous servir du liquide accumulé au fond de la première caisse comme engrais.

Vous obtiendrez davantage d'informations en vous rendant sur un site internet spécialisé. Vous pouvez également acheter un lombricomposteur sur ce site : www.twenga.fr ou dans les magasins Botanic (www.botanic.com).

Entretenir la pelouse, les arbres et la vie sauvage

Quand vous aurez conçu et aménagé votre jardin, il vous restera à l'entretenir. Le spectacle d'une jolie pelouse entourée de plantes en bonne santé, de buissons, d'arbres habités par une faune variée est un véritable plaisir pour les yeux, mais il convient d'être aussi écolo que possible pour l'environnement.

Entretenir la pelouse

L'herbe est bien meilleure que le béton pour la faune sauvage, mais votre pelouse n'a pas besoin d'être impeccable. Si vous décidez qu'il est essentiel de garder une pelouse, et qu'il n'est pas possible de transformer tout votre jardin en potager, faites en sorte qu'elle soit écolo en recourant à des moyens non toxiques.

- ✔ Gardez l'herbe rase en vous servant d'une tondeuse à main plutôt que d'une tondeuse électrique ou à essence. Ce faisant, vous réduirez la consommation de pétrole et la pollution. Si votre pelouse est vaste, vous pouvez vous procurer une tondeuse à batterie solaire. Vous pouvez aussi vous servir d'électricité verte. Rendez-vous dans le chapitre 3 pour savoir comment adopter un fournisseur d'électricité écolo.

  Autre possibilité, adoptez une chèvre qui s'occupera très bien de votre pelouse, qui lui apportera de l'engrais et vous donnera du lait.

- ✔ Laissez l'herbe tondue sur la pelouse afin de nourrir la terre. Si vous ne trouvez pas ce spectacle esthétique, mettez le produit de la tonte sur le compost.

- ✔ Servez-vous de semences locales pour votre pelouse. Elles sont mieux adaptées à votre sol et au climat qui règne chez vous.

- ✔ Résistez à la tentation de prendre le tuyau d'arrosage dès que vous voyez apparaître un rond brunâtre sur la pelouse. Votre pelouse n'a pas besoin d'être arrosée plus d'une fois par semaine, même si le temps est extrêmement sec. En l'arrosant trop, vous la fragilisez, car vous encouragez les racines de l'herbe à remonter vers la surface.

- ✔ Si votre pelouse a bruni au soleil après votre dernière tonte, laissez l'herbe repousser un peu plus longtemps, et coupez-la moins court. L'herbe longue reste plus verte que l'herbe coupée à ras, elle est moins fragile et a besoin de moins d'eau.

- ✔ Retirez toutes les mauvaises herbes à la main plutôt que d'utiliser un produit chimique.

> ✔ Laissez l'herbe de la pelouse pousser un peu au milieu des fleurs sauvages ou plantez des buissons et des arbres. Ces zones attireront la faune sauvage et réduiront les efforts que vous devrez consentir pour la tonte.

Le temps, les efforts et l'énergie que vous investissez dans votre pelouse pourraient être mis à profit pour faire pousser des légumes.

Planter des buissons et des plantes locales

Le jardin écolo idéal contient des plantes locales et des buissons qui supportent bien le climat régional. Ces plantes n'ont pas besoin d'eau supplémentaire et peuvent résister aux insectes et aux parasites locaux. Vous n'aurez donc pas besoin de produits toxiques pour les protéger des mauvaises herbes et des maladies.

Les plantes locales attirent les papillons et les oiseaux qui vivent dans votre région. Multipliez-en les variétés dans votre jardin, afin de nourrir la faune sauvage. Si vous les installez côte à côte, elles se protégeront mutuellement des parasites.

Toutes les plantes françaises ne sont pas forcément adaptées à toutes les régions de France. Parlez-en aux vendeurs de votre jardinerie, ils vous diront quels sont les végétaux les mieux adaptés à l'endroit où vous vivez. Vous obtiendrez davantage d'informations en achetant le *Guide du jardinage biologique potager et verger* ou le livre *Jardiner bio, c'est facile* aux éditions Terre vivante, www.terrevivante.org

Ce que vous prenez pour une mauvaise herbe est peut-être une plante sauvage. Vous n'avez peut-être pas envie de la voir dans votre joli parterre bien ordonné, mais s'il s'agit d'une plante locale, vous pouvez encourager sa croissance dans un autre coin du jardin. Pour savoir comment aménager un jardin sauvage et sauver les espèces locales, rendez-vous sur le site de Terre vivante, www.terrevivante.org, ou sur la revue de l'agriculture biologique *Nature et progrès*, www.natureetprogres.org, et renseignez-vous auprès de l'Association des jardiniers biologiques de France, www.univers-nature.com/jardin-bio/

Encourager la vie sauvage

Si vous avez l'impression que vous ne pouvez pas devenir écolo dans votre jardin en faisant pousser des fruits et des légumes, vous pouvez tout de même agir en créant un environnement attirant pour la vie sauvage. Beaucoup d'espèces d'oiseaux, d'abeilles et de papillons, de mammifères et d'animaux amphibies jadis communes se sont raréfiées à cause des modifications qu'ont subies les méthodes de culture, et parce que les haies ont été détruites un peu partout. En offrant à cette faune un abri où elle peut vivre et se reproduire sans craindre les pesticides et autres produits chimiques, vous aidez la nature à guérir.

Ce que vous plantez exerce un impact sur le type de faune sauvage qui élit domicile dans votre jardin. Réfléchissez soigneusement aux types d'animaul dont vous souhaitez la présence, et choisissez vos plantes et vos fleurs en conséquence. Si vous faites pousser les mauvais végétaux, ils attireront des indésirables, fourmis, guêpes et taupes, où bien ils étoufferont d'autres plantes. Si vous vous servez de pesticides pour les contrôler, d'autres espèces s'en trouveront affectées et l'écosystème en sera perturbé.

Misez sur la variété pour attirer autant d'espèces animales que possible.

- ✔ Divers végétaux comme les roses, le chèvrefeuille et la lavande attirent différents insectes comme les abeilles et les papillons.

- ✔ Un tas de bois ou un carré de fleurs sauvages encourage l'installation d'un autre type d'habitants. Vous trouverez des grenouilles dans le tas de bois s'il est mouillé, et s'il est assez gros, il offrira un abri assez vaste pour un renard.

- ✔ Un bassin, créé à l'aide d'une vieille baignoire ou d'une grande cuve, plaît aux libellules, aux grenouilles, aux oiseaux et aux escargots.

- ✔ Les haies abritent des oiseaux et des insectes, elles offrent un espace de vie aux petits animaux. Faites pousser, si possible, des variétés de buissons différents à l'intérieur de votre haie, pour qu'ils attirent divers types d'animaux.

- ✔ Les arbres et arbrisseaux qui produisent des fruits, des baies et des graines sont des sources de nourriture pour vos amis à poil et à plume.

Essayez de créer un petit jardin sauvage en consultant le site de l'association Nature et Découvertes : www.natureetdecouvertes.com et *Le Guide ecojardinier 2007* de Botanic (disponible dans les magasins).

Les mangeoires pour oiseaux et insectes, dans lesquelles vous pouvez mettre des noix et des graines, incitent également les animaux à vous rendre visite.

Concevoir un espace extérieur propice à l'écologie

Tout le monde peut avoir un jardin à soi, dans un bac à fleurs posé sur le bord d'une fenêtre, sur un balcon minuscule ou dans un terrain prêté par la mairie, et partagé avec le voisinage, dans un terrain loué ou privé, derrière un pavillon de banlieue.

Réfléchissez soigneusement à ce que vous souhaitez dans l'espace dont vous disposez. Même si nous n'avez de place que pour quelques pots, vous pouvez choisir entre la culture de fleurs ou d'herbes fines. Si vos contraintes sont moindres, vous pouvez opter pour un arbrisseau, un buisson, un arbre, des fleurs, des fruits, des légumes ou un mélange de tout cela. Dans un jardin plus grand, vous pouvez avoir envie d'un patio, d'un étang ou d'un bassin d'agrément.

Avant de commencer à bêcher et à planter, pensez au temps que vous devrez investir dans l'entretien de votre jardin, et demandez-vous quelle est la nature du sol, le type de plantes qui y poussent mieux, et la lumière dont elles bénéficieront. Les jardineries locales vous donneront des conseils et vous diront de quoi ont besoin les végétaux que vous voulez acheter.

Les piscines

Si vous survolez certaines régions de l'Angleterre, tout particulièrement le Sud, vous serez étonné de constater le nombre de piscines privées que l'on trouve dans les jardins privés.

Réfléchissez soigneusement à l'impact que vous exercerez sur l'environnement avant de faire creuser une piscine. Il faut beaucoup d'eau pour la remplir. Dès que vous la videz et que vous remplacez son contenu, vous utilisez l'eau du robinet, qui est potable. En traitant la piscine à l'aide de produits chimiques comme le chlore, vous évacuez ces produits dans le système des eaux usées chaque fois que vous videz la piscine. Le chauffage de l'eau requiert une grande quantité d'énergie, et le pompage également. Une piscine non couverte représente un danger de noyade pour les enfants et les animaux. Soyez écolo, épargnez-vous du temps, des soucis et de l'argent, utilisez plutôt cet espace pour faire pousser des légumes.

Si vous voulez un point d'eau dans votre jardin, faites en sorte d'utiliser l'énergie solaire plutôt que l'électricité, et ne vous servez pas de produits chimiques pour la garder propre. Un étang attire la faune et la flore sauvages, notamment les insectes et les grenouilles.

Dessinez l'espace et l'emplacement de tout ce qui vous paraît vital, et surtout la place de votre compost ou de votre bac à compost (voir les paragraphes précédents, intitulés « Donner une seconde vie à vos déchets »). La liste suivante vous indique quels sont les éléments que vous pourriez inclure dans votre plan, et les questions à envisager :

- **Zones couvertes et patios :** Demandez-vous quel est l'impact environnemental des surfaces que vous placez sur votre plan. Avant d'acheter le bois ou les tuiles pour le patio, vérifiez qu'ils proviennent de sources respectant le développement durable, ou qu'ils ont été recyclés.

  Dans le cas où vous bétonnerez une partie de votre jardin pour faire un patio, songez que de l'eau coulera sur cette partie du sol et provoquera des problèmes de drainage dans d'autres parties du jardin.

- **Ameublement :** si votre jardin est une extension de la maison, il a besoin de certains meubles. Lorsque vous optez pour des tables et des chaises en bois, vérifiez que le bois a été produit par des sociétés qui suivent les principes du développement durable et qu'il ne s'agit pas d'essences tropicales. Les meubles en bois doivent être traités pour prévenir le pourrissement, car ils restent exposés aux intempéries. Souvent, ce traitement contient des produits toxiques, chimiques. Vérifiez donc que vos meubles en bois sont protégés par des produits non toxiques comme l'huile de lin. Achetez des meubles qui portent le label du Forest Stewardship Council ou le « label FSC » en France. Il certifie que les bois utilisés n'ont pas contribué à la déforestation de la planète. Vous obtiendrez davantage d'informations en vous rendant sur le site internet www.fsc.org ou sur www.greenpeace.org et, pour choisir le bon bois, le conso-guide *Je dis non au bois illégal* sur www.wwf.fr rubrique Forêts.

  Vérifiez que les meubles en plastique ont été fabriqués à partir de plastique recyclé. Les meubles de jardin en métal sont certainement l'option la moins écolo de toutes, car ils sont susceptibles d'avoir été fabriqués avec des matériaux neufs.

- **Éclairage :** les bougies sont très efficaces au jardin. Placez-les dans des récipients en verre pour les protéger du vent et de la pluie. Vous pouvez fabriquer vos propres lanternes à l'aide de bouteilles en verre.

  L'autre possibilité écolo consiste à recourir aux éclairages à batterie solaire qui accumulent l'énergie pendant la journée, avant de la restituer la nuit pour éclairer votre jardin.

- **Barbecues :** faites en sorte de choisir l'option la plus écolo pour votre barbecue. Vérifiez que le charbon de bois provient d'un bois renouvelable. N'achetez pas les briquettes conçues pour activer la combustion, elles sont généralement fabriquées à base de pétrole, ce qui n'est bon ni pour l'environnement ni pour votre nourriture.

✔ **Chauffage extérieur :** les jardins ou les cours servent fréquemment de pièce d'appoint. Les chauffages de patio sont populaires : ils permettent de rester dehors le soir et pendant la plus grande partie de l'année, mais s'il s'avère plaisant de chauffer l'extérieur, la consommation de gaz ou d'électricité alourdit vos factures et vos émissions de dioxyde de carbone dans l'atmosphère. Étudiez longuement les différents systèmes de chauffage. Vous constaterez souvent qu'ils sont nocifs pour l'environnement.

Si vous décidez d'acheter un chauffage de patio, ne le laissez pas branché quand vous ne l'utilisez pas ; si vous chauffez l'extérieur, vérifiez que le chauffage et les lumières de l'intérieur soient bien éteints, afin de réduire votre consommation d'énergie.

✔ **Plantes :** il est impossible de faire une généralisation pour vous indiquer ce que vous devez faire pousser dans votre jardin. Vous pouvez choisir les arbres, les buissons, les fruits, les légumes, les plantes en jardinière ou les fleurs, selon l'espace dont vous disposez, l'ensoleillement, le temps que vous voulez consacrer au jardinage. Les paramètres sont pratiquement illimités. Concevez votre espace pour qu'il consomme le moins d'énergie possible et que vos dépenses en eau soient réduites dans les zones sèches ; offrez un habitat optimal à la faune sauvage. Contactez le conservatoire du patrimoine naturel de votre région ou le conservatoire du littoral des régions concernées ou le centre d'écologie pratique Terre vivante, www.terrevivante.org, ou deux sites specialisés dans l'écojardinage, www.magellan-bio.fr et la Ferme de Sainte Marthe, www.fermedesaintemarthe.com

✔ **Points d'eau :** la plupart des jardins ne sont pas assez grands pour abriter une piscine ou une mare (voir, plus haut, l'encadré intitulé « Les piscines ») mais si vous disposez d'un espace suffisant pour un petit point d'eau comme une fontaine, réfléchissez-y ; tout système qui requiert de l'électricité nuit davantage à l'environnement qu'un équipement fonctionnant à l'énergie solaire. Faites en sorte que les enfants et les animaux sauvages ne courent aucun danger, évitez d'utiliser des produits chimiques dans l'eau, et offrez un abri aux grenouilles ou aux crapauds qui pourraient passer par votre jardin.

Gardez dans votre jardin un espace où vous installerez un fil pour y suspendre votre linge, ce qui vous permettra de réduire la quantité d'électricité utilisée par votre sèche-linge.

Chapitre 6

Limiter les déchets et les appétits

● ●

Dans ce chapitre

▶ Réduire la quantité de déchets

▶ Adopter les 3 R

▶ Se débarrasser des appareils électroniques pour protéger l'environnement

▶ Offrir une deuxième vie à vos objets

▶ Réutiliser les objets

● ●

*P*lus vous achetez, plus vous utilisez les ressources du globe et plus vous fabriquez de déchets. Le surcroît de la consommation augmente le gâchis.

Le meilleur moyen d'aborder le problème consiste à cesser de produire des déchets, mais l'idée du *zéro déchet* (présentée un peu plus loin dans le paragraphe intitulé « Viser le zéro déchet ») est une sorte de saint Graal dont vous êtes encore loin. Si vous voulez être écolo, cherchez à minimiser la quantité d'objets que vous jetez et qui finissent dans les décharges. Le zéro déchet est l'idéal, mais il est plus réaliste de se contenter de jeter moins.

Les trois R – réduire, réutiliser, recycler – sont essentiels pour aborder le problème des déchets. Ce chapitre présente le pour et le contre des différentes manières de procéder. Il existe deux autres R (réparer et réoffrir) plus un C pour composter, et vous aurez peut-être envie de les ajouter à votre liste.

Comment vous gâchez votre vie

Plus de 850 millions de tonnes de déchets sont produites tous les ans en France. Sur ce chiffre, près de 28 millions de tonnes proviennent des ordures ménagères comme les vôtres. Une récente enquête gouvernementale a permis de constater qu'en France, chaque adulte jette en moyenne 360 kilos de déchets par an. La plupart des objets mis au rebut peuvent être recyclés.

La France a un gros effort à faire, puisque nous ne recyclons que 13 % de nos déchets contre 55 % en Allemagne.

Toutefois, la quantité de déchets que vous pouvez voir et toucher ne représente que la pointe de l'iceberg. Pour chaque objet acheté, il y a des détritus cachés : la fabrication de meubles dans des matériaux bruts comme le bois ou le métal produit des résidus, et chacun de ces produits coûte à la terre un peu plus que ce qui aboutit au fond de votre poubelle.

Viser le zéro déchet

Dans l'idéal, pour vivre écolo au niveau individuel, vous devriez produire zéro déchet. Cela suppose de réduire la quantité de produits que vous achetez et les emballages que vous rapportez chez vous, mais aussi de recycler, composter, réparer et réutiliser. Dans ce cas, vous ne jetez rien qui soit rejeté dans une décharge. En réalité, cet objectif est difficile à atteindre. Il faut de la vigilance et de la détermination pour transformer sa maison en une zone de zéro déchet.

Les états sont confrontés à la vaste tâche qui consiste à réduire les ordures à l'échelle nationale et certains travaillent à cette idée depuis des années. Le programme a commencé à Canberra en 1996 quand cette ville australienne a adopté une politique de zéro déchet, en visant la concrétisation de son objectif en 2010. D'autres pays ont suivi l'exemple australien, notamment la Nouvelle-Zélande. En Angleterre, quelques mairies ont adhéré à ce projet. En France, à la suite du « Grenelle de l'environnement », l'État s'engage à réduire la production de déchets et à développer le recyclage.

fait historique

La concrétisation du zéro déchet suppose d'intensifier le recyclage, mais il faut aussi que les industriels réduisent le gâchis potentiel, notamment la quantité d'emballages non recyclables et les objets destinés à passer de longs moments sur les étagères et qui n'auront pas besoin d'être remplacés.

Se débarrasser des objets inutiles

Vous pouvez vous débarrasser de vos ordures ménagères de plusieurs manières :

- en les remettant aux services de voirie qui les emportent ;
- en les triant pour faciliter la tâche de recyclage prise en charge par les mêmes services ;
- en les apportant vous-mêmes aux services spécialisés ;
- en appelant la voirie et en demandant aux services spécialisés de venir retirer chez vous des objets encombrants dont vous ne pouvez pas vous débarrasser autrement.

Pour l'instant, les trois quarts des objets que vous jetez vont dans les décharges, un tiers est incinéré, et le reste est recyclé ou composté.

Les experts déclarent qu'environ les deux tiers de toutes les ordures domestiques peuvent être recyclées. De même, deux tiers (incluant parfois les déchets recyclables) peuvent être compostés (le chapitre 5 traite du compostage). Cette pratique permet d'investir moins d'argent dans la collecte et le traitement des ordures non-recyclables. Vous devrez réduire la quantité totale de déchets que vous produisez et mieux recycler le reste.

Les décharges et l'incinération

La plus grande partie des ordures ménagères finissent dans les décharges. On creuse de grands trous dans la terre, en lisière des villes, où les déchets iront pourrir pendant quelques siècles.

Les décharges modernes sont bien gérées, les trous dans la terre sont tapissés et recouverts de substances qui empêchent les produits toxiques de passer dans les terrains voisins et de polluer les voies d'eau proches. Divers systèmes sont aménagés pour recueillir les gaz et les liquides produits par les détritus. Les plus vieux sites sont simplement recouverts de terre et les déchets sont livrés à eux-mêmes. Le problème des décharges tient au fait que les lieux adéquats se font de plus en plus rares et que certains produits dangereux ne peuvent pas y être stockés.

Une quantité bien plus négligeable de résidus est brûlée dans de grands incinérateurs. Les vieux incinérateurs sont d'importantes sources de pollution, car ils rejettent dans l'atmosphère des gaz à effet de serre. Les usines plus récentes recourent à une technologie moderne, ce qui les rend beaucoup moins nocifs pour l'environnement. L'énergie produite par la combustion des déchets sert souvent à produire de l'électricité. Cependant, le processus de combustion produit des cendres toxiques.

Devant la pénurie de sites adaptés à la création de décharges, un grand débat a été lancé à propos des incinérateurs. En France comme en Angleterre, l'opinion publique y est hostile et personne ne veut habiter à proximité d'une telle usine. Cependant, la France en compte 134.

Réduire les déchets avec les trois (ou les cinq) R

Avant de vous faire une idée de la quantité et de la nature des déchets que vous produisez, vous ne pouvez pas vraiment commencer à les réduire. Un des moyens de vous représenter vos habitudes consiste à garder toutes les ordures de la semaine. Jetez tout dans une poubelle fermée ou posez dehors un sac d'ordures quotidiennes. Cela vous permettra de visualiser vos détritus de façon plus directe, sans les « oublier » au fur et à mesure. Lorsque vous verrez tout ce que vous avez accumulé, vous pourrez réfléchir à la manière de vous limiter.

expérience à fair ↳ *reduction des dechet de consomation*

Réduire

Le meilleur moyen de réduire vos déchets consiste à limiter vos achats. N'achetez que ce dont vous avez besoin et que vous êtes sûr d'utiliser, qu'il s'agisse de nourriture, de vêtements ou d'appareils ménagers. Vous allez sans doute découvrir que la plus grande partie des choses jetées est constituée d'emballages, de bouteilles, de canettes en aluminium et de plastique.

Achetez moins si vous le pouvez. Si vous n'y parvenez pas, achetez un produit aussi peu emballé que possible. Si un objet vous est présenté pré-emballé, cherchez l'équivalent présenté dans un emballage recyclable. Vous pouvez aussi faire vos courses dans des boutiques qui vendent les produits en vrac.

Achetez des aliments frais qui ne sont pas pré-emballés. Si vous fréquentez les supermarchés, mettez vos fruits et vos légumes directement dans le panier sans les glisser d'abord dans un sac en plastique, ou apportez vos propres sacs que vous réutiliserez d'une fois sur l'autre.

Si certains de vos produits sont conditionnés dans des barquettes en plastique qui ne peuvent pas être recyclées, achetez plutôt des versions alternatives emballées dans du verre ou dans un récipient recyclable.

Vous pouvez aller plus loin et retirer l'emballage sur place en laissant au supermarché le soin de le gérer à votre place. Par ailleurs, il est possible de renvoyer l'emballage au fabricant en lui expliquant pourquoi vous ne voulez plus acheter ce produit à l'avenir. Les boutiques et les industriels commenceront à comprendre le message si les objets trop lourdement emballés ou conditionnés dans des matériaux non-recyclables deviennent moins populaires. Aidez-les à prendre conscience de ce fait, en leur disant pourquoi vous achetez une marque plutôt qu'une autre.

Il faut un peu de temps pour aller chercher les articles les moins emballés mais vous verrez la différence dans le volume de vos ordures ménagères.

L'emballage n'est pas mauvais en soi. Il est susceptible de protéger les denrées pour qu'elles soient transportées sans dommage et pour déterminer de manière précise la quantité d'un produit qui ne peut pas être stocké dans une boîte. Parfois, l'emballage permet d'employer moins de boîtes, donc moins de camions pour véhiculer une commande. Les sociétés songent, elles aussi, à réduire leurs coûts de transport et finissent par être plus écolo.

Le grand débat à propos de la taxe sur les sacs en plastique

Si vous êtes un consommateur moyen, vous utilisez, tous les ans, environ 300 sacs provenant de boutiques et de supermarchés. Des milliards d'entre eux sont distribués annuellement et la plupart finissent dans les décharges, où ils mettent plusieurs centaines d'années à disparaître.

En Irlande, une taxe a été émise en 2002 sur chaque sac en plastique. Depuis, leur nombre a chuté de 90 %. Les députés du parlement écossais se posent aujourd'hui la question de savoir s'il faut suivre cet exemple. Le problème réside dans le type de sacs dont les utilisateurs se servent pour remplacer les sacs en plastique.

La plupart des supermarchés proposent des sacs plus épais, « à vie ». Ils satisfont ainsi aux critères écologiques, et vous réduisez le nombre de sacs en plastique. Vous les réutilisez de manière répétée, et lorsqu'ils craquent, ils sont recyclés. Toutefois, certaines personnes ne les emploient qu'une fois, les remplissent ensuite d'ordures ou les mettent à la poubelle. Comme ils sont fabriqués dans un plastique plus épais, ils prennent plus de place dans le coffre.

Les sacs en papier sont plus verts que les sacs en plastique, ils peuvent être réutilisés, recyclés et compostés. Mais ils sont plus épais que le plastique fin des anciens sacs, et comme les sacs à vie, ils coûtent plus cher en terme de transport, conduisent à utiliser davantage de pétrole et d'énergie, ce qui provoque un surcroît d'émissions nocives.

Les sacs en plastique sont pratiques pour stocker les ordures, mais vous pouvez recourir aux sacs-poubelle spécialement conçus à cet effet. Cela dit, une fois de plus ces derniers sont plus épais et plus chers à transporter. Seuls certains d'entre eux sont conçus dans des matériaux recyclés et la plupart finissent dans des décharges.

Si vous réduisez le nombre de vos sacs en plastique, n'annulez pas ces effets positifs en augmentant votre consommation de sacs « alternatifs ». La pratique la plus écologique consiste à passer aux sacs en tissu ou aux paniers qui dureront des années.

Emportez vos sacs en tissu ou vos paniers quand vous faites vos courses, ou réutilisez des sacs qui vous ont déjà été donnés. Servez-vous de préférence de sacs en papier, si vous avez le choix.

Certains produits doivent être jetés à la fin de leur utilisation. Les aérosols, par exemple, ne peuvent être ni réutilisés ni recyclés. Mais vous pouvez vous servir d'autres emballages pour vos produits de nettoyage et d'entretien des toilettes. Le chapitre 4 vous fournit des informations sur les produits naturels qui peuvent les remplacer, et qui ne sont pas nocifs pour l'environnement.

Réutiliser

Le fait de réutiliser un produit peut constituer, parfois, un moyen de le recycler. La *réutilisation* est donc une forme de recyclage et le *recyclage* est un traitement permettant de réutiliser les objets.

Il est question de prolonger la vie des objets, de toutes les manières possibles, et de les faire circuler entre un maximum de personnes qui s'en serviront avant de les recycler ou de les jeter dans une décharge. Le fait de réemployer un produit réduit la dépense liée à l'utilisation d'un nouvel objet.

Disposez en tas tous les objets qui peuvent être réutilisés sans recyclage ni compostage.

La plupart des objets trouvent plus d'un usage, et vous pouvez vous en resservir :

- Réutilisez les feuilles de votre imprimante en les rangeant près de vous : vous pouvez en faire du papier brouillon (on utilise davantage de feuilles brouillon qu'on ne l'imagine, chaque fois que l'on fait des courses, que l'on dessine des itinéraires. Vous pouvez aussi y consigner les souvenirs que vous êtes en train d'écrire).

- Servez-vous plusieurs fois du papier d'emballage des cadeaux. Découpez les cartes postales pour en faire des étiquettes de cadeaux (vous pouvez même faire une superbe blague à vos amis en leur retournant une carte d'anniversaire qu'ils vous auront envoyée ou en les encourageant simplement à faire circuler la vôtre. Ne vous excusez pas, contentez-vous de barrer le nom de la personne qui vous l'a expédiée, et signez à sa place, en ajoutant vos vœux de longue vie).

- Garnissez les boîtes de recyclage, les tiroirs et le bac à litière du chat avec du papier journal, des magazines et des publicités reçues dans votre boîte à lettres (votre chat ne mérite-t-il pas de voir les belles images de ce superbe catalogue de jouets ?).

- Modifiez vos vieux vêtements pour les mettre au goût du jour (voir nos conseils dans le chapitre 8) et cultivez une allure « vintage » en faisant vos achats dans les dépôts-ventes et les boutiques d'occasion.

- Transformez vos vieux CD en miroirs aux oiseaux que vous accrocherez dans les arbres.

- Transformez les draps des grands lits en draps à une place ou en chiffons.

Si vous n'utilisez plus un objet, quelqu'un d'autre peut sûrement le faire. Les vieux ordinateurs, les téléphones portables décatis, les appareils électriques hors d'usage et les meubles vermoulus offrent peut-être une source de pièces détachées. Une autre personne aura envie de porter ce vêtement en bon état dont vous vous êtes lassé. Si vous avez des objets que vous croyez réutilisables, mais que vous ne voulez plus voir chez vous, essayez de les donner au Secours catholique, de les placer dans un dépôt-vente, de les apporter chez un ferrailleur ou dans les boutiques d'objets d'occasion. Sinon, tentez de les donner à des amis, à la famille ou à vos collègues de bureau. La plupart du temps, il est possible de faire circuler les objets dont vous ne voulez plus. La mode actuelle, qui consiste à acheter des vêtements et des chaussures bon marché, ne contribue pas à réduire la quantité de déchets. Préférez acheter des produits de bonne qualité qui dureront plus longtemps. La mode bon marché passe vite, mais ne jetez pas les articles en question. Faites-en des chiffons à poussière, des serpillières ou servez-vous-en pour laver la voiture.

Réparer

Parfois, les objets sont cassés ou ne remplissent plus la fonction pour laquelle ils ont été conçus. La vie est peut-être trop courte pour repriser une chaussette, mais une chaise qui a un pied cassé ou un meuble éraflé, une bouilloire défunte ou un grille-pain encrassé ont quelques années de plus à vivre si vous vous donnez la peine de les réparer. Essayez de prolonger l'objet plutôt que de le jeter.

Si vous ne pouvez pas réparer un objet, quelqu'un d'autre en sera capable. Les réparateurs sont de nouveau en vogue. Vous trouverez beaucoup de petits ateliers de réparation de vêtements et d'appareils ménagers ou d'objets en tout genre, de cordonniers, de tapissiers, et même des cliniques du jouet. Les Pages Jaunes et le bouche-à-oreille assuré par les amis vous garantiront divers contacts. Si l'objet est de valeur, demandez des garanties.

Les voisins et les amis ont peut-être les compétences qui vous manquent. Si vous faites partie d'un SEL (système d'échange local, voir le chapitre 9), vous y trouverez des membres qui disposent des talents nécessaires.

Une autre possibilité consiste à donner vos objets à un tiers ou à un organisme de charité qui pourra les réparer et les réutiliser (voyez le paragraphe intitulé « choisir de ne pas tout jeter », un peu plus loin dans ce chapitre). Appliquez le principe selon lequel les objets qui sont sans valeur aux yeux d'une personne peuvent en avoir beaucoup pour une autre, et faites-les circuler, qu'ils soient réparés ou pas.

Réutiliser les pneus de voiture

Les pneus posent un gros problème pour l'environnement. Ils ne se désagrègent pas et il est impossible de les brûler, à cause des gaz toxiques qu'ils émettent. Lorsqu'ils sont entassés, ils contaminent la terre au-dessous d'eux par les produits chimiques qu'ils contiennent. Quand ils sont usés, ils peuvent trouver plusieurs autres fonctions.

- Certains peuvent être réchappés et resservir sur une voiture.
- Ils font d'excellentes bouées sur les bateaux et de superbes jouets pour les enfants.
- On peut en tirer des tapis de souris informatiques, des boîtes à crayons et des dessus d'agendas.
- Lorsqu'ils sont réduits en granules, ils peuvent entrer dans la fabrication de tapis de sol et de surfaces de gym, dans des terrains de jeux.

- On peut en faire des matelas et des dalles dans l'industrie du tapis. Plusieurs sociétés fabriquent des éco-tapis à partir de pneus usagés.
- Réduits en fine poudre, les composants des pneus peuvent être répandus sur les routes pour minimiser le bruit.
- On peut en faire des tuiles et des supports structuraux dans la construction de bâtiments écologiques.

Certains garages habilités à reprendre les pneus usagés vous garantissent qu'ils seront réutilisés et recyclés de manière adéquate. Vous obtiendrez davantage d'informations en vous rendant sur le site internet agréé par l'Ademe : www.delta-gom.com.

Recycler

Si tout le reste échoue, pensez au recyclage qui suppose de collecter des objets arrivés en fin de vie pour les retraiter, en partie ou complètement, les ramener au matériau brut à partir duquel il est possible de fabriquer de nouveaux articles.

Le recyclage n'est pas aussi écolo que la réutilisation, parce que ce processus consomme de l'énergie et émet des gaz à effet de serre, notamment du dioxyde de carbone, comme au cours de la production de nouveaux objets. Par exemple, le verre peut être recyclé pour donner de nouvelles bouteilles, mais il doit traverser pour cela un processus de fabrication qui utilise de l'énergie. Idéalement, cette énergie est obtenue par des sources renouvelables comme le vent, la marée et l'énergie solaire, afin que le processus de recyclage soit totalement vert.

Le recyclage gagnera en importance quand le pourcentage d'ordures recyclées augmentera et atteindra la part visée par l'État. Celui-ci a fixé des objectifs pour les industriels qui devront produire davantage de biens recyclables ou décomposables, constitués d'éléments réutilisables ou recyclables. De même, le pourcentage de déchets recyclables doit augmenter. Un tiers de toutes les ordures ménagères devrait être recyclé d'ici à 2015. Vous obtiendrez davantage d'informations en vous rendant sur le site internet de l'Ademe, rubrique Déchets, `www.ademe.fr`, ou sur le cite du Centre national d'information indépendante sur les déchets : CNIID, ww.cniid.org, et, pour tout le matériel des bureaux, la société Conibi, `www.conibi.fr` ; voir aussi l'annuaire des produits recyclés sur `www.produits-recycles.com`

Le recyclage et la production d'objets neufs

Le recyclage permet de réduire la quantité d'objets qui aboutissent dans les décharges et limite la nécessité de tirer des ressources naturelles de la terre pour fabriquer de nouveaux produits, notamment par l'extraction de minerais. En théorie, les matériaux concernés peuvent tourner indéfiniment dans le cercle du recyclage.

Le recyclage est plus écolo que la fabrication de nouveaux produits. Par exemple, le recyclage de l'acier, de l'aluminium, du cuivre, du plomb, du papier et du plastique permet d'économiser entre 65 et 95 % de l'énergie nécessaire pour produire de nouveaux objets à partir de ces matériaux.

Le recyclage débouche sur la conception et la fabrication de nouveaux produits qui sont plus facilement recyclés quand ils arrivent en fin de vie. De la même manière, il a permis de créer des articles qui durent plus longtemps, parce que certains de leurs éléments peuvent être récupérés, et plus simplement recyclés.

Recyclez ce que vous pouvez

Certaines mairies sont bien organisées pour le recyclage et organisent le tri des bouteilles, des boîtes de conserve, des journaux et des magazines, du carton ainsi que du plastique recyclable, globalement séparés du reste de vos ordures ménagères ou répartis dans des poubelles de couleur différente qui sont collectées certains jours de la semaine.

Si votre mairie n'a pas organisé le tri sélectif, vous trouverez des centres de recyclage de déchets pour cinq grandes catégories d'ordures ménagères.

✔ **Le papier :** généralement, le papier peut être recyclé. C'est le cas du papier journal, du carton, des emballages, des magazines et du papier cadeau. De même, le papier peut être intégré au compost. Si vous avez un jardin, vous avez la possibilité de le recycler ou de le composter vous-même.

Certains centres de retraitement acceptent des cartons alimentaires comme ceux qui ont contenu du jus d'orange ou du lait. D'autres non. Les cartons à l'intérieur desquels se trouvent de très fines feuilles de plastique intermédiaires sont parfois recyclables, parfois pas. Vérifiez auprès des autorités locales.

🗸 **Le plastique :** la plupart des matières plastiques sont recyclables, mais les taux de recyclage sont bas en raison du manque d'infrastructures. La plupart des mairies proposent à leurs administrés des poubelles spéciales pour les bouteilles de soda, les bouteilles de lait et de jus de fruits, les produits de beauté. Ces bouteilles portent un numéro d'identification du type de plastique employé, code 1 ou code 2 (voir le paragraphe suivant). Dans certaines régions, vous pouvez recycler d'autres types de plastiques comme les tuyaux épais ou les tuyaux d'arrosage.

Chaque produit en plastique porte un numéro d'identification de code – un triangle avec le chiffre 1, 2, 3, 4, 5, 6 ou 7. Certains plastiques portant les numéros les plus élevés peuvent être recyclés, mais exigent des centres de traitement bien équipés, qui ne sont pas nombreux.

Demandez au personnel de votre mairie quels sont les plastiques qui peuvent être recyclés dans votre région et, si vous le pouvez, n'achetez que ce type de plastique dans les magasins. Au cas où les autorités locales n'acceptent pas le plastique à recycler, essayez d'en acheter moins et de le réutiliser.

Vous obtiendrez davantage d'informations avec l'annuaire des produits recyclés : www.produits-recycles.com et en vous rendant sur le site internet de Éco Emballages, www.ecoemballages.fr Un groupe industriel, le groupe Paprec, www.paprec.com, qui met en œuvre un recyclage efficace du plastique vous y fournit de précieux renseignements.

🗸 **Verre :** la plus grande partie du verre utilisé à la maison peut être recyclée. Le verre ne représente qu'environ 7 % des ordures ménagères en Angleterre, parce qu'il y a une très grande quantité de bouteilles et de récipients en plastique sur le marché. Le verre est plus facile à recycler que le plastique. Si votre mairie ne s'occupe pas du recyclage du plastique, achetez vos produits dans des récipients en verre.

Le verre recyclé trouve de nombreuses applications. Quand vous regarderez les routes de plus près, vous vous rendrez compte que les nids de poule sont souvent rebouchés avec un mélange de verre pilé de couleur verte et de sable.

Les produits en verre, comme les pare-brises, les plats de cuisson et les ampoules devront probablement être emmenés dans un centre de retraitement spécialisé. La plupart du temps, ils ne sont pas emportés par les services de tri.

🗸 **Métaux :** les canettes de boissons ou d'aliments peuvent être recyclées si elles sont en aluminium ou en acier. On ne sait trop pourquoi, elles sont souvent oubliées par les gens qui trient leurs déchets, et elles aboutissent dans le bac des ordures ménagères non triées. Cependant, les canettes en aluminium peuvent être très précieuses en termes de recyclage. Il est également possible de recycler les feuilles d'aluminium que vous utilisez pour la cuisine.

➤ **Textiles :** la plupart des services locaux ne recyclent pas les textiles, mais très souvent, à proximité des supermarchés, on trouve de grandes bennes où l'on peut apporter des vêtements et des chaussures. Le meilleur moyen de recycler les textiles consiste à les confier à des œuvres de charité qui les vendront à des sociétés privées.

Les arguments contre le recyclage

Il est difficile de trouver des arguments convaincants pour prouver que le recyclage n'est pas écologique, mais comme vos impôts servent à la révolution du recyclage, il est utile de réfléchir à quelques points.

➤ Pour collecter les ordures et les envoyer à des usines de retraitement, les mairies paient jusqu'à cinq fois la somme qu'elles dépenseraient pour les envoyer à une décharge. Cela réduit les budgets des autres postes sociaux.

➤ Si l'on additionne tous les coûts énergétiques, notamment de transport et de retraitement, il faut, dans certains cas, plus d'énergie pour recycler que pour fabriquer de nouveaux produits à partir de matières brutes.

[annotation manuscrite : la société est rendue plus loin que de ne faire au recyclage]

La peinture n'est pas à proprement parler recyclable, mais elle mérite un commentaire. Quatre cent quatorze millions de litres de peinture sont vendus chaque année dans le Royaume-Uni. Un cinquième n'est jamais utilisé et aboutit dans les décharges après avoir durci pendant plusieurs mois dans une remise, au fond du jardin. Vous pouvez rendre service à quelqu'un en faisant don de vos restes de peinture à divers organismes de charité. La peinture utilisable est distribuée gratuitement à un certain nombre d'associations et d'organisations bénévoles qui aident les personnes dans le besoin. Essayez des sites de dons, www.donnons.org ou www.recupe.net, ou allez sur des sites d'échange des services gratuit tels que www.troc-services.com, ou sur les sites de *freecycle*, fr.freecycle.org

Dès que vous achetez un produit, demandez au vendeur s'il existe un moyen de le recycler. Vous obtiendrez davantage d'informations en vous rendant sur le site internet www.ecoemballages.fr où il est question de réduction des déchets, de réutilisation et de recyclage.

Boucler la boucle

L'État n'a aucun intérêt à encourager le recyclage et à le considérer comme une importante initiative écologique si les produits fabriqués par le biais du recyclage moisissent dans des entrepôts et si personne ne les achète. Plus vous créerez de demande pour les produits recyclés, plus on en fabriquera, et moins il faudra d'équivalents neufs qui épuisent nos précieuses matières premières.

[annotation manuscrite : oui, mais il faut aller au-delà de cela]

Réoffrir

Le fait de réoffrir, c'est-à-dire de donner à quelqu'un d'autre certains des cadeaux que vous avez reçus, ne sera pas forcément plébiscité par tout le monde. Vous pensez peut-être qu'il est très grossier de vous débarrasser d'un objet qui vous a été donné par un ami ou un membre de votre famille, en l'offrant à quelqu'un d'autre.

Toutefois, si vos amis et votre famille essaient d'être plus écolo, ils comprendront et commenceront à suivre votre exemple.

Réoffrir est un geste totalement écologique.

- ✔ Vous n'achetez pas de nouveaux objets. Ce faisant, vous souscrivez à la réduction des déchets et vous économisez l'énergie nécessaire pour fabriquer de nouveaux produits.

- ✔ Vous réutilisez quelque chose. Vous donnez un objet à quelqu'un qui s'en servira au lieu de le jeter et de le faire aboutir dans une décharge.

- ✔ Vous évitez le recyclage, donc vous économisez l'énergie nécessaire pour retraiter le produit.

Se débarrasser des appareils électroniques (utiliser la directive DEEE)

Une grande partie des appareils que nous achetons comportent des composants électroniques (désignés par le sigle DEEE, ou WEEE en anglais). Tous les ans en France, presque deux millions de tonnes d'équipements électroniques et électriques usagés comme des montres numériques, des réfrigérateurs, des télévisions, des ordinateurs, des téléphones portables et des jouets sophistiqués sont mis au rebut. Près de deux millions de télévisions – et presque autant d'ordinateurs – se retrouvent ainsi dans les décharges.

Parce qu'il y a tant d'appareils électriques, et que ces produits sont variés, constitués de matériaux différents, il est difficile de s'en débarrasser de manière écologique.

Si tous ces déchets électriques et électroniques se retrouvent dans les décharges ou s'ils sont brûlés dans les incinérateurs, de précieuses ressources s'en vont en fumée ou sont enterrées. Pour remplacer les télévisions, les ordinateurs, les frigos et tout le reste, il faut tirer de nouveaux matériaux du sous-sol, utiliser de l'eau et de l'énergie pour fabriquer et transporter les produits dans les boutiques. Ces processus abîment également l'environnement en termes d'émissions de gaz à effet de serre.

Une grande partie des équipements électriques et électroniques que vous jetez peuvent être recyclés et le gâchis évité. Il existe encore peu de lieux qui collectent ou acceptent les équipements électriques pour les réutiliser ou les recycler, mais cette situation doit changer. En vertu des régulations relatives aux équipements électriques et électroniques, qui sont entrées en vigueur en avril 2007, les WEEE ou DEEE doivent être collectés à part des autres ordures ménagères avant d'être traités. Les matières dangereuses doivent être retirées et une grande quantité de matériaux doivent être recyclés plutôt que d'être envoyés dans les décharges.

Vous ne serez pas puni si vous mettez vos équipements électroniques et électriques à la poubelle, mais vous verrez bientôt apparaître un réseau de retraitement et il vous sera plus facile de recycler vos vieux composants. Les fabricants et les importateurs de produits électriques et électroniques seront responsables de la récupération des machines usagées et il sera possible de les rapporter aux boutiques qui vous les ont vendues. De même, les mairies fourniront des services de retraitement.Voir aussi les sites tel www.ecoplus.fr, qui recycle tout ce qui est informatique, ou www.consorecup.com. Il y a certaines marques comme IBM ou SFR qui ont des sections spéciales recyclage. Par ailleurs, sur le site Ebay en ligne, il y a une page consacrée aux problèmes du recyclage de déchets technologiques, www.ebay.fr. Enfin Emmaus recycle les vieux ordinateurs : www.emmaus-France.org ou www.envie.org

En attendant, il est possible de confier les vieux appareils aux organisations à but non lucratif qui les réparent et les donnent aux écoles ou les vendent aux associations d'aide humanitaire à un prix réduit. Si vous devez vous débarrasser d'un appareil volumineux, par exemple d'un frigo, vous pouvez faire appel à votre mairie pour qu'elle vienne l'enlever chez vous – parfois en échange d'une somme modique – ou vous pouvez l'apporter à votre centre de retraitement le plus proche, sans rien débourser. Autre solution, vous pouvez demander à la société qui vous vend un appareil neuf d'emporter le vieux.

La montagne des téléphones mobiles

Il y a des millions de téléphones portables dans tous les pays d'Europe. En France nous battons tous les records avec 55 millions de mobiles en 2007. Réduisez le nombre de mobiles en circulation en refusant de changer le vôtre la prochaine fois que votre fournisseur d'accès vous offre gratuitement d'en acquérir un plus sophistiqué. Si vous préférez accepter cette offre, donnez votre vieux portable à un ami ou à un proche qui pourra l'utiliser avec sa propre carte SIM au lieu d'en acheter un neuf. Faites de même avec les chargeurs et les batteries.

Certains éléments des téléphones mobiles contiennent des matériaux toxiques. Il ne faut donc pas jeter les portables à la poubelle pour qu'ils aboutissent dans une décharge.

La plupart des boutiques qui vendent des téléphones portables reprennent les vieux appareils.

SFR en France par exemple ! Voir aussi www.ebay.fr et www.consorecup.com ; et www.ecoplus.fr qui récupère tout ce qui est matériel informatique et téléphones. Handicap International recycle les cartouches d'encre et les portables : www.handicap-international.fr

Ensuite, ces associations les réparent et les revendent ou les envoient dans des pays d'Afrique où les lignes de téléphone traditionnel sont en mauvais état. Certains grands magasins ont un circuit de recyclage pour les téléphones portables.

Le moyen de se débarrasser des ordinateurs

Environ un sixième des ordinateurs jetés en France sont recyclés. Cela signifie que cinq sixièmes d'entre eux échouent dans des décharges ou sont incinérés. Comme au cours du deuxième trimestre 2006, près de deux millions d'ordinateurs se sont vendus dans ce pays, les ordinateurs usagés se multiplient, et sont jetés avec tous leurs précieux composants.

Le problème, c'est qu'il est véritablement difficile de savoir que faire d'un ordinateur usagé. De ce fait, il est généralement mis à la poubelle avec les ordures ménagères.

Normalement, votre ordinateur peut être remis en état s'il est équipé d'un nouveau disque dur et d'une mémoire plus importante, de sorte que les composants d'origine peuvent être réutilisés indéfiniment. Il ne faut donc pas le jeter.

Si vous ne pouvez vraiment pas augmenter la capacité de mémoire de votre ordinateur, donnez-le ou vendez-le à quelqu'un qui peut l'utiliser. Certaines sociétés achètent et vendent des ordinateurs d'occasion dont ils revendent les pièces. Hewlett Packard reprend tous les ordinateurs usagés de ses clients. Il existe également des projets communautaires et des organisations à but non lucratif qui collectent des ordinateurs pour les réutiliser, notamment dans des écoles, des associations, pour les donner à des ménages sans ressources ou dans des pays émergents. Emmaus a créé la fédération Envie qui collecte des appareils électroménagers mais aussi des ordinateurs : www.envie.org

Choisir de ne pas tout jeter

Si vous ne pouvez réutiliser un objet, et si personne de votre entourage n'en veut, si vous ne pouvez le recycler, vous avez tout de même le choix de ne pas le jeter. Il est possible de le donner ou de le vendre. Il existe bien, sur la planète, quelqu'un qui sera intéressé.

Les seuls facteurs limitatifs sont le prix que cette personne acceptera de payer, ainsi que l'intérêt économique et écologique de poster l'objet ou de le faire livrer.

Si un objet doit être transporté par avion ou par la route sur de longues distances, pensez aux émissions de carbone (voir le chapitre 1).

Décider de ce qui pourrait intéresser les autres

Faites le point pour savoir ce qui, dans votre maison, est sans utilité, alors que d'autres personnes pourraient le mettre à profit. Voici quelques-uns des articles d'occasion les plus appréciés.

- **Livres, magazines et CD :** il existe un gigantesque marché pour ces articles, qui peuvent continuer à circuler indéfiniment. Dans le cas où vous disposez d'un espace suffisant, constituez-vous un système de stockage qui vous permette d'ajouter un article à la bonne boîte chaque fois que vous finissez d'utiliser quelque chose. Lorsqu'une boîte est pleine, offrez-la à votre libraire d'occasion et, s'il ne parvient pas à vendre vos articles, donnez-les à une association.

- **Vêtements :** les fripes sont à la mode. La plupart des marchés aux puces en proposent et elles sont très populaires sur Internet. Inspectez votre garde-robe et vos tiroirs, triez tout ce que vous voulez donner, échanger, vendre ou transformer en chiffons. Vous pourrez peut-être les utiliser pour faire le ménage.

- **Ordinateurs et imprimantes :** un ordinateur ou une imprimante qui ne répondent plus à vos besoins intéressent certainement quelqu'un d'autre. Si vous cherchez à vous en débarrasser, consultez le paragraphe précédent « Le moyen de se débarrasser des ordinateurs ».

- **Meubles :** Toutes sortes de sociétés achètent des meubles d'occasion. Les antiquités sont vendues aux enchères, en même temps que des meubles de moindre valeur et du matériel ménager. Les associations acceptent souvent les meubles qu'elles donnent à des familles sans ressources afin qu'elles en garnissent leur logement.

✔ **Ustensiles domestiques :** les vide-grenier, les brocantes, les fêtes paroissiales, les kermesses vous fournissent toutes sortes d'occasions de vous débarrasser des objets dont vous ne voulez plus, et les clients potentiels s'y pressent. Si aucun événement de ce style n'est prévu à proximité de chez vous, organisez votre propre vente. Il suffit de se plier à une règle simple : les objets que vous vendez doivent vous appartenir et être conformes à la description que vous en donnez.

Offrir à autrui

Vous trouverez peut-être plus écolo de donner vos objets usagés. De fait, en offrant ce qui vous appartient et qui peut servir à d'autres, vous réduisez la quantité de déchets et vous entrez dans le schéma de la réutilisation.

Soutenir les associations à but non lucratif

Si vous pensez que vous êtes plus fidèle à votre idéal écolo en offrant des objets aux personnes qui sont dans le besoin, plutôt que de leur vendre, il vous est possible de faire don de toutes sortes de choses.

Vérifiez que ce que vous offrez est en bon état, utilisable, propre et que cet objet n'est pas une source de problèmes pour la personne qui le reçoit. Ne cédez pas à la tentation de vous débarrasser d'un bric-à-brac sale et cassé en le déversant sur le seuil d'une association, afin de vous épargner la tâche de le déposer dans une décharge.

Voici quelques organisations qui sont toujours prêtes à accepter vos dons, s'ils sont en bon état :

✔ *Freecycle :* c'est le « ebay » gratuit et écologique, c'est-à-dire « marché en ligne ».

✔ **Consorecup :** service de don et de recyclage qui accepte tout : www.consorecup.com

✔ **Donnons :** le don de tous les objets que vous ne voulez plus avec récupération gratuite, www.donnons.org

✔ **Emmaüs,** à travers la fédération **Envie,** répare et remet à neuf les appareils ménagers, notamment les réfrigérateurs, les cocottes et les lave-linge, avant de les revendre à un prix raisonnable. Cette association fournit du travail et une formation aux personnes qui se trouvent en position de faiblesse sur le marché du travail. www.envie.org

✔ **Ecosys :** une entreprise citoyenne qui recycle et valorise les déchets, notamment le bois : www.ecosys.fr/recyclage-bois.php ; elle récupère toutes sortes d'objets en bois, notamment les palettes pour faire cesser le gâchis de bois.

- **Secours catholique** et les VELOS, projet communautaire. Cette association répare et remet à neuf les vélos qui lui sont donnés. Son site web donne divers renseignements utiles : `velocip-aide.over-blog.com`

- À Lyon, il y a aussi une association « un p'titvélo dans la tête » qui recycle les vélos : `www.place-publique.fr`

- **Handicap International** récupère les cartouches d'imprimante et les revend aux fabricants qui les réutilisent. Les bénéfices tirés de cette opération servent à financer des associations à but non lucratif. De nombreuses associations comme Handicap International récupèrent directement les cartouches d'imprimante – `www.handicap-international.fr`

- **Book Aid International** – `www.bookaid.org` – travaille dans 18 pays de l'Afrique sub-saharienne et en Palestine, fournissant plus d'un million de livres et de journaux chaque année aux bibliothèques, hôpitaux, camps de réfugiés et écoles.

Vous pouvez trouver des organisations de ce genre dans votre région. Votre bibliothèque ou votre bureau d'aide sociale – dont l'adresse figure dans l'annuaire – vous indiquera comment les contacter. Avant d'apporter des objets à une association, téléphonez à son siège pour savoir s'ils lui sont vraiment utiles. Parfois, les associations viennent chercher les objets à votre domicile.

Le freecycling pour tous les objets dont vous ne voulez plus

Le *freecycling* (cadeaucyclage) est un moyen de donner les objets dont vous ne voulez plus à d'autres personnes qui en feront bon usage. Le *freecycling* importe les principes de la réduction des déchets, de la réutilisation et du recyclage sur la Toile. Il permet aux membres d'une communauté d'envoyer un courriel pour proposer, aux autres membres de ce groupe, un objet quelconque (il peut s'agir d'une chaise, d'un télécopieur ou d'un piano). Si vous souhaitez répondre à une annonce, vous répondez au courriel. La règle veut que tout objet donné soit gratuit, légalement acquis et adapté à tous les âges. Vous en apprendrez davantage sur le *freecycling* au chapitre 17.

Il y a environ deux millions de freecycleurs dans le monde entier, qui cherchent tous à se débarrasser d'objets ou à en acquérir d'autres. Il s'agit d'un troc sur Internet. Ces personnes font partie de 3 500 associations locales de *freecycling*.

Vendre et acheter dans le monde en 3 D

L'achat et la vente de marchandises d'occasion est une passion pour certaines personnes, une source de revenus pour d'autres, et un passe-temps pour la plupart des gens. Si vous souhaitez vous lancer dans la chasse aux trésors d'occasion ou encore si vous avez quelque chose à vendre, il existe de nombreuses solutions.

- ✔ **Les brocanteurs** sont beaucoup plus sophistiqués aujourd'hui qu'ils ne l'étaient par le passé. Vous en trouverez beaucoup un peu partout, notamment sous l'enseigne Cash Converters.

- ✔ **Les libraires et les disquaires d'occasion** sont très populaires. Apportez-leur les livres et les CD dont vous ne voulez plus, échangez-les contre une somme d'argent ou laissez-les en dépôt pour les récupérer si la vente ne se fait pas.

- ✔ **Les antiquaires** constituent une option pour certains objets. Vous seriez surpris de constater combien vous pouvez tirer du vieux tableau qui dort au fond de votre garage depuis des années.

- ✔ **Les hôtels des ventes** organisent généralement des ventes d'antiquités, de bijoux, de voitures d'occasion, de meubles de bureau ou de maison, ainsi que de gros ustensiles domestiques. Vous pouvez déposer un objet que vous souhaitez vendre et le reprendre si personne ne s'en est porté acquéreur.

  Si vous êtes tenté d'acheter, fixez-vous un prix que vous ne voulez pas dépasser et respectez ce principe. Sinon, vous risquez d'être transporté par l'ambiance et d'avoir sur les bras plus d'objets que vous n'en vouliez, ce qui vous forcera un jour ou l'autre à les réutiliser ou à les recycler.

- ✔ **Les petites annonces** dans les journaux hebdomadaires locaux ou dans les journaux gratuits spécialisés dans les annonces vous permettaient, avant l'avènement d'Internet, de faire circuler divers objets, et ce système fonctionne toujours très bien.

Organiser un vide-grenier

Si vous avez beaucoup d'objets inutiles à vendre et que ceux-ci sont trop volumineux, s'il y en a trop pour les exposer dans une brocante ou pour les emmener dans un dépôt-vente, vous pouvez les vendre chez vous, dans votre jardin ou dans votre garage. Pour obtenir les meilleurs résultats, vous devez toutefois vous préparer et vous organiser :

- ✔ Contactez votre mairie et vérifiez sur son site web si vous avez besoin d'une autorisation spéciale pour organiser une vente chez vous. Il existe peut-être des règlements particuliers, notamment pour la vente de nourriture.

- ✔ Voyez autour de vous si vos amis ou certains membres de votre famille peuvent vous aider. Ils en profiteront sans doute pour mettre en vente certains objets qui leur appartiennent, pour les installer au jour dit ou pour les vendre aux passants.

✔ Vérifiez que vous disposez d'un espace suffisant, qu'il s'agisse de votre garage, de votre pelouse devant la maison ou d'une allée, afin d'exposer tout ce que vous voulez vendre, en le montrant sous son meilleur jour et en le protégeant des intempéries.

✔ Fixez le jour de la vente un samedi ou un dimanche ; commencez le plus tôt possible, et terminez le plus tard possible pour attirer le maximum de clients potentiels.

✔ Apposez des affiches sur les murs et les poteaux de votre voisinage, chez les commerçants et dans les lieux publics. Publiez une annonce dans les journaux locaux gratuits.

✔ Étiquetez vos objets – décidez d'avance le prix auquel vous souhaitez les vendre et indiquez un prix légèrement plus élevé. Les clients veulent généralement marchander.

N'oubliez pas d'avoir beaucoup de monnaie et de petites pièces, apportez des rafraîchissements pour vous et pour vos clients potentiels.

Acheter et vendre en ligne

Internet facilite énormément l'achat et la vente des marchandises d'occasion. Le succès des sites de ventes aux enchères sur Internet a montré qu'il pouvait être tout à fait profitable de vendre en ligne les objets dont vous n'avez plus besoin. Internet augmente le nombre de clients potentiels pour vos objets. Vous risquez d'en tirer un meilleur prix que dans un dépôt-vente ou même dans un vide-grenier. Souvenez-vous toutefois que les acheteurs éventuels risquent aussi de trouver des articles comparables aux vôtres.

Du point de vue écologique, le principal intérêt des sites de ventes aux enchères sur Internet est la manière dont ils facilitent l'application des trois R, et tout spécialement de l'option de la réutilisation. Vous pouvez vendre pratiquement tout ce que vous voulez sur Internet, et si vous n'obtenez pas beaucoup de réactions de la part d'acheteurs potentiels, vous saurez qu'il y a peu de demande pour ces marchandises d'occasion.

Du point de vue écologique, l'achat et la vente sur Internet peuvent réduire le nombre d'allers-retours en voiture entre les magasins et votre domicile. Cependant, vous devez prendre en compte le coût du transport par camion, par avion et sur la route, qui résulte de l'augmentation du commerce sur Internet.

Il existe, sur Internet, un grand nombre de ventes aux enchères enregistrés en France. Le site d'eBay est le plus grand, avec environ 4 000 catégories d'objets. Amazon possède désormais un portail d'achat et de vente aux enchères pour divers produits.

Vendre des objets d'occasion sur eBay

Voici quelques conseils fournis par eBay, que vous compléterez en vous rendant directement sur le site www.ebay.com.

✔ **Pour commencer :** inscrivez-vous sur eBay et créez un compte vendeur. C'est gratuit. Vous recevez un courriel de confirmation avec votre numéro de compte et un mot de passe que vous utiliserez chaque fois que vous entrerez sur le site. Vous êtes encouragé à opter pour un compte qui utilise PayPal, le système de paiement préféré d'eBay (www.PayPal.com). Les acheteurs peuvent utiliser PayPal gratuitement, mais les vendeurs doivent parfois payer une somme modique, comparable à celle qu'il faut débourser pour obtenir une carte de crédit auprès d'une banque.

✔ **Préparez votre objet avant de le mettre en vente :** inspectez l'article et notez ses défauts, le degré d'usure ou les accrocs. Prenez-le en photo avec un appareil numérique, afin de pouvoir télécharger la photo sur le site web d'eBay. Décrivez son aspect, sa couleur, sa marque, le type de produit, le modèle, la taille et le style. Fixez le prix de départ de la mise aux enchères en regardant le prix des produits similaires. Pesez votre article pour qu'eBay puisse calculer les frais de transport pour vous.

✔ **Indiquez les informations pour la vente :** faites la liste des informations que vous avez collectées. Il faut payer une petite somme d'argent pour mettre un objet dans la liste des enchères. Une fois que votre page d'informations a été soumise à eBay, la mise aux enchères commence automatiquement.

✔ **Achevez la vente :** lorsque la vente a été finalisée avec succès, vous recevez un courriel contenant l'adresse de livraison du produit et la méthode de paiement choisie par votre acheteur. Lorsque vous recevez une confirmation de paiement en ligne par le système PayPal ou un chèque ou un mandat de votre acheteur, vous expédiez votre produit.

Les sites de ventes aux enchères sur Internet ne vendent rien par eux-mêmes. C'est vous qui menez vos opérations d'achat et de vente. Le site se contente d'offrir un espace dans lequel vous dressez votre étal et vendez vos objets.

Il est excitant de participer à une vente aux enchères à laquelle assistent des gens du monde entier. En tant que vendeur, vous pouvez toujours espérer réaliser un bon profit parce que le marché sur lequel vous proposez votre produit est potentiellement immense. En tant qu'acheteur, vous avez l'espoir de faire une bonne affaire.

La crédibilité et la sécurité du site sont importantes. Choisissez un site de bonne réputation. Plus vous achetez et plus vous vendez avec succès sur un site particulier, plus vous asseyez votre réputation dans la *communauté*. Si vous utilisez eBay, tous ceux qui achètent sur ce site savent quel est l'historique du vendeur. Le système d'évaluation de la réputation des vendeurs conduit à une baisse considérable de la cote d'un particulier qui aurait vendu un produit frelaté ou se serait mal comporté dans une vente.

Prenez garde à ne pas vous faire rouler. Vous êtes très peu protégé si vous envoyez de l'argent et que le produit n'arrive pas ou si vous envoyez une marchandise qui n'a pas été payée. Les ventes d'Internet reposent sur la confiance. Les particuliers ne sont pas protégés par les mêmes règles que les commerçants professionnels. Si vous recevez une marchandise de mauvaise qualité ou si elle s'avère ne pas correspondre à celle qui a été décrite sur le site, il se peut que vous ne revoyiez pas la couleur de votre argent. Vous obtiendrez davantage d'informations en vous rendant sur le site www.quechoisir.org

En créant une communauté d'acheteurs et de vendeurs, les sites de vente aux enchères sur Internet permettent de réutiliser les produits à grande échelle. En vendant une marchandise à quelqu'un, vous optimisez la valeur potentielle de vos biens avant qu'ils soient finalement recyclés ou jetés.

Si vous achetez vos produits dans votre région, vous êtes encore plus écolo, parce que les objets que vous achetez ou vendez n'ont pas à parcourir de grandes distances, ce qui consomme une précieuse énergie et provoque des émissions de gaz nocifs.

Troisième partie
Le shopping vert

« Edmond est très écolo, il veut absolument enrichir la terre tout en protégeant les oiseaux. »

Dans cette partie...

*V*ous ne pouvez pas réduire vos achats au-delà d'un certain point, il faut donc acheter le plus vert possible. Une partie des difficultés vient du fait qu'il n'existe pas autant de produits écolo que l'on voudrait, lorsqu'on adopte un mode de pensée vert et que l'on essaie de ne pas abîmer l'environnement.

Parfois, il faut déterminer quelles sont les priorités, collecter le plus d'informations possibles sur les produits que l'on achète et choisir le moins mauvais. Dans cette partie du livre, nous vous donnons des renseignements qui vous aideront à faire votre choix. Cela peut allonger le temps que vous consacrez aux courses, mais au moins, vous aurez la satisfaction de savoir que vous avez vérifié toutes les données, au lieu de vous contenter de jeter un produit nocif pour l'environnement dans votre chariot de supermarché.

Chapitre 7

Vivre pour manger ou manger pour vivre ?

Dans ce chapitre

▶ Envisager une alimentation bio

▶ Trouver ce qu'il y a vraiment dans votre assiette

▶ Définir les critères biologiques

▶ Regarder les étiquettes

▶ Remonter à la source

▶ Choisir d'être carnivore ou végétarien

▶ Acheter des aliments bio

▶ Respecter les normes du commerce équitable

*V*oici une manière de préparer une omelette et une salade : servez-vous des tomates que votre voisin a fait pousser dans son jardin sans pesticides, râpez le fromage que vous avez acheté dans un magasin de diététique, battez les œufs de poules qui ont grandi en plein air, effeuillez la salade achetée ce samedi sur le marché fermier local, et ajoutez quelques herbes fraîches provenant de votre jardin.

Si vous pouviez cuisiner tous vos repas à partir d'ingrédients comme ceux-là, vous connaîtriez la provenance, la méthode de production et les produits qui ont été utilisés pendant leur élaboration, la distance qu'ils ont parcourue. Vous sauriez qui sont les personnes impliquées dans le processus de fabrication, les planteurs, ceux qui les ont récoltés et les fermiers eux-mêmes. Vous sauriez combien ces gens-là gagnent, et dans quelles conditions vivaient les poules qui ont pondu et les vaches qui ont donné leur lait.

Voilà tous les aspects que vous devez prendre en compte quand vous optez pour un style de vie plus écolo.

Malheureusement, il n'est pas toujours possible d'acheter sur place tous les aliments que vous consommez. Il peut donc s'avérer difficile de savoir d'où ils viennent et ce qui est entré dans leur production. Un autre problème vient du fait que la nourriture produite localement et biologiquement peut être plus chère que les produits de substitution que vous achetez dans les supermarchés.

Une troisième difficulté vient du fait que les avis divergent pour vous dire si la nourriture biologique est meilleure pour votre santé que la nourriture non biologique, si vous devez vous soucier d'une consommation excessive de sel et de sucre, et si les additifs ainsi que les aliments génétiquement modifiés sont mauvais pour votre santé.

Certains scientifiques ont valoir que la seule manière biologique et durable de produire de la nourriture consiste à cesser d'employer des pesticides qui endommagent l'environnement et à opter pour le tout biologique. D'autres disent que la planète ne peut nourrir ses 6,5 milliards d'habitants sans pesticides ni aliments génétiquement modifiés, sans parler des 9 milliards d'humains qui devraient peupler la surface de la terre en 2050.

Réfléchir à ce que signifie l'alimentation biologique

Le choix de vos aliments est l'une des décisions les plus importantes et parfois les plus difficiles à prendre. Le tableau 7-1 vous indique quels sont les points cruciaux abordés dans l'alimentation bio et les questions que vous pouvez poser pour savoir si un aliment est conforme aux normes biologiques.

Lisez les articles contradictoires, les étiquettes et décidez de ce qui compte le plus pour vous. Nous vous présentons les différents arguments et vous laissons le choix final !

Un des moyens de vérifier que vous consommez des aliments produits de façon écolo consiste à acheter des produits bio, cultivés localement. La méthode biologique suppose que la plupart des processus non équitables de production de nourriture ont été évités. Un peu plus loin dans ce chapitre, le paragraphe intitulé « qu'est-ce que la nourriture biologique ? » vous en explique les principes.

Certains scientifiques suggèrent qu'en achetant des aliments produits localement, et plus particulièrement dans un rayon de 15 kilomètres autour de votre domicile, vous contribuez davantage à la protection de l'environnement qu'en achetant biologique. Si vous suivez le conseil des « achats locaux » et si vous mangez bio dans la mesure du possible, vous êtes en bonne voie dans votre régime équitable.

Tableau 7-1	Les normes et les composantes de l'alimentation bio	
Composante	**Questions à poser pour savoir si un aliment est vert**	
Ingrédients	Combien d'additifs comme les colorants ou les édulcorants y a-t-il dans l'aliment ? Certains des ingrédients sont-ils génétiquement modifiés ?	Frais, de saison, biologique, avec aussi peu d'additifs que possible.
Méthodes de production	Comment l'aliment a-t-il été produit ? Une personne ou un animal a-t-il souffert pour que l'aliment parvienne dans mon assiette ?	Un aliment produit dans des conditions biologiques, localement et en saison, avec des normes de respect de l'animal ou des normes de production équitable.
Méthodes de transport	Combien de temps l'aliment a-t-il mis pour arriver de son champ jusqu'à moi ?	Un produit acheté au fermier du coin ou sur le marché fermier local, ayant parcouru le moins de kilomètres possible.
Coût total	Combien cet aliment a-t-il véritablement coûté, pas seulement en termes de prix, mais en termes d'impact sur la planète et ses habitants ?	Un aliment ayant un impact le plus léger possible sur la planète, l'environnement et les animaux, tout en garantissant de bonnes conditions au producteurs.

L'emballage de vos aliments est également une question écolo. L'aliment lui-même peut être biologique, mais s'il aboutit sur les étagères du magasin dans une boîte de conserve non recyclable ou dans une boîte en plastique, il n'est pas aussi vert qu'il pourrait l'être. Généralement, les aliments biologiques importés sont lourdement emballés pour être protégés pendant leur voyage.

Si l'aliment ne porte pas d'étiquette et s'il n'est accompagné d'aucune information – ce qui peut être le cas dans les petites boutiques ou au rayon fruits et légumes de grands supermarchés – voici quelques suggestions qui vous aideront à faire le choix le plus vert.

✔ Achetez des fruits et des légumes biologiques de saison : ce sont eux qui ont le plus de chances de provenir de votre région. Les fruits et légumes qui, de toute évidence, ne sont pas de saison, sont probablement importés ou apportés par la route depuis l'autre bout du pays.

✔ Évitez les aliments exotiques. Certains aliments et ingrédients comme le café et les mangues ne peuvent pousser à proximité de chez vous, ni même en Europe. Vérifiez ce qui est produit dans la région où vous vivez et tirez-en le meilleur parti. Vous soutiendrez ainsi l'agriculture locale.

✔ Faites la liste des entreprises qui produisent, près de chez vous, des aliments, qui les emballent et les transportent (pain, riz, lait, etc.). Si vous achetez ces marques vous réduirez le nombre de kilomètres parcourus par vos aliments.

Tous les supermarchés proposent des aliments bio mais pensez aussi aux petites boutiques qui sont livrées par les entreprises spécialisées dans la nourriture bio. Rendez-vous sur les marchés fermiers de votre région, dans les fermes bio proches de chez vous, qui ont souvent leur propre boutique. Les petites entreprises seront capables de vous donner davantage de renseignements à propos de la nourriture que vous achetez.

Étudier les ingrédients et les méthodes

Savez-vous exactement ce que vous avez ingurgité au cours de votre déjeuner ? Vous pensez avoir simplement dégusté un sandwich, mais peut-être contient-il davantage d'éléments que de la farine et du fromage. Beaucoup de produits chimiques et d'autres additifs entrent dans le processus régulier de la fabrication de nourriture. Très souvent, ils mettent en danger votre capacité de mener un style de vie écolo.

Voici quelques éléments de la production alimentaire qui peuvent vous faire réfléchir :

✔ **Les additifs :** la plupart des aliments emballés que vous trouvez dans les supermarchés contiennent des additifs qui contribuent à préserver les aliments plus longtemps et qui en altèrent le goût et la couleur. De nombreux additifs sont chimiques et certains scientifiques, spécialistes de l'alimentation, pensent qu'ils peuvent provoquer un nombre croissant d'allergies alimentaires.

✔ **Les antibiotiques et les hormones :** une grande partie de la viande produite en masse contient des médicaments qui sont injectés à l'animal pour stimuler sa croissance et augmenter la masse musculaire, pour l'empêcher aussi de tomber malade. Certains scientifiques pensent que les êtres humains qui ingurgitent ces médicaments en mangeant de la viande peuvent perdre une partie de leur immunité en face des virus et que les médicaments ainsi absorbés favorisent l'obésité.

✔ **Les aliments génétiquement modifiés :** il existe de vastes controverses autour du processus de transfert de gènes (d'une plante à une autre ou d'un animal à un autre) qui vise à améliorer la qualité et la production d'aliments. Certains scientifiques, diverses organisations de défense de l'environnement et des personnes en charge de la sécurité alimentaire font valoir que cette technologie n'a pas été suffisamment testée. D'autres spécialistes sont convaincus qu'elle ne présente aucun danger et que les aliments produits de cette façon offrent toutes les garanties de sécurité. Un peu plus loin dans ce chapitre, le sujet des aliments génétiquement modifiés sera à nouveau abordé dans le paragraphe intitulé « La clé des aliments génétiquement modifiés ».

✔ **Les méthodes de culture :** le fait d'élever des animaux et des volailles en batterie, dans des cages et des bâtiments d'allure industrielle, contribue à l'émission d'une plus grande quantité de gaz à effet de serre, de produits chimiques polluants et de maladies. Un peu plus loin dans ce chapitre, l'encadré « Vingt-quatre heures dans la vie d'un poulet en batterie » explique pourquoi la question des méthodes agricoles se pose.

Ces techniques de production alimentaire sont relativement récentes. Vos grands-parents (ou vos arrière-grands-parents, selon l'âge que vous avez) n'achetaient pas d'aliments pré-emballés ni de surgelés, des fruits et des légumes aspergés de produits chimiques, qui avaient grandi dans un sol gorgé d'engrais. Ils ne consommaient pas de produits animaux bourrés d'hormones et d'antibiotiques. À leur époque et auparavant, les fermiers n'avaient pas d'autre possibilité que de se conformer aux principes de l'agriculture durable pour tirer le meilleur parti de leurs terres.

Quand vous achetez des aliments, regardez l'étiquette (voir le paragraphe « Lire l'étiquette », un peu plus loin dans ce chapitre) ou rendez-vous sur le site web du fabricant pour voir si la nourriture est produite d'une manière qui vous paraît acceptable.

Qu'est-ce que la nourriture biologique ?

Vous serez pardonné si vous croyez qu'il est très facile d'expliquer exactement la nature de la nourriture biologique. Toutefois, comme souvent pour ce qui concerne l'alimentation, la réponse est complexe. Dans le monde, des centaines d'organisations différentes accordent des labels qui indiquent que les produits sont biologiques, et chacune d'elles a des critères différents pour apposer ou non son label.

En France les agriculteurs doivent se conformer à la définition que l'Union européenne (UE) donne pour les aliments bio. Fondamentalement, l'UE contrôle l'utilisation de pesticides, d'engrais synthétiques et de produits chimiques. Elle demande que les animaux soient élevés sans qu'il soit fait usage d'antibiotiques ni d'hormones (si les antibiotiques sont nécessaires, ils doivent être administrés sur ordonnance par un vétérinaire, afin d'éviter toute souffrance de l'animal).

L'achat d'aliments bio produits en France est censé garantir l'absence de pesticides. Cependant, alors que 450 pesticides sont autorisés dans l'agriculture conventionnelle, les normes biologiques n'en autorisent que deux (qui ne doivent pas être produits chimiquement), sauf autorisation spéciale du ministère de l'Environnement.

Vous obtiendrez davantage d'informations en vous rendant sur le site internet de ministère de l'Agriculture, www.agriculture.gouv.fr et le ministère de l'Écologie, www.developpement-durable.gouv.fr ou sur le site de l'Agence française pour le développement et la promotion de l'Agriculture biologique, www.agence-bio.org et aussi auprès de la Fédération nationale de l'agriculture biologique (FNAB) www.fnab.org ou sur la plate-forme de l'agriculture bio, www.agriculturebio.org

Il se peut que vous décidiez d'acheter des aliments bio parce qu'ils sont produits selon des méthodes écologiques ou parce que vous avez l'impression que les denrées contenant des pesticides sont mauvaises pour votre santé. Une étude menée par l'Institut danois de recherche agricole suggère d'ailleurs que le lait biologique peut être plus sain que le lait produit selon les méthodes conventionnelles, parce qu'il contient une plus grande quantité de vitamines E, d'oméga 3 et d'antioxydants qui aident l'organisme humain à combattre les infections. Toutefois, la teneur du lait fabriqué par la vache dépend de la nourriture qu'elle a reçue. De ce fait, la plupart des scientifiques font valoir qu'il faut poursuivre les recherches avant de parvenir à des conclusions sérieuses.

Acheter bio

La nourriture biologique a longtemps été l'apanage des « hippies » et des « illuminés » qui « fabriquaient leurs yaourts », mais ce n'est plus le cas. Les gens optent pour l'alimentation bio parce qu'ils pensent qu'elle a meilleur goût, qu'elle est plus saine et plus riche sur le plan nutritionnel, meilleure pour l'environnement et pour les animaux.

Cependant, on se demande encore si la nourriture biologique offre une meilleure sécurité alimentaire que la nourriture produite par des moyens conventionnels. Il vous faut examiner les arguments présentés et trancher seul. Ce qui est incontestable, c'est que les méthodes conventionnelles, et tout particulièrement les méthodes de production intensives, sont dommageables pour l'environnement.

La nourriture bio est beaucoup plus abondante qu'avant et la demande a augmenté, ce qui a eu pour effet de faire baisser les prix. Il y a dix ans, les aliments biologiques étaient très difficiles à trouver, mais aujourd'hui, tous les grands détaillants vendent des fruits et des légumes bio ; la viande et les aliments préparés comme le pain et les biscuits sont mieux distribués. Les consommateurs anglais, par exemple, achètent dix fois plus de nourriture bio qu'il y a dix ans.

Les méthodes agricoles bio

Elles sont beaucoup plus douces pour la terre et pour l'économie locale que celles qui permettent d'obtenir des produits de masse. La culture biologique des fruits, des légumes et des céréales repose sur le labourage traditionnel de la terre et l'application de l'assolement, qui encourage à long terme la fertilité du sol. Ce ne sont plus les pesticides et les engrais chimiques qui assurent les hauts rendements. Ce retour à la tradition réduit également le risque de voir les produits chimiques se déverser, par ruissellement, dans les cours d'eau tout proches, les rivières et les nappes phréatiques. Vous êtes donc moins susceptible de consommer des produits chimiques servant à éloigner les insectes et à fertiliser la terre.

Comparaison des aliments bio et non bio

Sur les étiquettes, il est très intéressant de comparer les types d'ingrédients qui entrent dans la composition des préparations alimentaires biologiques et ceux qui sont indiqués pour les préparations les plus courantes. Le beurre de cacahuète, par exemple, est un aliment très populaire dans les pays anglo-saxons et sa préparation est très simple.

✔ Les ingrédients d'un beurre de cacahuète bio se réduisent à de l'arachide cultivée à 100 % de manière biologique.

✔ Dans un beurre de cacahuète de marque courante, on trouve 95 % de beurre de cacahuètes importées et locales, 5 % d'huile de colza (avec des antioxydants E319 et E320), ainsi qu'un agent anti-mousse (E900).

Certains aliments biologiques sont beaucoup plus chers que leur contrepartie industrielle, notamment parce qu'ils ne sont pas cultivés à aussi grande échelle. Mais si vous réfléchissez au coût global, notamment à celui qui suppose de purger les rivières de tous les pesticides qui y sont rejetés, ainsi qu'au bien-être des animaux qui interviennent dans la production de la nourriture, vous pouvez décider qu'il est utile de payer un petit supplément.

Les méthodes bénéfiques pour l'environnement peuvent être appliquées à la production de viande, de lait, d'œufs et autres produits animaliers. La viande biologique provient d'animaux élevés dans les champs sans médicaments ni produits chimiques mélangés à leur nourriture.

Il faut du temps pour se convertir à l'agriculture biologique, surtout parce qu'il faut du temps pour que tous les pesticides et les engrais disparaissent de la terre.

L'application des normes bios est stricte et apporte transparence et crédibilité à l'industrie. Elles sont conçues pour protéger les consommateurs contre toute fraude. En France, la marque Agriculture biologique AB est délivée par le ministère de l'Agriculture : www.agriculture.gouv.fr

Vous obtiendrez d'autres informations en vous rendant sur le site internet du ministère de l'Environnement, www.developpement-durable.gouv.fr

Les agriculteurs qui souhaitent opter pour les méthodes de culture biologique ou qui souhaitent être accrédités en tant que fermiers bio doivent accepter que leur ferme soit inspectée. L'inspecteur indique les étapes à suivre pour entrer dans le cadre des spécifications requises. Lorsque l'inspecteur est assuré que ces mesures ont bien été prises, le cultivateur reçoit son accréditation.

Il faut deux ans pour adapter une terre arable horticole aux spécifications biologiques. Au cours de la première année de conversion, les récoltes doivent être vendues hors du label biologique. Les récoltes vendues la deuxième année sont assorties du label « produit dans le cadre d'une conversion aux méthodes biologiques ». Ensuite, les récoltes peuvent être qualifiées de « biologiques ». La période de conversion est différente selon les types d'activité, notamment pour l'élevage d'animaux et la récolte de fruits.

Élever des animaux bio

En ce qui concerne les animaux, les agriculteurs et les producteurs bio n'ont pas le droit de confiner leurs bêtes. Ils doivent leur donner accès à l'extérieur, mais ne sont pas obligés de les faire sortir. Le confinement est une question délicate quand il est question de volailles. Il existe une grande différence entre l'élevage « en plein air » lorsque les volailles restent en cage ou l'élevage « en plein air » lorsque les poulets peuvent gambader dans l'herbe. Vous trouverez cette information sur les étiquettes des produits préemballés.

Comparez l'approche biologique de l'élevage aux méthodes des fermes industrielles, où l'on trouve des animaux serrés dans des cages et abrutis par des tonnes de médicaments (voir l'encadré « Vingt-quatre heures dans la vie d'un poulet en batterie »). Le fermage industriel concentre de nombreuses bêtes dans un espace limité, ce qui provoque de lourdes pertes dans chaque élevage. La plupart de ces élevages consomment une grande quantité d'eau et de produits chimiques pour assurer l'évacuation des déchets, ce qui peut conduire à un ruissellement des substances toxiques dans le sol et dans la nappe phréatique. L'approche biologique est peut-être plus lente et moins productive. Toutefois, elle donne des animaux plus propres et plus sains. La terre des élevages industriels devient très vite malsaine pour les animaux qui y vivent.

Vingt-quatre heures dans la vie d'un poulet en batterie

Il suffit de savoir comment les poulets sont traités dans les élevages industriels pour comprendre comment les virus – du type de celui de la grippe aviaire – peuvent évoluer et pourquoi il devient dangereux de consommer de la viande, sans compter les questions éthiques relatives au traitement des animaux. L'Animal Welfare Institute américain (institut pour la santé des animaux), sur le site www.awionline.org, explique comment les volailles sont élevées. En voici un résumé.

✔ De nombreux poulets nés et élevés dans les fermes industrielles peuvent passer leur vie entière serrés dans des cages, en compagnie d'autres poulets, sans jamais voir autre chose que leurs barreaux.

✔ La plupart des volailles qui grandissent en batterie n'ont jamais marché, jamais étendu leurs ailes, ne se sont jamais assises dans un nid, et n'ont jamais fouillé la terre pour y trouver des vers.

✔ Parce qu'ils ont envie de bouger, les poulets deviennent agressifs et donnent des coups de bec à leurs voisins, ce qui provoque des blessures et contribue à diffuser des maladies. Pour éviter ce risque, les éleveurs coupent de nombreux becs à la naissance des poussins.

✔ À la fin d'un cycle de ponte, les poules perdent naturellement une partie de leurs plumes. Pour hâter la mue et pour encourager un nouveau cycle de ponte, elles sont privées d'eau et de nourriture pendant une période qui peut aller jusqu'à quinze jours. Finalement, lorsque la production d'œufs se raréfie, elles sont tuées, puisqu'elles ont rempli leur office.

✔ Il naît autant de poussins mâles que de poussins femelles. Dans certaines fermes, les poussins mâles sont jetés vivants dans des containers où ils suffoquent et finissent par mourir.

✔ Les poulets élevés pour leur viande ont une vie relativement courte au cours de laquelle ils côtoient en permanence des centaines ou des milliers d'autres volatiles. Ils ingurgitent des hormones de croissance qui les font grandir plus vite, ce qui les prédispose à diverses maladies et difformités. Bien souvent, ces poulets meurent de crise cardiaque, de déshydratation ou de faim, parce qu'ils sont incapables de se lever et de parcourir la courte distance qui les sépare des mangeoires.

Les méthodes d'agriculture comparables à celles-ci ont évolué pour se plier à la demande croissante de viande. La production de viande biologique est plus lente, les animaux ont de l'espace pour bouger et, de ce fait, leur nombre par mètre carré de terrain est inférieur à celui des animaux élevés en batterie.

Si vous décidez de vivre écolo, vous mangerez moins de viande, mais de qualité supérieure, et vous ferez en sorte que les animaux aient des conditions de vie décentes.

La viande et les œufs des animaux élevés en plein air, autorisés à se déplacer à l'extérieur, présentent une moindre quantité de graisse et totalisent moins de calories que ceux qui proviennent de leurs cousins élevés en batterie. En effet, les animaux ne sont pas engraissés de manière artificielle. Ils ont également dans leur organisme moins de bactéries de type *escherichia coli*.

La clé des aliments génétiquement modifiés

Les organismes génétiquement modifiés (OGM) contiennent des ingrédients qui ont été modifiés par altération de leurs caractéristiques biologiques, à l'aide de composants génétiques et de protéines provenant de sources extérieures.

De nombreux scientifiques craignent que les aliments (ou les organismes) génétiquement modifiés ne soient nocifs pour l'environnement et pour la santé humaine. Ils pensent que la modification de la structure génétique d'une variété végétale peut entraîner la mutation de virus, favoriser l'apparition de déformations animales ou végétales, ainsi que le déclenchement de cancers. Toutefois, le nombre de scientifiques hostiles aux OGM est aussi élevé que celui de ceux qui y sont favorables. Rien ne prouve, déclarent ces derniers, que les modifications génétiques soient problématiques, et tant que le processus est strictement contrôlé, tous les effets peuvent être maîtrisés par la science.

Les industries agroalimentaires sont extrêmement intéressées par les OGM parce que ces derniers permettent apparemment de juguler certaines des difficultés auxquelles sont confrontées les fermes industrielles. Les aliments peuvent être modifiés pour résister à de plus fortes doses d'herbicides et de pesticides, conditionnés pour fabriquer des toxines et tuer des insectes, et l'industrie agroalimentaire économiserait ainsi des millions d'euros.

Le processus de modification des gènes favorise l'ajout de vitamines et le renforcement du goût de certaines plantes, en leur apportant parfois une longévité plus grande. Ce processus permettra sans doute aux producteurs d'augmenter les récoltes et de prévenir une disette, de combattre la faim et les maladies dans le monde entier.

Jusqu'à présent, les consommateurs ne soutiennent pas beaucoup la modification génétique des aliments, et les experts qui sont hostiles à ces procédés déclarent qu'il ne faut pas espérer y trouver une solution aux problèmes de la planète, à la surpopulation croissante. Selon eux, il y a assez de nourriture disponible, et il convient de mieux en gérer la distribution.

La plupart des récoltes d'organismes génétiquement modifiés sont faites au Canada, en Amérique du Nord, en Argentine et en Chine. Il y avait une seule culture de maïs OGM en France mais consécutivement au « Grenelle de l'environnement » elle est suspendue pour l'année 2008. Toute société qui souhaiterait la pratiquer dans ce pays doit se soumettre à de longues procédures d'autorisation, mais l'État a pris position en faveur de la culture traditionnelle et a déclaré qu'il la protégerait en cas d'avènement de la pratique des OGM.

Vous consommez peut-être des OGM sans le savoir. Dans les pays de l'Union européenne, si des aliments comme la farine, l'huile ou le sirop de glucose contiennent des organismes génétiquement modifiés ou même des ingrédients provenant d'OGM, l'étiquette doit en faire mention. Tout aliment vendu « seul » et contenant des OGM doit également être accompagné d'une observation qui en informe l'acheteur. Toutefois, certains produits alimentaires, comme le fromage fabriqué à l'aide d'enzymes génétiquement modifiés, échappent à cette obligation. C'est aussi le cas des produits comme la viande, le lait et les œufs provenant d'animaux nourris à l'aide d'aliments génétiquement modifiés. Toute utilisation intentionnelle d'ingrédients génétiquement modifiés doit être signalée, mais lorsque les quantités sont infimes, les ingrédients génétiquement modifiés n'apparaissent pas sur les étiquettes.

Voici quelques-uns des aliments concernés par les modifications génétiques.

- ✔ **Les germes de soja :** le soja est, à ce jour, l'une des principales sources d'ingrédients génétiquement modifiés dans la nourriture. On en trouve dans toutes sortes d'aliments, allant du chocolat aux gâteaux apéritifs, en passant par la margarine et la mayonnaise, les biscuits et le pain.

- ✔ **Le colza :** l'huile de colza est extraite de la plante du même nom. Le colza génétiquement modifié sert à préparer les chips de pommes de terre et les aliments pour les animaux.

- ✔ **Le maïs :** le maïs génétiquement modifié sert principalement pour l'alimentation du bétail mais on le trouve également dans toutes sortes d'aliments préemballés, notamment dans les céréales du petit-déjeuner, le pain, les tortillas de maïs, et les mélanges pour sauces.

- ✔ **Le lait :** aux États-Unis et dans d'autres pays, les vaches reçoivent des injections d'hormones de croissance, ce qui a pour effet d'augmenter la production de lait. Certains produits importés, notamment le fromage, peuvent contenir des traces de cette hormone.

Quand vous dînez dans un restaurant, l'établissement doit vous indiquer s'il utilise des aliments génétiquement modifiés pour sa cuisine. Parce que la population est opposée aux OGM, la plupart des restaurants n'osent pas les utiliser.

Vous obtiendrez davantage d'informations en vous rendant sur le site du Comité de recherche et d'information indépendantes sur le génie génétique, www.crii-gen.org, ou sur le site des informations générales sur les OGM, www.infogm.org. Si vous voulez en savoir plus sur les campagnes de lutte contre les OGM, allez voir le site des Amis de la Terre, www.amisdelaterre.org, ou sur celui de Greenpeace : wwww.greenpeace.fr : campagnes/ogm.

Lire l'étiquette

Il peut être difficile d'acheter de la nourriture. Au départ, le choix semble immense. Qui a besoin de toutes ces variétés de céréales pour le petit déjeuner et de toutes ces marques de haricots blancs ! Mais le plus déroutant, ce sont les conseils sur les aliments qui sont bons ou mauvais pour la santé. Une semaine, vous devez acheter des aliments pauvres en cholestérol, et la suivante, la liste des ingrédients que vous devez éviter à tout prix n'est plus la même. Il est impossible de s'y retrouver !

Il est important de lire les étiquettes parce qu'elles sont notre seule source d'informations sur le contenu nutritionnel de la nourriture que nous achetons. Les étiquettes vous indiquent, par exemple, le pourcentage des différents ingrédients et la présence d'allergènes potentiels dans l'aliment.

Il existe des règles strictes sur les informations à fournir et sur la terminologie employée. Par exemple, un aliment ne peut pas être qualifié d'« allégé », sauf s'il présente beaucoup moins de calories que la version habituelle du même aliment.

Quand vous achetez un produit, vérifiez s'il est arrivé sur l'étagère du supermarché en provenance d'un lieu de production durable ou biologique, en consultant les informations suivantes sur l'étiquette.

✔ **Liste des ingrédients :** la compréhension des ingrédients et des éléments nutritionnels vous donne une bonne idée de la qualité de votre nourriture. Les aliments largement transformés sont susceptibles de contenir une grande quantité de sel ajouté qui contribuera à la conservation et au goût, ainsi que plusieurs produits chimiques exhausteurs de goût et de couleurs. Par contraste, les aliments préparés de manière naturelle contiennent généralement une faible quantité de sel, de sucre et de graisses saturées.

Vous seriez étonné de constater la quantité de produits chimiques introduite dans notre nourriture. Donnez-vous la peine de vérifier. Une grande partie de ces produits est numérotée officiellement, de sorte que le fabricant peut en donner la liste sur la boîte ou le paquet. Vous obtiendrez davantage d'informations en vous rendant sur le site qui indique des organismes certificateurs, www.agriculture.gouv.fr, et aussi sur www.agence-bio.org plus sur l'association Objectif bio, www.objectifbio.org, et sur la plate-forme de l'agriculture bio, www.agriculturebio.org, ou la Fédération nationale de l'agriculture biologique, www.fnab.org

Si un aliment porte l'étiquette « biologique », cela signifie qu'il bénéficie d'un label attribué par l'organisme de certification Ecocert (www.ecocert.com). La certification « biologique » ne signifie pas que tous les ingrédients du produit sont biologiques, car elle ne concerne que 95 % d'entre eux. Si moins de 95 % des ingrédients sont biologiques, le qualificatif « biologique » ne peut être utilisé que pour la liste des ingrédients, et ne concerne pas le produit lui-même.

✔ **Informations sur les organismes génétiquement modifiés :** la loi oblige les fabricants à indiquer si un aliment a été génétiquement modifié. Pour savoir si cette information est importante, lisez le paragraphe intitulé « La clé des aliments génétiquement modifiés », au début de ce chapitre.

✔ **Animaux concernés :** certains animaux et certains poissons sont protégés parce qu'ils sont en voie d'extinction, après avoir été élevés ou exploités à outrance. Vérifiez sur l'étiquette que votre aliment ne porte pas atteinte aux espèces protégées. Soyez prudent avec le thon : la Marine Conservation Society indique que toutes les espèces de thon commercialisées à l'heure actuelle sont menacées. Certaines pêches sont réalisées à l'aide de filets qui piègent et tuent les dauphins. Si vous souhaitez manger du thon écolo, la meilleure option est celle du thon pêché à la ligne. Vous obtiendrez davantage d'informations en vous rendant sur le site internet de www.msc.org. Il recense les marques vendues en grandes surfaces qui portent le logo MSC label (marine Stewardship Council) qui garantit les bonnes techniques de pêche. Voir aussi le site du WWF (www.wwf.fr).

✔ **Pays d'origine :** l'étiquette vous indique de quel pays provient l'aliment. Les produits britanniques sont indiqués par un logo représentant un tracteur rouge.

Connaître la traçabilité des produits que vous consommez

« D'où viennent nos aliments ? » Cette question en recouvre deux. La première a quelque chose à voir avec la méthode de production de la nourriture, et l'autre concerne l'endroit d'où elle vient, la façon dont elle a voyagé pour parvenir jusqu'à vous, la durée de son stockage avant d'aboutir dans les magasins. Si vous voulez être sûr que vos aliments sont écolos, vous devez répondre à ces deux interrogations.

Le rythme rapide imposé par la vie moderne réduit le temps de cuisine à la maison et nous conduit à compter davantage sur les aliments précuits, qui peuvent être déballés et glissés directement dans le four. Si vous achetez des repas tout prêts, il est probable que vous ne connaîtrez pas tous leurs ingrédients ni leur origine, alors que vous risquez d'en savoir plus long sur un repas que vous allez préparer de A à Z.

Vous pouvez aussi avoir envie d'obtenir des informations sur les pratiques économiques dans le pays d'origine des aliments, au moment de décider si vous voulez ou non acheter certains produits. Si vous souhaitez adopter un mode de vie véritablement écolo, vous éviterez les aliments en provenance de pays où les producteurs sont exploités et où les droits de l'homme ne sont pas respectés. Il se peut que vous soyez obligé de faire de nombreuses recherches pour déterminer ce que vous allez acheter. Votre décision différera peut-être de celle de votre voisin. Au cas où vous décideriez de boycotter un pays, n'oubliez pas que cette pratique peut porter tort aux fermiers, aux ouvriers et aux producteurs plutôt qu'au gouvernement des pays concernés.

Consommer des produits locaux

En dépit de tous les arguments contradictoires avancés pour déterminer quelle est la nourriture la plus saine, les écolos semblent d'accord sur un point : il est moins nocif pour la nature d'acheter des produits locaux. Si vous allez au supermarché, vous trouverez des denrées en provenance d'Espagne, d'Afrique du Sud et de Nouvelle-Zélande, de la viande d'Argentine et du Brésil, des aliments qui ont parcouru des centaines de milliers de kilomètres. Mais où sont les produits locaux ?

Les supermarchés cherchent toujours à nous séduire avec des prix bas. De ce fait, ils achètent leurs produits aux fournisseurs qui leur apportent ce dont ils ont besoin : des aliments que les clients veulent payer au juste prix. Il peut être plus intéressant d'acheter à l'étranger et de faire venir les produits d'Afrique du Sud plutôt que de les acheminer de Normandie. Les fruits, les légumes et les autres aliments favoris sont de plus en plus importés. Non seulement cela limite l'accès aux marchés des produits locaux, mais cela augmente la consommation de carburant fossile nécessaire pour le transport, donc la pollution.

Les supermarchés déclarent qu'ils répondent aux besoins des clients, par exemple en leur fournissant toute l'année des avocats à bas prix. Au bout du compte, les clients finissent par aimer les avocats lorsqu'ils sont disponibles toute l'année à bas prix.

Si vous voulez agir pour l'environnement en dégustant des produits locaux, vous devez cesser d'acheter ces produits exotiques que vous avez découverts et que vous aimez et revenir aux aliments que les fermiers de votre région font pousser à certains moments de l'année et pas à d'autres. Cela veut aussi dire que vous devez reprendre le chemin de votre cuisine pour accommoder les plats.

Manger des légumes de saison

Si vous vous conformez aux saisons de votre pays, vous apprécierez les légumes d'hiver comme les navets et les rutabagas, les légumes d'été comme les pois gourmands et la laitue. Si vous faites vos courses au supermarché ou dans les épiceries à grand débit, vous trouverez pratiquement toutes sortes de fruits et de légumes toute l'année. Vous n'aurez pas à vous demander ce qui est de saison, parce que vous pourrez vous procurer tout ce que vous voulez à tout moment. Mais vous resterez dans les limites du raisonnable, du point de vue écologique.

Si vous achetez seulement les fruits et les légumes locaux afin de limiter votre impact sur l'environnement en réduisant les distances parcourues par les aliments, vous voudrez aussi consommer uniquement des fruits et des légumes de saison.

 Les producteurs locaux peuvent tricher avec les saisons, mais cela suppose qu'ils utilisent de la lumière et du chauffage artificiels, qu'ils fassent pousser les fruits et les légumes sous des tunnels en polythène pour stimuler la croissance dans des conditions artificielles. Il peut être aussi dommageable pour l'environnement de cultiver des tomates dans le Nord de la France, hors saison, que de les faire venir d'Espagne.

Il est plus facile d'appliquer les méthodes biologiques aux aliments saisonniers produits localement qu'aux produits non saisonniers. En dehors de toute considération écologique ou sanitaire, vous expérimenterez le plaisir de redécouvrir tous les ans des aliments particuliers. Quand la saison est finie, vous pourrez rêver de retrouver un fruit à la même saison l'année suivante, au lieu de vous en lasser en le dégustant toute l'année.

Réduire les distances parcourues par les légumes

Les arguments qui militent en faveur de la consommation de produits locaux et de saison reposent massivement sur une notion désormais connue sous le nom de kilomètres alimentaires. Les kilomètres alimentaires représentent la distance parcourue – souvent des milliers de kilomètres – par la nourriture, avant d'atteindre votre assiette. Le transport (par avion, bateau ou camion) provoque des émissions de gaz carbonique. Près de la moitié de notre nourriture est importée de l'étranger et plus de la moitié des aliments biologiques vendus en France, par exemple, proviennent des importations.

Les détaillants prétendent que leurs clients désirent des aliments exotiques venus des quatre coins de la planète. Peut-être les consommateurs réclament-ils ces aliments parce que les détaillants les leur fournissent.

Une autre raison tient aussi au fait que les gens voyagent davantage et qu'ils goûtent différents mets dans les pays qu'ils traversent. De retour chez eux, ils veulent continuer à consommer ces aliments exotiques. Quelle qu'en soit la raison, il y a désormais plus de 4 000 produits alimentaires disponibles dans les supermarchés. Une grande partie d'entre eux parcourt plusieurs milliers de kilomètres et provoque près d'un cinquième des émissions de dioxyde de carbone.

Le problème des distances parcourues par les aliments ne se limite pas au transport en provenance des autres pays. Même les produits locaux peuvent voyager longuement avant d'aboutir dans votre assiette. Les détaillants achètent leurs produits aux producteurs et transportent, souvent par la route, les denrées vers des unités d'emballage. Ensuite, les aliments sont dirigés vers d'immenses entrepôts de stockage. Puis ils sont acheminés vers les centres de distribution, et de là, enfin, vers vos magasins où vous allez les chercher avant de les emmener chez vous en voiture. Pour réduire ces kilomètres, il vaut mieux acheter localement.

La nourriture qui fait des kilomètres et passe du temps dans les entrepôts contient moins d'éléments nutritionnels que les aliments produits localement. Si vous les consommez juste après leur récolte, vous bénéficiez d'une fraîcheur accrue. Idéalement, la meilleure denrée est celle qui est consommée dans la journée qui suit la cueillette.

Vous pouvez être confronté à un autre dilemme lorsque vous devez décider si vous achetez des pommes de terre biologiques en provenance de la Nouvelle-Zélande, ou des pommes de terre non bio, mais locales. Opterez-vous pour le bio parce que vous n'approuvez pas l'usage de pesticides, ou opterez-vous pour la nourriture locale parce qu'elle a parcouru moins de kilomètres et endommage moins la planète en produisant moins de gaz à effet de serre ? De nombreux scientifiques sont d'avis que l'achat de nourriture locale est plus important pour l'environnement que l'achat de produits bio. Le choix n'est pas simple, mais ne vous laissez pas décourager. Si vous prenez des décisions qui rendent votre vie plus écolo, vous faites quelque chose pour la planète.

Manger de la viande

Si vous demandez aux écoliers d'où viennent les lardons, ils vous répondront : « Du supermarché. » Ils ignorent tout du processus de l'élevage, de l'entretien et finalement de l'abattage des porcs et d'autres animaux exploités pour leur viande. Et pourquoi en serait-il autrement ? Ils vivent dans des villes où ils ne sont jamais confrontés aux réalités d'une ferme. Si vous voulez savoir ce que vous mangez, vous devez connaître le type de méthodes agricoles qui sont employées pour amener la viande de la ferme jusqu'à votre assiette.

Être un carnivore vert

Si vous avez envie d'une côte d'agneau ou d'une côte de porc, vous pouvez quand même être écolo. La viande peut être produite selon des principes de développement durable, tout comme les fruits et les légumes. Vous limiterez votre impact sur les ressources de la planète en réduisant la quantité de viande que vous consommez et en choisissant une viande aussi « verte » que possible.

Cherchez la viande d'animaux qui ont été « élevés dans le pré » ou « nourris à l'herbe ». Cela indique qu'ils ont grandi dehors et que leur régime a été uniquement composé de foin et d'herbe, nourriture bien plus naturelle et bénéfique à l'environnement que les granulés.

Certains animaux (tout particulièrement les cochons et les volailles) sont nourris aux granulés, parce que ces derniers contiennent les éléments nutritionnels dont ils ont besoin. Toutefois, ces granulés peuvent être biologiques.

Vérifiez ce qui est écrit sur les étiquettes :

- **Élevé en plein air :** rendez-vous sur le site web de la société qui commercialise la viande pour savoir si le cochon ou le poulet ont été nourris dehors ou simplement gardés en cage dans un hangar fermé.

- **Naturel :** les étiquettes peuvent se référer, notamment pour le bœuf et l'agneau, à une production « naturelle ». Cela signifie seulement que la viande ne contient pas de colorants artificiels, d'exhausteurs de goût, de conservateurs ou autres ingrédients artificiels. Cela ne vous garantit pas que les animaux ont mené une vie idyllique ni qu'ils ont gambadé dans les prés.

- **Viande maigre :** acheter une viande maigre peut être bénéfique pour la santé, mais cette indication ne suppose pas de développement durable que si la viande est grasse. Cela signifie seulement que la viande a été dégraissée.

Certains pays ne disposent pas de grandes unités industrielles pour la production de la viande ou s'inquiètent de la possibilité d'infections (c'est notamment le cas en Asie et en Europe). Ils importent leur viande en provenance de pays « sécurisés » comme l'Australie. L'énergie requise pour transporter cette viande est tout simplement énorme.

Un mangeur de viande peut appliquer des principes de développement durable, même si la gamme des viandes durables ou biologiques n'est pas encore aussi développée que la gamme des aliments végétariens équivalents. Vous trouverez moins de viande bio dans votre supermarché local que de produits végétaux bio, à base de tofu ou de produits laitiers bio. N'oubliez pas qu'il existe d'autres possibilités d'acheter de la viande. La viande produite localement a plus de chances d'être bio et elle risque d'être plus écologique que celle qui a parcouru des milliers de kilomètres.

Si vous trouvez qu'il est difficile de vous procurer une viande biologique, demandez au boucher de votre supermarché de vous fournir une viande écolo ou durable : en effet, c'est la demande qui suscite l'offre. L'environnement s'en trouvera mieux, et votre supermarché ou votre boucher aura un client fidélisé.

Les poissons durables

Les achats de poissons soulèvent d'inépuisables questions éthiques. La réserve en poissons de la planète s'épuise. Cela suppose que les pêcheurs doivent s'éloigner davantage des côtes pour ramener leurs prises à terre. Les poissons sont pêchés de plus en plus jeunes, ce qui contribue à épuiser les stocks, puisqu'ils n'ont pas le temps de grandir et que les sujets reproducteurs sont moins nombreux. La pêche en eaux profondes conduit à un usage accru de filets dérivants qui emprisonnent aussi bien les espèces en danger que les poissons destinés à la consommation. Seuls 3 % des stocks de poisson du monde sont sous-exploités. En même temps, la demande de poisson est en augmentation. Elle a doublé au cours de ces trente dernières années et elle continuera à croître.

L'une des réponses a consisté à développer l'aquaculture pour des poissons comme le saumon. Les méthodes d'aquaculture intensive ont provoqué le même genre de problème que ceux qu'affronte l'agriculture. L'utilisation de produits chimiques, d'antibiotiques et de désinfectants servant à protéger le poisson des maladies a conduit le public à s'inquiéter de la présence de toxines et de produits cancérigènes dans le poisson qu'il consomme. Les poissons qui s'échappent des fermes d'aquaculture peuvent aussi apporter des maladies dans les réserves de poissons sauvages. Tout cela survient à une époque où les nutritionnistes conseillent de manger davantage de poisson en raison des bénéfices apportés par les huiles riches en omégas 3, qui contribuent à faire baisser les risques de maladies cardiovasculaires.

L'Union européenne a mis en place des quotas qui fixent la quantité de poisson à prélever dans les zones de pêche de chaque pays européen. Cette mesure a largement contribué à reconstituer les réserves européennes de poisson, mais les pêcheurs de l'Union se rendent dans les eaux africaines afin de répondre à la demande.

Quand vous allez dans une poissonnerie, vous devez vous demander :

✔ **Si le poisson que vous voulez acheter a été pêché dans un stock durable.** Cela suppose que le poisson se reproduise à une vitesse équivalente à celle du taux de pêche. La morue, par exemple, vivait jusqu'à quarante ans et atteignait une taille de deux mètres. Aujourd'hui, les réserves sont si basses que le poisson pêché a moins de deux ans d'âge et qu'il ne s'est pas reproduit. Nous vous conseillons de ne pas acheter de morue, pour permettre aux réserves de se reconstituer.

✔ **Si le poisson est sauvage ou provient de l'aquaculture**. Si vous êtes prêt à acheter du poisson d'élevage, vous devez savoir si son élevage a été biologique.

✔ **Comment le poisson a été pêché.** La pêche à la ligne n'endommage pas l'environnement marin, mais la pêche au filet peut provoquer d'énormes dégâts. Par exemple, la pêche au thon, qui est faite au filet, tue des dauphins. La pêche aux crevettes occasionne la prise d'autres espèces indésirables qui sont rejetées, mortes, à la mer. La plupart des crevettes vendues en poissonnerie proviennent de l'élevage.

Vous pouvez vous lire le guide *Conso-guide, pour une consommation responsable des produits de la mer*. Proposé par le WWF, www.wwf.fr ainsi que *Et ta mer t'y penses*, un guide à l'usage du consommateur responsable édité par Greenpeace sur la surpêche et l'épuisement des espèces : www.greenpeace.fr

Achetez votre poisson dans une bonne poissonnerie dont le personnel sait d'où provient la marchandise, où sont les fermes d'aquaculture et quelles ont été les méthodes employées. Vérifiez les renseignements fournis par la Marine Stewardship Council (www.msc.org), ou www.wwf.fr

Être végétarien

Les végétariens (nous parlons de personnes qui ne consomment pas de viande) optent pour le végétarisme ou le végétalisme parce qu'ils ont de bonnes raisons de le faire. Souvent, leurs motifs sont liés à la santé, à certains principes philosophiques ou à un mélange des deux. De nombreux végétariens font aussi des choix de vie écolo.

Quand vous demandez aux gens pourquoi ils sont devenus végétariens, ils répondent souvent en protestant contre les méthodes de production de l'industrie de la viande. D'autres ont abandonné la consommation de viande parce qu'ils s'inquiètent de certaines considérations sanitaires.

✔ **La maladie de la vache folle :** cette affection mortelle s'est répandue à grande échelle vers le milieu des années 1990. Après avoir touché les vaches, elle s'est transmise à l'homme. La maladie n'est pas transmise par un virus ou une bactérie, mais par un prion, une protéine infectieuse qui provoque chez les personnes infectées une forme de démence suivie de la mort. La vente de bœuf a baissé de manière significative lorsque la maladie s'est répandue dans plusieurs régions du monde, notamment en Angleterre.

- ✔ **La toxicité :** les hormones artificielles, les stéroïdes et autres produits chimiques injectés aux bêtes les conduisent à grandir plus vite et à prendre plus de poids. Il s'agit de corps étrangers pour l'organisme humain, et qui peuvent provoquer le dysfonctionnement de divers organes.

- ✔ **Les bactéries :** les antibiotiques injectés aux animaux finissent par les rendre sensibles à des attaques de bactéries résistantes comme les *escherichia coli*. L'utilisation abusive d'antibiotiques risque de vous faire acheter une viande qui contient des formes non détectables de bactéries.

- ✔ **Les graisses saturées :** de nombreuses viandes sont riches en graisses saturées qui risquent de provoquer l'obésité. Dans les centres où l'on pratique des méthodes d'élevage intensif, les bêtes sont nourries au grain (tourteaux de soja et maïs) et vont peu brouter dans les champs, ce qui provoque une forte acidité dans leur système digestif. Cela peut conduire à une augmentation des maladies, au moment où l'animal est abattu et où sa viande est prête à être consommée.

Si certains végétariens s'abstiennent de consommer de la viande pour des raisons de santé, d'autres se soucient des ressources nécessaires à la production de viande. Les bêtes qui sont nourries au grain dans les fermes intensives consomment beaucoup d'énergie. Il faut une grande quantité d'électricité pour éclairer les étables et faire fonctionner les machines. Il faut beaucoup d'eau pour évacuer les déjections. Même si de nombreux fermiers envoient leurs bovins et leurs ovins dans les champs, au moment où l'herbe n'est plus assez abondante, le régime du bétail est souvent supplémenté avec du grain.

Aux États-Unis, le Global Resource Action Center for the Environment a calculé que les bovins devaient consommer environ 3,6 kilos de grain pour donner un peu moins d'une livre de viande. Un animal nourri au grain consomme environ 1 200 kilos de céréales jusqu'au moment où il est prêt à être introduit sur le marché. Ajoutez à ce calcul qu'il faut jusqu'à 100 000 litres d'eau pour produire un kilo de viande, et vous mesurerez à quel point la production de viande est lourde pour l'environnement.

En Occident et aux États-Unis en particulier, les populations mangent beaucoup de viande. Les trois quarts des céréales cultivées dans le monde entier servent à la production de viande. Cette quantité de grain pourrait servir à nourrir beaucoup de gens si elle n'était pas donnée aux animaux. Il faut environ un hectare de terre pour nourrir un Américain et 40,5 ares pour nourrir un Indien.

L'une des grandes questions que se posent les végétariens est celle des aliments génétiquement modifiés (voir, plus haut dans ce chapitre, le paragraphe intitulé « La clé des aliments génétiquement modifiés »). De nombreux produits végétariens comme le tofu et les protéines végétales texturées (PVT) sont préparés à base de soja et, aujourd'hui, une grande partie du soja est génétiquement modifiée.

Si vous voulez devenir un végétarien plus écolo, voici quelques-uns des aliments qui peuvent vous y aider.

- ✔ **Le colza, le maïs et le soja non modifiés :** regardez bien l'étiquette, car de nombreuses sociétés y affirment vigoureusement qu'elles ne produisent pas d'OGM.

- ✔ **Les noix :** achetez des noix produites localement, si possible biologiques.

- ✔ **Les fruits et les légumes bio de la production locale :** allez les cueillir directement dans une ferme bio ou achetez-les dans un magasin bio.

- ✔ **Le thé et le café :** cherchez les marques du commerce équitable. Voyez plus loin le chapitre qui vous explique comment comprendre « Les arguments du commerce équitable ».

- ✔ **Le chocolat :** achetez un chocolat fabriqué avec du cacao bio, localement produit ou issu du commerce équitable (les végétaliens préfèreront peut-être acheter du chocolat fabriqué à l'aide de soja bio).

- ✔ **La bière et le vin :** achetez de l'alcool dont les ingrédients sont biologiques et la production locale ; achetez bière et vin dans les brasseries et les coopératives locales.

Les végétariens sont plus susceptibles de « penser vert », mais un régime végétarien ou végétalien ne vous transforme pas automatiquement en citoyen écolo. Si les fruits et les légumes que vous achetez sont produits dans votre région et/ou s'ils sont biologiques, bravo. Mais s'ils parcourent des milliers de kilomètres et requièrent des litres de pesticides, vous n'êtes pas plus écolo que le citoyen lambda. Bien que leurs choix tournent largement autour de la nourriture et, plus récemment, autour des vêtements et des accessoires, les végétariens allument encore la lumière le soir, gâchent de l'eau et produisent des déchets.

Choisir où acheter vos aliments

La sélection des commerçants est presque aussi importante que le choix de leurs denrées. Les paragraphes qui suivent vous donnent des conseils.

Acheter au supermarché

Comme la plupart des gens ont peu de temps pour faire leurs courses, les supermarchés constituent une option pratique. Vous trouvez tout ce qui vous est nécessaire au même endroit et vous vous contentez d'un marché de temps à autre, pour ne pas avoir à y retourner trop souvent. Les supermarchés vous attirent en proposant toutes sortes de promotions, des offres de deuxième produit gratuit, des ventes à perte, des cartes de fidélité, et la promesse de bas prix. Cependant, il vaut mieux sortir votre calculette et faire une expérience pour voir si vos achats sont réellement moins chers qu'ailleurs, et si la qualité est à l'avenant des prix.

La nourriture biologique est toujours un peu plus chère, mais les prix baissent au fur et à mesure que les producteurs bio s'imposent, ce qui contribue d'ailleurs à faire augmenter la demande. L'arrivée des grandes chaînes de supermarchés sur le marché du bio est une donnée majeure. Parce que ces supermarchés ont un énorme pouvoir d'achat, ils réussissent à faire en sorte que les prix restent bas.

Vous êtes plus susceptible de trouver une grande variété d'aliments biologiques bien étiquetés dans des grands supermarchés plutôt que dans les petites épiceries de votre quartier. Jetez un œil aux fruits et légumes, à la nourriture diététique, aux céréales du petit déjeuner, et aux produits en conserve. C'est là que vous trouverez le plus grand choix d'aliments biologiques.

Méfiez-vous des grandes enseignes

Parce que le public se soucie de plus en plus des conditions faites aux animaux de boucherie et à la présence de pesticides ou d'autres produits chimiques dans l'alimentation, la demande de nourriture biologique a augmenté, à tel point que les grandes enseignes s'intéressent au potentiel de profit qu'elle représente. Quand on se retrouve confronté à un tel phénomène, il faut penser à l'impact qui sera exercé sur les petits commerces comme votre épicerie ou votre boucherie.

Les hypermarchés ont été accusés de provoquer la faillite de nombreux petits commerces et de forcer les producteurs et les fournisseurs à réduire leurs profits afin de faire baisser les prix, tout en maintenant les marges du supermarché à un niveau élevé. Les grands supermarchés possèdent un plus grand pouvoir d'achat que leurs petits concurrents, mais ils transportent aussi la nourriture bien plus loin pour la stocker et la distribuer. Cela augmente les émissions de gaz nocifs pendant le transport et réduit la valeur nutritionnelle des aliments.

Lorsque les grandes enseignes interviennent dans la vente de la nourriture biologique, vous perdez une partie substantielle des bénéfices liés à l'achat de produits locaux et saisonniers.

Bien que les hypermarchés vendent généralement leurs produits moins cher et qu'ils offrent une plus vaste palette de produits biologiques, la plupart d'entre eux ne respectent pas l'éthique de votre épicerie locale, de votre coopérative ou de votre marché local.

Vous aurez peut-être moins envie d'acheter des aliments biologiques que des aliments produits localement. Les supermarchés ont tendance à considérer que les produits locaux viennent de toutes les régions du pays. Même si un agneau naît dans une ferme située à un kilomètre de chez vous, sa viande voyagera pour être stockée puis envoyée à un centre de distribution qui sera situé très loin, avant de revenir à votre supermarché. Vérifiez jusqu'à quel point votre produit est « local » dans votre supermarché.

L'annuaire de l'« agence bio » fournit une liste exhaustive des producteurs, bouchers, boulangers et distributeurs bio : http://annuaire.agencebio.org

Sortir de la logique du supermarché

Un nombre étonnant de petits magasins et de coopératives commercialisent des produits biologiques et/ou locaux. Certaines épiceries ne vendent que des aliments bio bien étiquetés, alors que d'autres combinent les aliments bio et la nourriture diététique, les suppléments en vitamines et en minéraux, ainsi que d'autres produits bons pour votre santé.

Ces fournisseurs fleurissent un peu partout dans les villes, grandes ou moyennes, et ils sont de plus en plus souvent situés dans les grandes galeries commerçantes pour pouvoir répondre à la demande.

Rencontrer le maraîcher de votre marché local

Les marchés fermiers sont de plus en plus populaires. Les agriculteurs se rendent dans les villes et les villages proches, un jour par semaine en général, pour y installer leur étal et y vendre leurs produits. Ils attirent les clients de la région qui souhaitent acheter des aliments frais, bon marché, biologiques, locaux, et les touristes qui souhaitent apprendre ce qui pousse dans le coin, ce qu'on y mange.

Vous pouvez goûter et acheter des fruits et des légumes de saison, parler aux producteurs de leurs récoltes. Ils adorent vous renseigner sur leurs activités, ainsi vous saurez exactement ce que vous allez manger. Vous obtiendrez davantage d'informations en vous rendant sur le site internet du réseau des Amap : Association pour le maintien d'une agriculture paysanne (http://alliancepec.free.fr).

Le réseau des Jardins de cocagne est également une solution intéressante ; soit vous allez chercher votre panier sur place, soit il est vous est livré dans un endroit près de chez vous : www.reseaucocagne.asso.fr

Sachez que vous pouvez être livré à domicile avec www.biodoo.com, www.natoora.fr, www.alterecodirect.com, www.epicerie-equitable.com ou www.artisanatsel.com

Les coopératives biologiques

Vous pouvez vous rendre dans des réseaux de magasins coopératifs de produits écologiques. les plus anciens et les défricheurs du bio sont les Nouveaux Robinsons. Le nom de l'enseigne dévoile à lui seul l'histoire d'une coopérative qui a su s'imposer sur un terrain alors peu exploité, le bio, et bâtir en dix ans une véritable enseigne d'écoproduits.

La coopérative a été créée sur la base d'une forte préoccupation sociale : travailler dans une entreprise respectueuse des rapports humains autant que de la biosphère. Elle a adopté des principes en cohérence avec les valeurs qu'elle prône, comme la participation des salariés à la gestion globale de la coopérative, l'intéressement suivant le temps de présence, la décentralisation du travail : www.nouveauxrobinson.fr

La chaîne Biocoop, qui a vingt ans d'existence, est le premier réseau de magasins bio en France (www.biocoop.fr).

Créée en 1973, **Naturalia** est devenue la première enseigne spécialisée bio en Île-de-France (www.naturalia.fr).

L'association **Écolo Café** est un nouvel acteur de l'écologie. Cette association à but non lucratif œuvre à la transformation des cafés et autres espaces dédiés au public afin qu'ils deviennent plus écolos : développement du recyclage, de la végétalisation, du bio, des économies d'énergie... www.ecolocafé.org

Tous les produits des marchés fermiers ne portent pas le label bio. Certains agriculteurs utilisent des méthodes traditionnelles. Quelques-uns sont en cours de conversion à l'agriculture biologique (voir plus haut dans ce chapitre le paragraphe intitulé « Qu'est-ce que la nourriture biologique »), et d'autres sont de simples horticulteurs aux doigts verts.

Connaître le fermier du coin

S'il n'existe pas de marché fermier près de chez vous, il y a bien quelque part, pas trop loin, un cultivateur qui vend directement ses produits ou a une boutique sur son domaine, à moins que vous ne viviez au cœur d'une grande ville. Si vous faites la connaissance de ce fermier, vous saurez quels sont les légumes de saison, la manière dont ils sont produits, et quand ils sont en vente. Vous obtiendrez sans doute des conseils pour les cuisiner. Certains agriculteurs assurent même la livraison de leurs produits à domicile.

Les produits sont peut-être un peu plus chers que dans un supermarché, car l'agriculteur ne vend pas de grandes quantités qui lui permettraient de réduire les prix. Si vous devez prendre votre voiture pour vous rendre sur place puis rentrer chez vous, réfléchissez à vos frais d'essence et à l'impact que vous exercez sur l'environnement quand vous pesez le pour et le contre de cette option.

Le panier du jardinier

Vous pouvez vous affilier à un réseau et demander à recevoir chez vous un panier du jardinier, www.paysans.fr, ou des paniers bio Le Campanier : www.lecampanier.com. Ce service est organisé un peu partout dans le pays. Vous recevez régulièrement des fruits et des légumes de saison, qui proviennent généralement de fermes locales. Au cours des périodes creuses, quand il n'y a pas grand-chose à récolter dans les fermes de votre région, certains des produits qu'elles vendent sont importés. Une grande partie de ces réseaux bénéficient de labels bio.

Certains de ces réseaux sont gérés par de grosses sociétés qui peuvent vous livrer tout ce que vous voulez, mais qui parcourent des kilomètres pour vous assurer ce service. Si vous choisissez un réseau local, vous réduirez la distance parcourue par votre nourriture.

Récolter vos fruits et légumes

En faisant la connaissance des fermiers de votre région et en allant directement vous approvisionner chez eux, vous offrez une journée de loisirs à toute votre famille. Les agriculteurs locaux fixent souvent un calendrier pour cette activité. Vous pouvez cueillir vos fruits, souvent des fraises et des framboises, mais aussi récolter des légumes qui ne poussent que dans votre région.

Si vous récoltez vos fruits et vos légumes, vous savez s'ils sont biologiques ou non, vous êtes sûr qu'ils viennent de votre région, vous n'endommagez pas l'environnement puisque vous lui épargnez l'utilisation de machines pour la récolte. Aucun gâchis de matériaux n'est provoqué par l'excès d'emballage, et vous tirez le maximum d'éléments nutritionnels des produits parce que vous les consommez immédiatement. Les enfants se sont bien amusés pendant une journée, et vous leur montrez d'où vient leur nourriture. Veillez simplement à ce qu'ils ne gavent pas trop de baies, ou bien ils seront malades sur le chemin du retour.

Faire pousser vos fruits et légumes

Si vous avez le temps, l'énergie et l'argent pour acheter des semences et des plants, si vous avez les doigts verts, la solution la plus écolo consiste à faire pousser vos propres aliments en utilisant des méthodes biologiques.

Tous les compteurs se mettent au vert dans les cases environnement et développement durable.

Si vous ne disposez pas d'un espace suffisant pour faire pousser des fruits et des légumes, il est toujours possible d'utiliser des espaces communautaires près de chez vous. Appelez votre mairie pour vous renseigner auprès de www.jardinons.com ou www.jardins-familiaux.asso.fr

Lorsque vous aurez commencé à récolter suffisamment de fruits et légumes, vous pourrez les vendre au marché fermier. Souvenez-vous tout de même que si vous souhaitez les vendre sous l'appellation biologique, vous devez disposer de la certification d'un label. Reportez-vous au paragraphe « Qu'est-ce que la nourriture biologique » un peu plus haut dans ce chapitre. Le chapitre 5 vous fournit d'autres informations sur la manière de garder un jardin vert.

Manger dehors

Quand vous allez au restaurant, vous vous trouvez généralement à la merci du chef pour ce qui concerne les principes écolo. De nombreux chefs de cuisine mettent un point d'honneur à n'acheter que des produits locaux et/ou biologiques. Si vous voulez en avoir le cœur net, appelez le restaurant avant la réservation et informez-vous à propos des ingrédients utilisés. Les bons établissements ne verront aucun inconvénient à vous renseigner, et si davantage de clients réclament des produits plus écolo, les chefs et la direction recevront le message.

Les restaurants doivent vous indiquer si leurs ingrédients sont génétiquement modifiés ; très souvent, ils les bannissent de leurs menus en raison de l'hostilité du public. Il existe une grande quantité de restaurants végétariens et, même si vous mangez de la viande en temps normal, vous pouvez décider d'opter pour un repas végétarien, puisque les ingrédients seront certainement locaux et biologiques.

Comprendre les enjeux du commerce équitable

Le commerce équitable est un système qui veille à ce que les producteurs des pays émergents reçoivent des prix corrects en échange de leurs produits et qu'ils bénéficient de conditions de travail raisonnables, ainsi que d'un partenariat juste avec les entreprises auxquelles ils fournissent leurs récoltes. L'idée qui préside au commerce équitable repose sur le fait qu'une plus grande partie de l'argent payé par le consommateur revienne au producteur, afin qu'il puisse mieux rémunérer ses aides et qu'il investisse davantage dans son entreprise. Il s'agit d'un partenariat qui vise le développement durable des exclus et des producteurs désavantagés par le système. Le résultat est obtenu en créant de meilleures conditions commerciales, par le biais de campagnes d'information.

Dans les magasins et les supermarchés, vous pouvez trouver un certain nombre de produits portant le logo « commerce équitable ». Il existe environ 300 produits concernés, notamment le thé, le café, le chocolat, les bananes, les épices, les fleurs, le coton et les ballons de football. La liste s'allonge au fur et à mesure que le système du commerce équitable se développe. Vous pouvez désormais trouver des cafés qui mettent l'accent sur le fait qu'ils servent à leurs clients des produits issus du commerce équitable.

Le label « commerce équitable » vous garantit que les produits concernés répondent à divers critères d'équité. En achetant les produits du commerce équitable, vous montrez que vous êtes prêt à payer un peu plus parce que vous vous souciez de la manière dont les producteurs sont traités. Grâce à ce système,

- ✔ Les producteurs reçoivent un prix juste qui correspond à leur production et au coût de la vie, afin de bénéficier d'une meilleure sécurité et de contrats à long terme. Cela leur permet de planifier leur travail et de rendre leur entreprise durable.

- ✔ L'argent supplémentaire demandé permet d'améliorer le bien-être des producteurs dans d'autres domaines, notamment dans celui de l'éducation.

- ✔ Les producteurs et les ouvriers ont la permission de s'affilier à divers syndicats qui protègent leurs droits et cherchent à améliorer leurs conditions de travail.

- ✔ Le travail des enfants est interdit.

- ✔ Les méthodes de production sont favorables à l'environnement et aucun pesticide n'est utilisé.

Vous obtiendrez davantage d'informations en vous rendant sur le site internet de la plate-forme du commerce équitable : www.commercequitable.org. Le label du commerce équitable, décerné par la plate-forme du commerce équitable, n'apparaît pas sur certains produits comme les vêtements, mais vous pouvez acheter des articles d'artisanat qui ont des labels des marques de cette plate-forme, par exemple le label Max Havelaar est une garantie et le label bio équitable aussi.

La marque la plus connue est Max Havelaar : www.maxhavelaarfrance.org, qui applique les règles du commerce équitable. Les engagements défendus par cette organisation sont équivalents à ceux du logo « commerce équitable ».

Quand vous décidez de faire un achat, vous pouvez ainsi prendre un autre facteur en considération. Choisissez-vous d'acquérir le produit biologique qui a parcouru des milliers de kilomètres, l'équivalent local qui n'est pas bio ou le produit « commerce équitable » qui est quelque part au milieu ? Être écolo, c'est peser le pour et le contre et décider ce qui compte le plus pour vous.

N'oubliez pas la manifestation bio organisée par l'Agence française pour le développement et la promotion de l'agriculture biologique : le Printemps bio (www.printempsbio.com).

Chapitre 8

Bien habiter ses habits

. . . .

Dans ce chapitre

▶ Retirer les vêtements des décharges

▶ Comprendre de quoi sont faits vos vêtements

▶ Soutenir le concept de commerce équitable

▶ Habiller le monde de manière naturelle

▶ Trouver les détaillants qui défendent les meilleurs principes éthiques

▶ Se sentir bien dans des vêtements vintage

. . . .

À chaque saison, les boutiques se remplissent de nouveaux vêtements. Les manteaux d'hiver, qui étaient courts et amples l'année précédente, sont soudain longs et étroits. Les chaussures de la mode précédente avaient des talons compensés. Maintenant, elles sont plates et de couleurs vives. Au fur et à mesure que les tendances changent, les articles de la saison précédente se ringardisent. Les magazines débordent d'articles neufs, branchés, et les consommateurs se sentent obligés de suivre le mouvement.

L'insatiable désir de vêtements force l'industrie du textile à fournir assez de tissus pour répondre à la demande. L'industrie du vêtement a réagi en encourageant l'utilisation de tissus synthétiques et la production de masse de coton. Elle a également tiré parti des pays émergents pour aller y produire des articles à bas prix. Au cours de la dernière décennie, les prix ont chuté de manière spectaculaire et, de ce fait, les vêtements sont devenus jetables. Les consommateurs achètent des articles bon marché, souvent et en grandes quantités, ils s'en lassent avant de les avoir usés, puis les mettent à la poubelle.

Cependant, un nombre croissant de détaillants vendent des vêtements verts et écolo. Les acheteurs de ce type d'articles sont plus nombreux qu'avant. Les consommateurs verts se mettent à réparer, à réutiliser et à recycler les vêtements pour réduire leur nombre. Cette pratique réduit l'impact négatif sur l'environnement qui est créé par l'ensemble de l'industrie du vêtement.

S'habiller écolo

écolo= acheter au meilleur qualité et de réutiliser

La seule véritable manière d'être écolo dans ses vêtements consiste à en acheter moins, à miser sur des articles de meilleure qualité, à les utiliser plus longtemps, à les réparer et à les recycler, à vérifier qu'ils sont constitués d'une matière produite de la manière la plus naturelle possible – comme le coton biologique – cultivé sans pesticides ni autres produits chimiques qui contaminent souvent les cours d'eau proches des plantations.

Le principe de base de la vie écolo, appliqué aux vêtements, impose de réutiliser, réparer et recycler. Ne jetez rien avant d'avoir tiré le meilleur parti des vêtements et de les avoir usés. Quand vous ne pouvez plus les porter, voyez s'ils peuvent servir à quelqu'un d'autre, afin de les recycler. En réparant et réutilisant les articles d'habillement, vous vous acquittez d'une tâche essentielle qui réduit le nombre de vos premiers achats, ce qui contribue à réduire la quantité globale de vêtements à produire pour l'humanité.

Si vous ne pouvez plus utiliser un article et qu'il n'y a plus moyen d'en tirer quoi que ce soit, il se peut que le tissu ait été produit de manière biologique et qu'il n'ait été ni teinté ni traité avec des produits chimiques. Dans ce cas, ajoutez-le à votre compost et contribuez à recycler certains de ses éléments nutritionnels en les remettant dans le sol.

L'une des manières les plus efficaces de réduire la demande en vêtements consiste à garder en circulation le plus longtemps possible les articles qui se trouvent dans les placards. Que vous les donniez à un organisme de charité, que vous les vendiez sur Internet ou que vous les gardiez pour vous-même, vous faites en sorte que ces vêtements continuent à être portés, ce qui réduit la demande de nouveautés.

Dernier point, mais non des moindres : pensez à faire circuler les objets dont vous ne voulez pas. Nous avons tous reçu en cadeau un pull ou une écharpe que nous ne voudrions porter à aucun prix, mais il y a certainement quelqu'un à qui ces articles peuvent plaire. Le fait de réoffrir les cadeaux est un geste vert parce qu'il réduit les quantités de biens achetés et produits.

Les quatre points essentiels à considérer dans le choix de vos vêtements sont les suivants :

* commerce équitable

> ✔ **L'impact sur la main-d'œuvre :** il n'est pas écolo d'acheter des vêtements fabriqués par des personnes qui reçoivent des salaires de misère, qui n'ont pas le droit de se syndiquer et qui ne bénéficient pas d'une bonne protection sociale. Dans ce cas, les travailleurs sont exploités et ne gagnent pas assez d'argent pour nourrir leur famille. Ils sont écartés des organisations susceptibles de les aider à obtenir les mêmes droits que les gens qui peuvent s'offrir de porter leurs produits.

aspect de la consommation responsable.

marché local

marché biologique

- ✔ **L'impact sur l'économie locale :** les entreprises textiles et les usines d'habillement qui se relocalisent outre-mer peuvent exercer une influence désastreuse sur l'économie française.

- ✔ **L'impact sur les méthodes de production :** le coton de fabrication courante est souvent récolté à l'aide de méthodes intensives et non durables, et les tissus synthétiques sont fabriqués à l'aide de produits chimiques. Des polluants à durée persistante servent à l'élaboration de certains vêtements (c'est le cas, notamment, de ceux qui ont un revêtement en Téflon), notamment des vêtements d'importation. Vérifiez les informations fournies par les étiquettes et, dans l'incertitude, choisissez l'option la plus écolo, en misant sur le coton biologique, la laine ou la soie.

cycle de vie du produit

- ✔ **L'impact des matériaux :** vous devez prendre en compte l'impact environnemental, social et économique de l'utilisation de peaux animales et autres sous-produits provenant d'animaux en voie d'extinction. D'autres matières comme la rayonne ou le viscose sont fabriquées à partir de pulpe de bois, à l'aide de produits chimiques. Si vous souhaitez éviter les produits chimiques, préférez l'option naturelle et les tissus fabriqués de manière biologique.

Tirer le fil de vos habits jusque dans les pays d'outre-mer

On estime qu'environ la moitié des vêtements vendus dans certains pays européens sont importés de pays éloignés comme le Bangladesh, la Chine, les îles Fidji, l'Inde, le Pakistan, Madagascar, le Mexique et la Turquie. Certains de ces articles sont fabriqués par des gens qui sont très mal payés et qui travaillent dans des conditions difficiles. Parfois, les vêtements sont réalisés par des enfants. Ces pratiques permettent de tirer les prix vers le bas et de vendre les vêtements bon marché dans les boutiques européennes.

Le fait d'acheter un vêtement « made in France » ne vous garantit pas que les personnes employées pour le fabriquer ont été bien traitées et conformément aux lois du pays. Il existe des ateliers clandestins dans plusieurs villes, les gens y travaillent dans de mauvaises conditions et ne reçoivent pas le salaire minimum. Souvent, ils ne se plaignent pas parce qu'ils craignent de perdre leur travail et leur source de revenus, ou parce qu'ils sont sans papiers.

En recourant à une main-d'œuvre peu payée dans d'autres pays ou en montant des ateliers clandestins en France, certaines sociétés parviennent à maintenir des prix bas tout en réalisant des profits. Leurs frais généraux sont réduits en comparaison des sociétés qui font travailler une main-d'œuvre industrielle correctement rémunérée. Elles compliquent la concurrence pour les personnes qui respectent la réglementation, les forcent à fermer ou à

mondialisation) (handwritten note)

déplacer leurs unités de production à l'étranger. Tout cela signifie qu'il y a moins de postes de travail dans l'industrie textile française.

Les travailleurs exploités sont confrontés à des conditions de travail inhumaines, et notamment aux réalités suivantes.

- **Absence de protection légale :** certains ouvriers ne sont pas reconnus comme travailleurs et, dans plusieurs pays, les usines où ils travaillent ne sont pas désignées comme des entreprises. De ce fait, les employés n'ont aucun droit de se plaindre de leur sort et ils travaillent dans un environnement malsain et dangereux.

- **Impossibilité de se syndiquer :** cette réalité peut provenir du fait que certains employés ne sont pas officiellement reconnus. Parfois, les salaires sont si bas que les salariés ne peuvent pas payer une cotisation syndicale.

- **Bas salaires :** le salaire d'un employé, extrêmement réduit, ne lui permet pas de se nourrir ni de nourrir sa famille.

Les ouvriers n'ont pas accès aux services mis à la disposition de la communauté parce qu'ils restent sans statut, mal payés et trop longuement asservis à leur tâche.

Les organisations qui font campagne contre les entreprises du textile et de l'habillement relocalisées dans les pays émergents vous suggèrent de demander aux détaillants quelle est l'origine des vêtements qu'ils vendent. Vous obtiendrez davantage d'informations en vous rendant sur le site internet de la plate-forme du commerce équitable aussi bien alimentaire que textile, www.commerceequitable.org, ou avec le collectif de l'éthique sur l'étiquette d'une vingtaine d'associations de solidarité internationales www.ethique-sur-etiquette.org qui vise à améliorer les conditions de travail dans l'industrie de l'habillement du monde entier

Vous pourriez faire valoir que la baisse du prix des vêtements et des chaussures fait augmenter le nombre d'acheteurs, ainsi que le nombre de postes de travail pour les travailleurs d'outre-mer qui resteraient chômeurs s'ils ne disposaient pas de ces opportunités. Boycotter certaines marques peut provoquer la faillite d'une entreprise et laisser les ouvriers sans aucune source de revenus. De nombreux organismes à but non lucratif travaillant dans les pays en voie de développement vous conseillent de ne pas boycotter les articles, à moins que les travailleurs eux-mêmes le réclament.

Problématique importante (handwritten note)

Certaines organisations collaborent avec les fournisseurs et les producteurs outre-mer, afin de veiller à ce que les ouvriers travaillent dans les conditions les plus décentes possibles :

- Les producteurs et les employés sont autorisés à se syndiquer et à réclamer le soutien d'organisations qui visent à protéger leurs droits et à leur assurer des conditions de travail décentes.

 ✔ Les ouvriers reçoivent des salaires décents, des conditions de travail
 correctes, et peuvent ainsi nourrir leur famille.

 ✔ Le travail des enfants est proscrit.

 ✔ Les méthodes de production ne sont pas hostiles à l'environnement et
 ne recourent pas aux pesticides.

Si vous souhaitez vérifier que les producteurs et les employés qui ont
fabriqué vos vêtements ont été correctement traités, achetez vos vêtements
dans des organisations à but non lucratif comme les boutiques présentes
sur la plate-forme du commerce équitable ou sur Internet à travers toutes les
marques qui défilent dans le Ethical Fashion Show.

Mode éthique : Ethical Fashion Show

Crée par Isabelle Quéhé et organisé par Universal Love, l'EFS réunit
différents acteurs de la mode éthique. Son objectif est de promouvoir les
créateurs de mode éthique, de faciliter les relations commerciales et le
dialogue entre les différentes entreprises concernées par les thèmes de
développement durable dans le textile et le design. Chaque année, l'EFS
organise des défilés, des conférences et des marchés éthiques. Vous pouvez
consulter son programme sur www.ethicalfashionshow.com

Voici quelques-unes des marques qui sont présentes dans ce show :

www.sakinamsa.com	www.veja.com
www.ideo-wear.com	www.bilum.fr
www.article-23.com	www.audoin-bosabo.com
www.g98.fr	www.coqenpate.com
www.cruselita.com	www.altheane.com
www.ethosbio.net	www.numanu.com
www.recyclaid.org	www.tudobom.fr
www.machja.com	www.poulpiche.com
www.laviedevantsoie.com	www.les-racines-du-ciel.com

Il existe une institution similaire pour les producteurs de nourriture, gérée
par la Fondation du commerce équitable. Les produits issus du commerce
équitable portent le logo correspondant. Ce logo est attribué au coton
du commerce équitable à l'aide duquel de nombreux vêtements éthiques
peuvent être confectionnés. Vous en apprendrez davantage sur le système du
commerce équitable dans le chapitre 7.

Certaines entreprises du commerce mondialisé et institutions à but non
lucratif qui vendent des vêtements sont enregistrées dans le registre de
l'International Fairtrade Association (IFTA). Vous obtiendrez davantage
d'informations en vous rendant sur le site internet www.ifat.org

Vivre dans le monde de la matière

(handwritten) → première chose à faire.

Regardez les étiquettes des vêtements que vous envisagez d'acheter. Les informations fournies vous donnent une idée de la dimension écolo de l'article. Elles vous indiquent son origine, sa matière, ce qui vous fournit déjà des indications sur le processus de fabrication employé.

(handwritten, left margin) faire une page avec pleins d'étiquettes

Les fibres naturelles comme le coton, qui proviennent de plantes et d'animaux, doivent avoir votre préférence. Les fibres synthétiques créées à l'aide d'un processus qui suppose l'utilisation de produits chimiques doivent être évitées. Les fibres synthétiques sont généralement moins chères que leurs concurrentes naturelles, à la fois pour ce qui concerne la qualité et le coût.

Porter des matières vertes

En dépit des réserves que l'on peut émettre à propos de la dimension éthique ou écolo de certaines des matières utilisées dans l'industrie du vêtement, le nombre de cultures durables est en augmentation :

(handwritten, left margin) Produit à prioriser ?

- ✔ **Le chanvre** est l'une des matières les plus vertes qui soient parce qu'il résiste naturellement aux parasites et ne nécessite pas l'usage de pesticides. Il est facile à cultiver en grandes quantités et enrichit le sol, ce qui constitue deux de ses principaux avantages.

- ✔ **Le lin** résiste aux parasites et sa culture est plus facile que celle du coton.

- ✔ **Le coton biologique** n'est pas génétiquement modifié. Il permet l'utilisation d'engrais et de pesticides naturels, et l'application de méthodes de culture traditionnelles. La **laine biologique** est également recommandée.

- ✔ **Les matières recyclées** constituent également un choix vert. Par exemple, les vêtements et les chaussures conçus pour les intempéries peuvent être réalisés dans du polyester recyclé, du caoutchouc, et même des pneus de voiture.

- ✔ **La soie** est produite à partir de la salive du bombyx, communément appelé ver à soie, mais qui est en fait une chenille. Il s'agit d'une matière durable mais il faut des milliers de chenilles pour produire une cravate en soie. Certaines personnes préfèrent éviter d'en acheter parce que ce tissu ne peut être produit sans occasionner la mort d'une créature vivante.

Faire le lien entre les vêtements et le pétrole

Environ 25 000 barils de pétrole servent tous les jours à fabriquer des matières diverses, bien souvent destinées à la confection de vêtements. Le pétrole est une énergie fossile non renouvelable et l'industrie pétrochimique peut occasionner une pollution sérieuse. Les matières qui en sont dérivées ne sont pas biodégradables, et de grandes quantités de gaz à effet de serre sont émises au cours du processus de production.

Les matières synthétiques les plus populaires – le nylon et le polyester – sont dérivées de produits pétrochimiques. La transformation de produits dérivés de l'industrie pétrochimique en fibres suppose l'utilisation d'une grande quantité d'énergie et conduit à l'émission de gaz à effet de serre. La fabrication du polyester requiert beaucoup d'eau.

Parce que la fourrure est moins utilisée dans l'industrie de la mode, la fausse fourrure est devenue populaire. Il faut jusqu'à quatre barils de pétrole pour fabriquer une simple veste. Réfléchissez bien avant d'acheter une fausse fourrure, car la vraie peau est conforme au développement durable aussi longtemps que l'animal n'est pas en voie d'extinction. Toutefois, la fausse fourrure n'est absolument pas écologique. Si vous ne voulez pas acheter de vraie fourrure, n'en achetez pas davantage de fausse.

Les tissus synthétiques se dégradent très lentement dans les décharges. Si vous voulez être écolo, évitez d'acheter des vêtements à base de tissu synthétique, même si leur prix est particulièrement attractif dans les boutiques.

Savoir que les matières naturelles ne sont pas forcément écologiques

Le fait que les deux fibres les plus courantes viennent de plantes (coton) ou d'une source animale (laine) ne signifie pas que ces matières soient écolo. Comme pour la nourriture, les meilleures fibres proviennent du processus de fabrication biologique, qu'elles viennent d'un champ ou du dos d'un mouton.

Le coton est l'une des fibres les plus naturelles qui existent sur la planète, mais sa récolte est l'une de celles qui peut accumuler le plus de pesticides. Le coton cultivé de manière traditionnelle concentre près d'un quart de tous les pesticides utilisés dans le monde entier. On utilise des produits chimiques parce que les plants de coton sont très sensibles aux insectes et aux champignons.

Les pesticides peuvent créer des problèmes sanitaires pour les personnes qui travaillent dans les plantations de coton. L'Organisation mondiale de la Santé (OMS) estime que trois millions de personnes sont empoisonnées chaque année par des pesticides, et que 20 000 d'entre elles en meurent. Les pesticides contaminent également les sols et les cours d'eau. Ils sont aussi néfastes pour la santé du sol à long terme. Le réseau de surveillance Pesticide Action Network of North America www.panna.org suggère que les résidus des pesticides restent dans la balle de coton après la fabrication du vêtement et qu'ils constituent un risque pour la santé des ouvriers cueilleurs. Demandez aussi à l'association MDRGF, le Mouvement pour le droit et le respect des générations futures, qui dénonce les dangers des pesticides, www.mdrgf.org

Il faut environ 20 000 litres d'eau pour fabriquer un tee-shirt en coton et si vous ajoutez les teintures utilisées ainsi que la quantité d'énergie nécessaire pour transformer le coton brut en tissu, le résultat n'est pas très vert. La fabrication de la plupart des tissus suppose le recours à de grandes quantités d'eau et peut occasionner des problèmes au sein des populations des régions sèches, où la consommation d'eau est rationnée. Il est très difficile de savoir combien de litres d'eau sont nécessaires pour un seul vêtement, mais des recherches sur le pays d'origine des articles vous en diront plus sur l'abondance et la qualité de l'eau disponible.

De toute évidence, la laine se récolte sur le dos des moutons et on ne pense pas, à première vue, à associer aux animaux les pesticides. Toutefois, ceux-ci sont utilisés pour assurer une qualité constante de la laine. Le bain chimique dans lequel on passe les moutons pour tuer les parasites contient des organophosphates que les scientifiques accusent désormais de provoquer une fatigue intense, des maux de tête, des défauts de concentration et des sautes d'humeur chez les êtres humains qui y sont exposés. Imaginez l'effet que ces produits peuvent avoir sur les moutons.

Le mouvement à but non lucratif People for the Ethical Treatment of Animals (PETA) se soucie également des mauvais traitements infligés aux ovins, parce que ces animaux peuvent être concentrés en nombre excessif dans certaines fermes, lorsqu'il est question de produire un maximum de laine en un temps record.

Les produits chimiques et synthétiques sont parfois ajoutés au coton et à la laine qui ont servi à la confection des vêtements, y compris sous forme de teintures et d'agents de blanchiment. De la même manière, les produits en polycoton ont beaucoup augmenté en nombre sur le marché. On les appelle *permanent press* ou *produits résistants au froissage*. Tous ces effets proviennent de l'utilisation de produits chimiques.

Achetez des vêtements en coton ou en laine biologique. Ces matières sont obtenues et traitées hors de tous produits toxiques.

Pour ou contre le cuir

Certaines personnes refusent de manger des produits animaux alors que d'autres refusent de porter des vêtements taillés dans la peau d'un animal, que ce soit du cuir, de la fourrure, de la peau de reptile ou même de la laine. En voici les principales raisons :

- ✔ Les produits animaux supposent la mort provoquée ou des blessures infligées aux bêtes. De ce fait, ils sont liés à la cruauté.

- ✔ La demande globale de produits animaux est trop importante, de sorte que de nombreuses bêtes sont en voie d'extinction.

- ✔ Les méthodes modernes de fabrication du cuir dans les usines nécessitent de grandes quantités d'énergie, plus encore que les autres produits de masse, alors que la véritable fabrication écolo du cuir suppose d'utiliser des teintures naturelles et de faire sécher les peaux au soleil.

Il est très difficile de trouver des alternatives écolo au cuir et à la fourrure. Le nombre croissant de boutiques de vêtements qui mettent l'accent sur les conditions de vie des animaux et les magasins végétariens qui vendent des produits en vinyle, en PVC et autres matériaux à base de produits chimiques qui exercent un impact majeur sur l'environnement nécessitent une grande quantité de pétrole, d'eau et d'énergie, et produisent beaucoup de gaz à effet de serre.

Pour décider de ce que vous voulez acheter, vous devez peser le pour et le contre, puis établir des priorités. Le meilleur moyen d'être écolo consiste à acheter moins ! Voir le paragraphe suivant, « Acheter des vêtements verts », pour y trouver des informations complémentaires.

Acheter des vêtements verts

Quand vous choisissez l'endroit où vous voulez acheter vos vêtements, demandez-vous :

- ✔ Si l'article a été produit localement, ce qui lui permet de soutenir l'économie de la région et de ne pas nécessiter trop de transport jusqu'à la boutique.

- ✔ Si le produit a été fabriqué et produit par une société connue pour son engagement éthique.

- ✔ Si le produit a été réalisé à l'aide de matériaux durables comme le coton biologique, le chanvre, le lin ou diverses matières recyclées, notamment des teintures non toxiques.

questions intéressantes

Si vous pouvez répondre par l'affirmative à toutes ces questions, alors vous achetez les vêtements les plus écolo.

Plus vous rapportez d'emballages et de sac en plastique chez vous en même temps que vos nouveaux vêtements, plus vous gaspillez les ressources de la planète et plus vous contribuez à créer des déchets. Achetez les vêtements sans emballage et ramenez votre sac réutilisable au magasin.

Si vous tapez « mode écologique » sur votre moteur de recherche, vous trouverez de nombreux sites web qui vendent des vêtements verts. Voici quelques adresses pour orienter vos recherches ; cf. plus haut le Ethical Fashion Show qui regroupe un fois par an toutes les marques éthiques :

- Ideo : www.ideo-wear.com
- Patagonia : www.patagonia.com
- Machja : www.machja.fr
- Tudo bom : www.tudobom-shop.com
- Les fées du bengale : www.lesfees-debengale.fr
- Ekyog : www.ekyog.com
- Altermundi : www.alter-mundi.com
- Comptoir éthique : www.comptoir-ethique.com

L'Association anglaise pour la recherche éthique sur la consommation (Ethical Consumer Research Association) a établi une liste d'entreprises et de produits classés en fonction de leur impact sur l'environnement, et leur attribue une note de 0 à 20. Plus la société a de points, plus elle respecte l'éthique et plus elle est « écolo ». Différents aspects sont pris en compte pour établir cette note, de l'usage de produits chimiques au traitement des salariés. Ce système est appliqué non seulement aux vêtements mais aussi à tous les objets que vous êtes susceptible d'acheter. Jetez un coup d'œil au site web de cette association, www.ethiscore.org. Il faut payer l'inscription, mais quelques pages sont gratuites. En France, il existe une association, une sorte de collectif éthique de l'étiquette, www.ethique-sur-l'etiquette.org et un site d'information citoyenne sur les entreprises et leurs marques, fr.transnationale.org

Un nouveau concept est apparu, la chaussure équitable, avec la basket équitable Veja qui connaît un beau succès (www.veja.com).

Si vous cherchez une alternative au cuir, vous pouvez consulter l'association végétarienne de France : www.vegetarisme.fr, qui propose un carnet de 1 002 adresses dont :

- les cosmétiques végétariens. Le laboratoire des sources (www.laboratoiredesources.com) ou naturis (www.naturis.com) ;

✔ des vêtements pour s'habiller végétarien. Boutique vegeshirt (`www.vegeshirt.spreadshirt.net`), Biocoton (`www.biocoton.com`), Peau de chanvre (`www.peaudechanvre.com`), vêtements, bagages et accessoires, Seyes pullover (`www.lepulloverseyes.com`);

✔ des chaussures. Stewyslaps (`www.stewyslaps.com`), de la maroquinerie et des tongs, Plasticana (`www.plasticana.com`), des chaussures en chanvre sans cuir, Ecolution (`www.ecolution.com`), des chaussures et desbagages sans cuir ;

✔ et, si vous voulez nourrir votre chat ou votre chien sans faire tuer d'autres animaux, Veg' et chat (`www.vegechat.org`).

Apprécier les vêtements d'occasion et les vêtements anciens

L'une des manières de réduire le nombre de nouveaux vêtements dont vous provoquez la fabrication consiste à acheter des vêtements anciens (« vintage »). Beaucoup de vêtements de qualité sont présents sur les marchés, dans les dépôts-ventes. Les boutiques des institutions à vocation humanitaire remplissent une autre fonction. Les détaillants essaient de produire des modèles de vêtements neufs qui ont l'air usés mais cette solution n'est certainement pas écolo. Du point de vue de la défense de l'environnement, il vaut donc mieux opter pour les vêtements d'occasion.

Ce qui est génial, c'est qu'en optant pour les vêtements d'occasion vous respectez les trois R de la réduction, de la réutilisation et du recyclage. Même si beaucoup sont taillés dans des tissus non durables, le simple fait de les maintenir dans le circuit de l'offre et de la demande réduit la pression exercée sur les fabricants, qui sont tenus de présenter un nouveau stock de vêtements non durables, et donne une seconde vie à cette superbe chemise des années 1970 en polyester en la détournant quelque temps encore de la décharge.

Faites une razzia dans la garde-robe des membres de votre famille. Elle peut contenir toute sortes de trésors qui ne conviennent plus à leurs propriétaires mais que vous pouvez remodeler et retailler pour vous.

En vertu des lois qui régissent la mode, les vêtements d'occasion sont sujets aux changements de tendance, en fonction des saisons et de ce que l'on voit dans les belles rues commerçantes des villes. La plupart des acheteurs aiment mélanger et associer leurs vêtements d'occasion avec des articles à la mode.

Les vêtements de bonne qualité que vous achetez aujourd'hui dureront plus longtemps et se transformeront ensuite en vêtements d'occasion. Si vous en achetez moins et que vous en achetez de meilleure qualité, au lieu de vous embarrasser avec de nombreux articles à bas prix, vous contribuerez à long terme à réduire la quantité de vêtements produits.

Les conseils de bricolage pour les vêtements

About.com est un site britannique qui offre de superbes conseils pour entretenir les vêtements et leur donner une seconde chance. En France, il y a une liste très importante de « dépôts-ventes ». Vous laissez vos vêtements en vente et on vous appelle si le dépôt-vente a trouvé preneur pour une deuxième vie.

Vous pouvez aussi trouver des sites d'occasion. Par exemple, www.planeteachat.com pour des vêtements d'occasion.

✔ Évitez d'utiliser un sèche-linge et faites sécher votre linge naturellement. Le fait de passer constamment les vêtements dans le sèche-linge les fait rétrécir et vieillir prématurément. En fait, nous lavons trop : ne lavez que lorsque vous disposez d'une charge pleine pour votre tambour.

✔ Lavez les vêtements épais tels que les chaussettes et les pullovers en les retournant, c'est un geste qui les revitalise.

✔ Utilisez de l'eau tiède ou de l'eau froide pour vos lavages, afin de protéger la forme et la couleur de vos vêtements, surtout s'ils sont en coton.

✔ Prétraitez vos taches immédiatement, elles partiront plus facilement au lavage. Frotter un savon ordinaire sur une tache est très efficace.

Si vous connaissez la différence entre une machine à coudre et un tailleur, vous pouvez prolonger la vie de certains vêtements en appliquant les conseils suivants :

✔ Retournez les cols des chemises en retirant proprement l'ancien col et en le replaçant à l'envers sur la chemise.

✔ Transformez les pantalons longs en pantacourts ou en shorts (surtout dans le cas d'enfants qui se font des trous aux genoux) en coupant les jambes du pantalon à hauteur du genou.

✔ Réparez les trous en y appliquant un patch, soit dessous, soit dessus. Les patchs à coudre sont bien plus efficaces que ceux qui sont à appliquer au fer à repasser.

✔ Les vêtements vraiment trop usés font d'excellents napperons, chiffons, lavettes, serpillières, chiffons à chaussures, et peuvent servir à toutes sortes de tâches dans la maison. Pensez à récupérer les boutons, les fermetures à glissière, les élastiques et les accessoires de toutes sortes pour les utiliser sur d'autres vêtements.

Toutes ces idées relèvent du bon sens que nos grands-parents appliquaient naturellement parce qu'il n'y avait alors pas beaucoup d'argent pour acheter de nouveaux vêtements. Aujourd'hui, elles sont associées à un mode de vie écolo, mais la vie est trop courte pour repriser les chaussettes !

Une recherche rapide sur Internet montre que les vendeurs de vêtements d'occasion se multiplient sur la Toile. La seule difficulté consiste à savoir qui vend d'authentiques vêtements d'occasion et qui vend des vêtements neufs transformés pour avoir l'air un peu usés.

Essayez les magasins des institutions à vocation humanitaire, ainsi que les sites de vente aux enchères. Écrivez « vêtements d'occasion » sur un moteur de recherche et vous trouverez des dizaines de boutiques, dont certaines se trouvent peut-être dans votre région ou même votre quartier.

Quand vous cherchez des vêtements d'occasion, emportez ceux dont vous voulez vous débarrasser. Vous pourrez peut-être les vendre ou organiser un échange.

Se débarrasser des vêtements usagés

La plupart des vêtements qui ne sont plus à la mode finissent à la poubelle et, de là, dans les décharges. En dépit de la prolifération des boutiques à vocation humanitaire, seul un cinquième de tous les vieux vêtements est donné à ces organismes (soit directement apporté à la boutique, soit déposé dans les bennes que l'on trouve de plus en plus aux abords des supermarchés). De nombreux articles destinés aux banques de vêtements sont achetés par des sociétés privées qui les confient aux organismes à but non lucratif. Ceux-ci les revendent aux pays émergents.

Peut-être serez-vous satisfait de savoir que les vêtements que vous avez fini de porter trouvent une seconde vie dans un autre pays où les gens ne peuvent se permettre de suivre la mode, mais souvent, ils ne sont pas adaptés au climat ou à la culture de ce pays. De plus, vous pouvez nuire sérieusement à l'industrie textile de ces pays, ce qui pourrait forcer les fabricants locaux à fermer leurs usines.

Les vêtements qui ne sont ni envoyés à l'étranger ni recyclés se retrouvent dans les décharges. Certains, comme les collants et autres articles qui comportent une forte proportion de nylon, peuvent prendre des centaines d'années avant de se dégrader et de disparaître. Les produits toxiques utilisés dans leur production risquent de s'infiltrer dans le sol et dans les cours d'eau proches. Beaucoup de pays européens sont également confrontés au manque de place pour les décharges.

Chapitre 9

Miser sur votre éthique

. . . .

Dans ce chapitre :

▶ Pourquoi il est important d'investir vos économies dans de bons placements

▶ Comment préparer votre stratégie éthique

▶ Où trouver des organisations éthiques

▶ Comment souscrire un emprunt vert

▶ Quand laisser dormir votre argent

▶ Comment donner vert

▶ Où trouver des conseils pour investir vert

. . . .

*V*ous pouvez adopter un comportement écolo non seulement chez vous, mais aussi dans votre jardin ou dans les magasins. Ce que vous faites de votre argent affecte la planète et ses habitants, et vous pouvez investir de manière à être sûr de ne pas nuire à autrui, voire à lui faire du bien. L'investissement dans des produits financiers qui visent à favoriser la planète et les terriens est généralement désigné sous le nom de placement éthique.

Les prorités et la conception de l'éthique peuvent varier d'une personne à l'autre. Certains épargnants voudront éviter les produits qui endommagent l'environnement mais préféreront ne pas boycotter une société qui ne paie pas correctement ses employés. D'autres se soucieront davantage de la manière dont une entreprise traite ses fournisseurs et ses salariés que des dégâts qu'elle peut infliger à la nature. C'est à vous de décider ce qui est important et d'investir votre argent en conséquence.

Faire verdir votre argent

Votre argent a du pouvoir. Vous pouvez choisir de n'acheter que des produits verts ou conformes à l'éthique, comme ceux qui sont indiqués dans les pages de ce livre. Plus la demande augmentera, plus il y en aura dans les magasins. Heureuse conséquence, les coûts diminueront, ce qui mettra les articles verts à la portée de davantage de gens.

Vous avez aussi le pouvoir de choisir la manière de *ne pas* dépenser votre argent en boycottant des biens, des services et des produits qui, selon vous, portent préjudice à la planète ou aux personnes qui interviennent dans leur fabrication. Si beaucoup de consommateurs boycottent un produit, l'entreprise qui les vend sera peut-être forcée de changer ses pratiques afin de mieux traiter la planète et les agents de production.

Bien que les gestionnaires de votre banque, de votre agence immobilière, de votre fonds de retraite ou d'investissement investissent et gèrent votre argent à votre place, vous avez le choix entre ne pas vous intéresser à la manière dont ils se servent de votre argent et imposer le type de débouchés que peut trouver votre argent. Si vous adoptez la première approche, votre fortune sera peut-être placée dans des sociétés qui privilégient l'environnement ou ses travailleurs ou non. Le choix vous revient. Réfléchissez soigneusement à ce que vous voulez faire, à ce que vous refusez, et prenez l'avis d'un conseiller sensible à l'éthique.

Dans tous les cas, prenez le temps de surveiller votre compte bancaire, votre compte épargne et vos investissements. Sachez où votre argent est investi et jusqu'où les fonds et les entreprises concernées respectent les principes de l'éthique. S'ils ne sont pas assez verts, déplacez votre argent.

Vous pouvez vous documenter grâce au guide *Environnement : comment choisir ma banque ?* publié par les Amis de la Terre et la CLCV (www.clcv.org ou www.amisdelaterre.org). Le site Testé pour vous (www.testepourvous.com), un observatoire dans les domaines de la banque, du crédit, de l'assurance, des placements et des éco-prêts, peut vous fournir des renseignements supplémentaires.

Ouvrir un compte conforme à l'éthique

L'un des moyens d'utiliser votre argent de manière éthique consiste à le placer sur un compte vert. Vous pouvez parler à votre banquier de ce type de produit, comme de tout autre type de produit bancaire. Demandez-lui de vous renseigner sur le code éthique adopté par les entreprises concernées, ainsi que sur leur politique sociale et environnementale.

N'oubliez pas que certaines banques peuvent offrir un compte totalement conforme du point de vue éthique tout en ignorant les questions écolo et l'éthique dans le reste de leurs agissements. Vous devez être sûr que votre banque adopte un comportement correct du point de vue éthique, et qu'elle se sert de votre argent en respectant les mêmes principes.

Certaines banques et sociétés de crédit immobilier découvrent tout juste le fait que leurs clients s'intéressent à la planète et au bien de ses habitants, humains, animaux et plantes. Si votre banque ou votre société immobilière ne peut vous offrir une version verte du type de compte que vous recherchez, qu'il s'agisse d'un compte courant vous permettant de retirer de l'argent à un distributeur automatique ou un compte épargne, n'hésitez pas à changer votre argent de place. Expliquez que vous partez parce que vous souhaitez trouver un compte écolo.

Les sociétés de crédit immobilier sont des organisations de type mutuel qui sont gérées en fonction des intérêts de leurs membres plutôt qu'en fonction des désirs de leurs actionnaires. Votre société de crédit est donc moins susceptible qu'une banque d'investir dans la vente d'armes ou de miser sur des dictatures.

En dehors des noms les plus connus, vous pouvez essayer les adresses suivantes :

- **Épargne en conscience.** Des fonds éthiques et des fonds solidaires (www.epargne-en-conscience.fr) ;

- **Finansol.** Un collectif associatif des finances solidaires (www.finansol.org) ;

- **La Nef** (www.lanef.com) ;

- **Le Crédit coopératif** se décrit comme une banque verte ou éthique depuis de nombreuses années (www.credit-cooperatif.coop) ;

- **Cigales, Clubs d'Investisseurs** (www.cigales.asso.fr) ;

- **Garrigue** (www.garrigue.net) ;

- **Les Eco Business Angels** (www.ecobusinessangels.com) ;

- **Novethic** (www.novethic.fr).

Cette liste ne signifie pas que nous recommandions ces institutions. Nous les citons simplement pour vous donner une idée du fonctionnement du système bancaire écolo.

Il faut également penser aux comptes islamiques qui sont offerts par l'Islamic Bank of Britain ou des banques plus classiques comme la Lloyds TSB. Dans la suite du chapitre, nous vous donnons d'autres détails sur la manière de « Tirer parti du système bancaire ».

Les comptes bancaires éthiques et écolo sont de plus en plus populaires et l'offre augmente. Comme pour tout autre type de compte, vous devrez effectuer quelques recherches pour savoir lequel vous convient le mieux, à la fois sur le plan de vos intérêts et de vos soucis éthiques.

Parce que l'éthique écolo ne coïncide pas toujours avec des choix bien tranchés et que l'application varie selon les institutions bancaires, vous constaterez peut-être que vous avez besoin d'établir des priorités pour savoir ce qui compte le plus pour vous. Après avoir exploré les différentes options, par exemple, vous vous rendrez peut-être compte que vous voulez travailler avec une institution particulière qui, si elle ne vous donne pas satisfaction sur tous les points, participe au changement et vous offre une occasion d'exprimer votre opinion dans la mise en œuvre de ce changement.

Investir dans des placements éthiques

Des citoyens anglais qui vous ressemblent ont investi environ 4,5 milliards d'euros sur le marché éthique en Angleterre. Les fonds sur lesquels ils ont misé se sont engagés à ne pas investir d'argent dans des sociétés qui nuisent à l'environnement, qui ne défendent pas les droits de l'homme, des animaux et de la flore sauvage. Certaines institutions encouragent activement les sociétés à visée écologique. L'argent que vous déposez est uniquement placé dans des entreprises vertes.

La plupart de ces institutions de crédit offrent quelques investissements verts ou éthiques, financent des retraites, des assurances-vie et des produits d'épargne. Certaines offrent des emprunts verts (voir, un peu plus loin dans ce chapitre, le paragraphe « Emprunter de l'argent pour une maison verte »). Comme la demande de produits verts et éthiques augmente, on trouve de plus en plus de produits de ce type.

Ces investissements s'appellent des ISR (investissements socialement responsables) ou des produits éthiques.

Demandez où va l'argent que vous placez dans un fonds d'investissement, et comment il est utilisé. Par exemple, si vous investissez dans un fonds éthique, votre argent sera mis en commun avec celui d'autres investisseurs et servira à acheter des parts dans des sociétés qui ont une bonne réputation éthique, et dont on sait qu'elles traitent bien leurs employés tout en protégeant l'environnement. Comme pour n'importe quel fonds d'investissement, vous gagnez de l'argent lorsque la valeur du point de cotation en bourse augmente.

Vous pouvez choisir d'investir dans des fonds vert clair ou vert foncé. Plus le fonds est vert, plus les règles qui régissent les investissements sont strictes. Par exemple, un fonds dont le seul principe est de ne pas investir dans des sociétés qui pratiquent les tests de laboratoire sur les animaux n'est pas aussi vert que celui qui ajoute, à cette règle, celle de ne pas produire de pesticides nocifs pour la nature.

L'Ethical Investment Research Service (Eiris) est un organisme à but non lucratif qui soutient l'étude indépendante du comportement de milliers de sociétés différentes. Son site web www.eiris.org possède un répertoire de conseillers en investissements éthiques et une rubrique « questions fréquemment posées » qui vous apportent des renseignements utiles sur l'investissement éthique. En France, allez voir le guide « environnement : comment choisir ma banque ? » sur les sites suivants : www.clcv.org ou www.amisdelaterre.org. Vous pouvez aussi vous renseigner auprès d'Épargne et conscience ou Novethic (cf. page précédente).

Faire verdir votre retraite

Le placement le plus courant concerne les fonds de pension. Certains d'entre eux appliquent des principes éthiques, d'autres non. Toutefois, les gestionnaires du fonds doivent vous informer sur ces principes, et, le cas échéant, les détailler. Demandez une copie des « Principes d'investissement » concernant votre fonds et voyez quelles en sont les bases éthiques, sociales et environnementales.

Vous pouvez exercer une influence sur la manière dont votre fonds de pension utilise votre argent et transférer votre épargne vers un investissement socialement responsable.

Si vous n'avez pas souscrit à un fonds de pension et que vous avez l'intention de réfléchir au financement de votre retraite, cherchez autour de vous un placement qui respecte vos principes éthiques, mais sachez qu'il y en a peu par rapport au nombre de fonds de pension classiques. Essayez les organismes les plus connus et prenez conseil auprès d'un conseiller financier indépendant, spécialisé dans les investissements à dimension éthique.

Sollicitez des avis extérieurs avant d'investir.

Placer votre argent sur des actions conformes à l'éthique

Si vous détenez directement des parts de société, renseignez-vous sur leur éthique commerciale et voyez si elles présentent un rapport social ou environnemental conforme à votre souhait.

En investissant dans des fonds indiciels qui défendent certaines valeurs éthiques et dans des sociétés qui défendent la responsabilité sociale, vous encouragez leur action. Un autre moyen de faire des affaires plus vertes consiste à acheter des actions de sociétés qui sont sur le point de changer, de sorte que vous pourrez faire entendre votre voix et influencer leur comportement à venir grâce à votre droit de vote au sein des réunions des actionnaires.

Le *FTS4Good* est un index du marché boursier qui fournit une liste des entreprises engagées dans la défense des principes éthiques. Certains fonds d'investissement suivent cet index : si la valeur des actions suivies par l'index augmente, votre investissement se trouve valorisé. *Ethex* est un marché boursier éthique dont les clients peuvent acheter et vendre des actions dans des sociétés qui respectent les principes éthiques, notamment les entreprises du *commerce équitable*, ainsi que l'explique le paragraphe intitulé « Examen des pratiques de prêt ».

La valeur de vos investissements peut monter ou descendre, il n'existe aucune garantie. Même si les actions d'une société donnée se sont bien comportées par le passé, cela ne signifie pas qu'elles continueront à monter à l'avenir. Vous prenez un risque. Ne misez pas de somme que vous ne puissiez vous permettre de perdre. Ce principe vaut pour tout investissement boursier, qu'il soit éthique ou non. Par ailleurs, les investissements éthiques ne vous donnent pas toujours d'aussi bons retours que les autres. Les actions dans des entreprises qui fabriquent des médicaments, des cigarettes et des armes sont bien plus lucratives. Il faut payer pour ses principes écolo.

Si vous souhaitez, par le biais du marché boursier, investir dans des sociétés qui défendent des principes éthiques prenez avis auprès d'un agent de change qui s'occupe des marchés éthiques. Vous obtiendrez plus d'informations dans le paragraphe intitulé « Trouver un conseil financier écolo ».

Investir dans l'assurance

Si vous cherchez bien, vous pouvez même trouver des assurances éthiques. Parlez à votre agent d'assurances et menez votre enquête en regardant sur le site de Testé pour vous (www.testepourvous.com).

Une société d'assurances éthique soutiendra, par exemple, des projets en faveur de l'environnement ou du bien-être des animaux. Animal Friends Insurance, par exemple, (www.animalfriends.org.uk) est une association à but non lucratif qui réinvestit tous ses bénéfices dans l'aide aux animaux en difficulté, un peu partout dans le monde. Parmi les projets qu'elle a soutenus, citons The Gambia Horse et Donkey Trust, la Born Free Foundation et la Philippine Dog Rescue, ainsi que divers projets en Angleterre.

Choisir une institution éthique

Pour investir votre argent, vous devez décider quelles institutions financières et quels produits financiers sont conformes à votre vision de l'écologie ou de l'éthique. Vous voudrez peut-être miser sur une organisation connue et vous intéresser aux pays où elle investit, vous saurez si elle soutient des entreprises qui font travailler ou non les enfants. Ou bien vous préférerez une société qui ne place pas son argent dans des entreprises polluantes.

Il se peut que vous vous détourniez des grandes banques et des sociétés de crédit immobilier pour aller vers des organisations qui investissent au niveau local, ou des communautés qui défendent une religion ou certaines croyances. Menez vos recherches, demandez aux organisations quels sont leurs engagements éthiques ou écolo, et réfléchissez à toutes les alternatives avant de prendre une décision.

Étudier les pratiques de prêt

C'est par sa politique de prêt qu'un établissement bancaire ou immobilier a le plus grand impact. S'il n'a pas de principes éthiques, il peut soutenir des entreprises qui vendent des armes, nuisent à l'environnement ou exploitent leurs employés. Menez votre enquête sur le site de Testé pour vous (www.testepourvous.com).

Même si vous ne possédez aucune économie et que vous avez simplement besoin d'une banque pour y ouvrir un compte courant sur lequel sera versé votre salaire et qui vous permettra de signer des chèques pour payer vos factures, veillez à sa politique de prêt. Sinon, changez de banque en expliquant pourquoi. Si vous avez un peu d'argent, choisissez une banque ou une société immobilière qui ne soutiendra pas les entreprises dont vous désapprouvez l'action.

Un bon exemple d'organisme de prêt conforme à l'éthique est fourni, en France, par la Nef www.lanef.com, une société coopérative de finances solidaires. Votre argent est complété par celui d'autres clients, et sert à investir dans des projets liés à l'environnement.

Retirer des avantages de vos placements en banque

Que vous soyez musulman ou non, vous constaterez peut-être que la banque islamique vous convient. Selon le principe de cet établissement, il n'y a aucun paiement d'intérêts sur les comptes et les investissements. Vous optimisez votre épargne parce que les sommes sont investies dans des transactions réelles. Votre argent sert à acheter des parts dans une société. Lorsque cette entreprise réalise des bénéfices, un versement est effectué en votre faveur. Les sociétés sur lesquelles la banque investit doivent se conformer aux principes de l'Islam. Vous êtes donc sûr de ne pas placer votre argent dans des entreprises qui vendent du tabac, de l'alcool ou de la pornographie, par exemple.

Miser sur une banque alternative

Les banques et les sociétés de crédit immobilier ne sont pas les seuls lieux où placer votre argent. Les sociétés de crédit (encore appelées caisses de crédit) sont des coopératives financières qui appartiennent à leurs membres et sont contrôlées par leurs soins. Elles offrent des produits d'épargne et des emprunts bien rémunérés. Par ailleurs, elles sont locales, plus susceptibles de respecter les principes éthiques, et elles savent ce que veulent leurs actionnaires.

Les sociétés de crédit appliquent une sorte de code pour accepter de nouveaux membres. Les membres peuvent travailler pour la même entreprise, vivre dans la même région ou appartenir à la même Église, au même club ou au même syndicat. Ils économisent de manière régulière. Lorsqu'ils disposent d'une somme suffisante au sein de la société de crédit, ils peuvent demander un prêt. Les sociétés de crédit proposent généralement un taux plus intéressant que les banques et il n'y a pas à craindre de frais cachés ni de pénalités si l'on souhaite rembourser l'emprunt plus tôt.

Le principe des sociétés de crédit consiste à aider les gens. Si une personne est endettée, elles peuvent lui consentir un prêt pour l'aider à se sortir de son endettement. Les caisses de crédit peuvent intervenir là où les banques refusent de le faire. Vous vous rendrez peut-être compte que ce que vous pouvez emprunter vous permet de rendre votre maison plus écologique.

Emprunter pour construire une maison verte

Si vous souhaitez construire une maison écolo, acheter et rénover un bâtiment en mauvais état pour le transformer en habitation écolo ou même adapter votre logement, vous aurez sans doute besoin de contracter un *emprunt* qui sera indexé sur la valeur de la propriété concernée.

Parmi les organismes ayant pignon sur rue, peu sont spécifiquement conçus pour encourager les projets écolo, mais ils sont nombreux à accepter de prêter de l'argent pour acheter, construire ou rénover une propriété sans se soucier de vos goûts. Soyez patient et menez votre enquête. Parlez à votre banquier : s'il oppose des objections ou dresse des obstacles, essayez de négocier. Les sociétés de prêt se soucient toujours des risques qu'elles encourent, et se demandent si elles récupéreront leur argent si vous ne pouvez faire face aux remboursements. Parlez au représentant de votre organisme de prêt hypothécaire pour évaluer sa flexibilité.

Vous serez peut-être capable de négocier un emprunt progressif : dans ce cas, l'organisme de crédit accepte de vous donner accès en une fois à une certaine somme d'argent, mais échelonne les remboursements lorsque les tranches de travaux sont terminées.

Monter un dossier d'emprunt écolo

Il existe aussi une possibilité d'emprunter à un organisme qui propose des emprunts verts, spécifiquement conçus pour les bâtiments écologiques. L'*emprunt vert* est accordé pour des logements construits ou rénovés de manière à réduire leur impact négatif sur l'environnement. Généralement, il n'est garanti que pour une maison écolo.

Les crédits ou subventions aux projets environnementaux de particuliers peuvent passer par l'Agence de l'environnement et de la maîtrise de l'énergie : l'Ademe (www.ademe.fr) ou l'Agence nationale pour l'amélioration de l'habitat (renseignements sur des aides possibles : www.anah.fr).

Bien que les organismes de prêt classiques s'intéressent de plus en plus aux emprunts verts, les banques les plus promptes à aider sont celles qui font partie du réseau Finansol, dont par exemple La Nef. Cependant, chacune d'elles applique des critères différents pour le choix de ses clients et le type de bâtiment dont elle encourage la construction. La plupart des organismes de prêt ne travaillent pas avec les entreprises qui, de notoriété publique, polluent ou endommagent l'environnement. Les organismes de crédit qui offrent des emprunts verts soutiennent souvent des associations d'aide à but non lucratif qui défendent l'environnement ou qui s'occupent de personnes en situation difficile.

Sur le plan des intérêts, votre emprunt vert peut vous coûter plus cher qu'un emprunt classique.

Dans certains cas, lorsque vous souscrivez un emprunt vert, l'organisme de crédit effectue un audit des performances énergétiques de votre maison, afin de déterminer quelle quantité de gaz à effet de serre est émise et comment l'énergie est utilisée. Vous pouvez tirer parti des renseignements qui visent à alléger votre impact sur l'environnement, et apprendre ainsi à réduire vos factures d'électricité et de gaz !

L'organisme de crédit acceptera de vous prêter de l'argent si vous lui démontrez que votre maison est assez verte ou que vous la rendrez assez verte.

Obtenir des prêts pour apporter des transformations écologiques

Le chapitre 3 évoque les mesures que vous pouvez prendre pour produire une partie de votre électricité domestique par le biais de l'énergie solaire ou par un système d'éolienne. Ce chapitre vous indique également quelles sont les subventions disponibles pour vous aider à financer ces modifications. Toutefois, les aides financières ne couvriront pas tous les frais.

Si vous avez besoin d'emprunter de l'argent pour compléter une subvention, contactez une banque ou une société de crédit immobilier. Les trois institutions financières qui offrent des emprunts verts (mentionnées dans le paragraphe précédent) pourront peut-être financer vos travaux de rénovation. Bien entendu, vous pouvez essayer de convaincre les organismes classiques de vous prêter cet argent, même s'ils n'offrent pas d'emprunt spécifiquement vert.

Rénover des propriétés anciennes pour en faire des maisons vertes

Si vous rénovez un vieux bâtiment comme une grange, un phare ou toute autre construction à l'abandon pour en faire votre logement, votre démarche est très écolo. Vous vous servez d'un site existant et, la plupart du temps, de matériaux existants. Les organismes de prêt qui consentent des emprunts verts (voir le paragraphe précédent intitulé « Obtenir des prêts pour apporter des transformations écologiques) – notamment la Nef – apprécient beaucoup les projets de remise en état de bâtisses anciennes. Ils y voient une forme de recyclage. Demandez à votre banquier ou à un responsable au sein d'une société de crédit immobilier s'il existe une possibilité de prêt pour ce genre de travaux. Si vous essuyez un refus, tournez-vous vers les principaux organismes de crédit écolo.

Se débrouiller sans argent liquide

C'est peut-être l'argent qui fait tourner le monde, mais les liquidités ne sont pas toujours nécessaires. Vous pouvez agir sans recourir aux billets de banque et investir dans des projets communautaires qui sont plus équitables, éthiquement plus sains, et plus écolo.

Investir dans les SEL (système d'échange local)

Les SEL sont des réseaux locaux au sein desquels les membres échangent toutes sortes de services et de biens. Ce troc se passe totalement d'argent. Les SEL sont implantés au sein des communautés locales et se servent d'une monnaie alternative qui n'est pas l'euro. Par exemple, si vous êtes doué pour l'ébénisterie et que vous fabriquez une table pour quelqu'un, vous recevez en échange un certain nombre de points dans la monnaie choisie par le SEL. Vous pouvez ensuite utiliser ces points pour payer quelqu'un qui fera pour vous du baby-sitting. Les réseaux de ce genre encouragent la réduction des achats de nouveaux produits et le partage, ce qui crée un moindre impact sur l'environnement.

Il existe des centaines de SEL en Angleterre et en France. Vous obtiendrez davantage d'informations, notamment pour savoir comment créer votre propre réseau SEL, en vous rendant sur le site internet www.selidaire.org, et aussi www.sel-selistes-internautes.fr

Partager vos compétences à la Banque du temps

La Banque du temps est un réseau par le biais duquel les personnes d'une région donnée se portent volontaires afin de partager leur temps et leurs compétences. Elles rendent ainsi un service à un tiers, ce qui leur permet de bénéficier d'un capital temps à la banque. Ensuite, ce temps peut être retiré de la banque lorsque vous avez besoin d'un service, qui vous sera à son tour rendu par un tiers. Un gestionnaire du temps vérifie le temps passé et met en rapport les personnes qui ont besoin d'échanger des services. Aucun paiement n'intervient.

Le temps est le même pour tout le monde : une heure de votre temps vous apporte un crédit égal, quelle que soit votre activité.

Vous obtiendrez davantage d'informations en vous rendant sur le site internet www.banquedutemps.com géré par l'association à but non lucratif qui gère les réseaux locaux en apportant des idées, des conseils et une aide pratique. La Banque du temps fait appel à des personnes qui savent que leur temps et leurs activités sont demandés, mais qui ignorent comment se mettre en rapport avec autrui.

Donner de manière éthique

Si vous voulez donner une partie de l'argent que vous avez durement gagné, des milliers d'organisation à but non lucratif seront trop heureuses de l'accepter. Choisissez soigneusement votre association, afin de répondre à vos convictions écologiques et éthiques. Vous pouvez faire des dons auprès de projets de construction ou d'épuration de l'eau, dans des régions proches ou éloignées de chez vous. Quels que soient vos principes, vous trouverez un organisme à vocation humanitaire qui les respectera.

Peut-être voudrez-vous mener vos recherches en appelant le siège d'un organisme à but non lucratif, afin de savoir quelle est la part de votre argent qui sera effectivement investie dans le projet que vous avez choisi, et quelle part sera réservée à la gestion administrative.

Voici quelques-unes des formules de dons et quelques moyens de vérifier que votre argent est bien arrivé à destination :

- ✔ **Les cartes de vœux vendues par les organismes à vocation humanitaire** sont très populaires, et vous n'avez pas à vous engager durablement par vos dons en les achetant. Elles sont vendues dans les boutiques des dits organismes ou, à l'occasion des fêtes de fin d'année, dans votre supermarché, les grands magasins, les marchés de Noël, les kiosques.

- ✔ **Les cartes de crédit affiliées à un organisme à but non lucratif** reversent un petit pourcentage de vos dépenses, généralement 0,25 %, à l'association humanitaire.

  Par exemple, la Royal Bank of Scotland offre à ses clients la possibilité de soutenir le Royal National Lifeboats Institute ou le Woodland Trust. Les clients de la Banque d'Écosse peuvent effectuer des versements en faveur de Mencap, de Cancer Research UK (Écosse) ou de la Scottish Society for the Prevention of Cruelty to Animals. Nationwide's Card effectue des dons à l'association Comic Relief.

  Les cartes de crédit de ce style appliquent le plus souvent un taux d'intérêt plus élevé que les cartes de crédit classiques.

- ✔ **Le système de débit direct** prélève directement sur votre compte le montant mensuel que vous avez indiqué à l'organisme de votre choix.

Vous pouvez aussi donner par le biais de votre entreprise. Votre don est prélevé directement sur votre salaire et versé à l'organisme à vocation humanitaire. Et parce que vous ne payez pas d'impôt sur ce montant, c'est efficace sur le plan de la fiscalité.

Lorsque vous offrez des cadeaux aux amis et aux parents, vous pouvez vous montrer écolo. Le chapitre 9 vous suggère quelques idées de cadeaux verts si vous cherchez un don utile. L'autre moyen de faire des cadeaux verts consiste à donner de l'argent en faveur d'un projet ou à acheter quelque chose au nom d'un ami. La somme investie servira, ailleurs dans le monde, à une personne dans le besoin.

Ces dernières années, les cadeaux éthiques sont de plus en plus populaires. Vous pouvez donner en faveur des chèvres, des singes, des poulets, des moutons, des arbres, des chiens guides d'aveugles, financer des chaises roulantes, des bicyclettes, des équipements scolaires, des systèmes d'épuration de l'eau. L'organisme qui gère le projet vous remet une carte ou un certificat pour indiquer que l'argent a été versé au nom d'un ami ou d'un membre de votre famille, et vous offrez ces cartes à la personne concernée pour lui montrer qu'elle a fait un don pour défendre cette cause.

Faire un cadeau de cette sorte, c'est satisfaire à tous les critères écolo : vous aidez quelqu'un, vous accomplissez un geste vert, vous n'endommagez pas l'environnement et vous n'avez plus à vous demander longuement comment faire plaisir à la personne de votre choix. Une telle initiative convient à pratiquement toutes les occasions : vacances, anniversaires, mariages, remise de diplômes, etc. Et vous ne gâchez même pas de papier d'emballage !

Trouver un conseil financier écolo

Prenez l'avis d'un conseiller financier spécialisé en investissements socialement responsables (ISR). Ces spécialistes proposent tous les services que pourrait vous offrir un conseiller financier dans un organisme classique, mais ils vous indiquent comment mettre vos projets financiers en accord avec vos principes et vos valeurs.

Si vous cherchez un conseiller financier indépendant dans votre région afin qu'il vous conseille des investissements verts, faites une recherche sur le guide *Environnement : comment choisir ma banque ?* publié par les Amis de la Terre et la CLCV (www.clcv.org ou www.amisdelaterre.org). Vous pouvez également consulter le site Testé pour vous : www.testepourvous.com. Si vous souhaitez investir dans des actions vertes, demandez à votre conseiller financier s'il peut vous aider ou vous recommander un agent de change qui comprend bien les marchés écolos. Vous pouvez aussi contacter la Nef (www.lanef.com) ou le reseau Finansol (www.finansol.org).

Quatrième partie

Penser écolo au seuil de la maison

« *Et ce petit doigt-là est allé à pied à l'école.* »

Dans cette partie...

*V*ous pouvez être écolo en dehors de chez vous. La vie verte suppose de changer votre mode de pensée et vos habitudes.

Toutes sortes de projets écolo se déroulent dans les écoles, allant du recyclage à la culture de légumes pour la cantine scolaire, aux projets d'encadrement où les parents se relaient pour accompagner à pied les enfants à l'école, en passant par la lombriculture. Quand les enfants sont impliqués, ils contribuent à faire circuler les idées écologiques dans leur groupe d'amis. Il peut être plus difficile de les convaincre de marcher jusqu'à l'école ou jusqu'à la station de bus, et d'utiliser les transports en commun. Réfléchissez-y. Si votre bureau achète du papier, pourquoi ne pas faire l'acquisition de papier recyclé ? Si vous remplacez les poubelles classiques par des poubelles de recyclage, la récupération deviendra une seconde nature. Cette partie commente la manière de porter la bonne parole auprès de vos collègues et des camarades de classe de vos enfants.

Chapitre 10

Appliquer vos idées pour créer un environnement plus écolo

. . . .

Dans ce chapitre
▶ Introduire des changements au travail
▶ Tirer le meilleur parti du télétravail
▶ Observer les principes éthiques au travail

. . . .

Comme la plupart des gens, vous souhaitez que votre entreprise soit plus sensible aux questions de l'environnement, mais si vous êtes écolo chez vous, il se peut que vous fassiez très peu de choses en faveur de l'environnement dans votre bureau. Une partie du problème vient de ce que les systèmes d'organisation professionnelle ont été créés avant votre arrivée. La remise en question de ces systèmes peut prendre tant de temps que vous oublierez votre idée. Vous avez l'impression que vous ne détenez pas assez de pouvoir pour imposer le changement. Ce chapitre vous montrera que vous pouvez créer un véritable changement. Ne vous découragez pas.

Votre employeur devra peut-être se plier à certaines législations qui concernent l'environnement. La gestion des déchets, le stockage et l'évacuation des produits chimiques ainsi que le contrôle de l'emballage sont des aspects économiques qui sont soumis à diverses régulations, en fonction de la taille et du type d'activités. Les services gouvernementaux et l'Agence pour l'Environnement peuvent vous en indiquer le détail. Vous obtiendrez davantage d'informations en vous rendant sur le site internet du ministère de l'Écologie (www.developpement-durable.gouv.fr) ou de l'Ademe (www.ademe.fr). Toutefois, les meilleures entreprises sont celles qui sont en avance sur les autres. Lorsque les régulations plus strictes sont mises en place, elles sont déjà en train d'appliquer les mesures de pointe et veillent à contrebalancer les émissions de gaz carbonique. Vous pouvez y participer.

En discutant simplement avec vos collègues de questions écologiques, vous pouvez voir s'il est possible de réduire votre impact sur la planète. Organisez une réunion, voyez quels sont les moyens de faire changer les choses, puis allez voir le patron avec vos suggestions. Les choix écolos peuvent réduire les coûts de fonctionnement d'une entreprise et si vous les présentez dès le départ sous ce jour, vous pourriez bien avoir des arguments percutants.

Bien évidemment, si vous travaillez à domicile ou si vous avez une profession indépendante, vous pouvez contrôler la dimension écologique de votre vie professionnelle. Si vous devez vous rendre dans un bureau pour travailler, allez-y avec vos principes écolo et faites en sorte qu'ils entrent dans la culture de vos collègues.

Convaincre la société où vous travaillez d'adopter de nouvelles habitudes

Ne vous demandez pas ce que votre entreprise peut faire pour vous, mais ce que vous pouvez faire pour votre entreprise. Pour faire verdir votre poste de travail, il suffit d'une personne – vous ! – pour limiter le gâchis qui a cours dans votre société, pour trouver les solutions et parler à la direction du meilleur moyen de changer les choses. Vous constaterez peut-être que vous avez alourdi votre charge de travail parce que vous avez accepté une tâche supplémentaire de gestion du changement. Mais au moins, vous saurez que vous apportez votre pierre à l'édifice.

Le changement ne sera réel que si la direction s'implique. Il faut donc mettre les responsables de votre côté, en gardant à l'esprit qu'ils ne voudront pas être entraînés dans les problèmes, mais seulement dans les solutions. Vos patrons n'ont peut-être pas le temps ni les connaissances nécessaires pour étudier l'aspect écologique du bâtiment ou des postes de travail. Ils seront heureux de bénéficier de vos lumières.

Aujourd'hui, les entreprises sont plus disposées à initier des changements, parce qu'elles savent qu'elles peuvent réaliser des économies sur leurs coûts et améliorer la productivité de leur personnel. D'ailleurs, à la vérité, la plupart des changements ne supposent pas de grandes dépenses.

Suggérez le passage d'un expert appartenant à l'une des organisations suivantes, pour qu'il étudie votre lieu de travail et propose des moyens de l'améliorer :

- ✔ Be Citizen, une société de conseil stratégique en développement durable (www.becitizen.com) ;
- ✔ Carbone4, le premier cabinet d'audit et de conseil en stratégie carbone. C'est l'expert en bilan carbone des entreprises ou des collectivités (www.carbone4.com) ;
- ✔ La société Capitalisme durable pour la promotion d'une économie durable (www.capitalismedurable.com) ;

✔ L'agence Utopies, pionnière dans le conseil en développement durable par rapport aux entreprises (`www.utopies.com`) ;

✔ Le comité 21, Comité francais pour l'environnement et le développement durable (`www.comite21.org`) ;

✔ L'association Oree, qui aide les entreprises à se tourner vers l'environnement (`www.environnement.ccip.fr`) ;

✔ L'agence o2, agence d'écoconception et de conseil en développement durable pour les PME (`www.o2France.com`).

Faire le bilan carbone de l'entreprise. Pour lutter contre le changement climatique, le bilan carbone, développé par l'Ademe (`www.ademe.fr`), permet d'évaluer dans les entreprises ou dans les collectivités les émissions de gaz à effet de serre pour les réduire efficacement.

Être écolo suppose de s'occuper des gens autant que de l'environnement. Si votre entreprise acquiert une réputation écolo, ce peut être attirant pour les employés potentiels. En ces temps de pénurie de compétences, le fait d'être vert peut donner à votre société un atout précieux pour attirer les meilleurs collaborateurs.

Comment le bureau endommage la planète

La plupart des gens produisent bien plus d'émissions de carbone au travail que chez eux.

✔ Près d'un dixième des gaz à effet de serre est produit par les commerces dans les villes. Et ils augmentent à une vitesse supérieure à celle de tous les autres secteurs.

✔ Le chauffage et les systèmes de climatisation sont la principale source de rejet de gaz à effet de serre dans l'atmosphère, et ils consomment de grandes quantités d'électricité.

✔ La plupart des bâtiments ne sont pas conçus pour réduire le chauffage et la climatisation. Ils sont composés de matériaux qui ne proviennent pas de sources renouvelables.

✔ Les bâtiments de bureaux ont un appétit insatiable pour l'électricité, la climatisation, les ordinateurs, les photocopieuses et les imprimantes. L'équipement est parfois allumé vingt-quatre heures par jour, sept jours par semaine, même quand personne n'y travaille.

✔ Les bureaux consomment de grandes quantités de papier, même s'ils sont plus nombreux qu'avant à le recycler. Souvent, les déchets finissent quand même dans les décharges ou les incinérateurs.

✔ Outre le papier, il y a les autres déchets, notamment les équipements de toutes sortes, et particulièrement les ordinateurs. Les entreprises changent régulièrement leurs équipements pour rester compétitives.

✔ Une grande partie des embouteillages en ville sont créés par des gens qui cherchent à se rendre à leur travail, qui perdent ainsi du temps et polluent l'atmosphère.

Rendre votre bureau plus écolo

Pour que votre bureau soit plus écolo, appliquez-y les mêmes principes et les mêmes méthodes que chez vous. Les chapitres 3 et 4 offrent des dizaines de bons conseils que vous pouvez appliquer à votre lieu de travail.

✔ Installez un système complet de recyclage – pour les bouteilles, les canettes en aluminium, les cartouches de photocopieurs et le plastique. Réutilisez tout ce qui peut l'être, notamment les CD, et recyclez le reste.

✔ Recyclez le papier. Cela se pratique dans la plupart des bureaux, mais vous pouvez optimiser ce principe en vous servant des deux côtés des feuilles de papier pour l'impression, en utilisant le papier brouillon pour prendre des notes, au lieu d'acheter des petits carnets de type Post-it.

✔ Vérifiez que toutes les machines sont éteintes à la fin de la journée, et ne les laissez pas en mode veille. La dernière personne éteint les lumières. Si ce principe ne peut s'appliquer, demandez à un électricien de poser un système de détection des mouvements. Quand il n'y a plus aucun mouvement dans la pièce pendant un certain temps, les lumières s'éteignent.

✔ Changez de fournisseur d'électricité et choisissez celui qui offre une électricité verte, fournie par une source renouvelable. Le chapitre 3 vous donne des détails à ce propos.

✔ Faites le ménage dans la cuisine et débarrassez-vous des distributeurs de boissons sophistiqués qui se servent de cartouches et de tasses en polystyrène. Ne gardez que le frigo et la bouilloire. Recyclez les tasses en polystyrène par le biais de l'association www.escarboucle.com qui les collecte et les transforme en cartes de vœux que vous pourrez ensuite acheter pour le bureau.

✔ Encouragez vos collaborateurs à acheter du thé et du café provenant du commerce équitable et de la culture biologique.

✔ Attribuez une tasse à chacun et indiquez à vos collaborateurs qu'ils doivent économiser l'électricité en ne faisant chauffer que la quantité d'eau nécessaire dans la bouilloire.

✔ Gardez l'eau du robinet dans des bouteilles que vous rangerez au frigo, au lieu d'utiliser une grande quantité de récipients en plastique qui doivent être livrés, puis collectés.

✔ Souvent, la température des bureaux est trop élevée. Baissez le thermostat et demandez à vos collègues de porter un pull plutôt que de rester en bras de chemise dans une pièce surchauffée.

✔ Supprimez la climatisation et remplacez-la par des ventilateurs qui feront moins de bruit et utiliseront moins d'énergie. Au lieu de réduire la température dans des zones où cela n'est pas utile, placez les ventilateurs dans des endroits stratégiques. Laissez les persiennes fermées quand le soleil brille de manière trop directe.

Renseignez-vous auprès des autorités locales pour savoir ce qui peut être recyclé, au-delà des bouteilles en plastique et du contenu des poubelles. Demandez si certaines subventions existent, au cas où vous prendriez des mesures d'économie d'énergie.

Encourager les voyages écolo

Encouragez vos collègues à partager leur voiture, afin qu'ils puissent venir ensemble et se raccompagner mutuellement chez eux. En outre, dans votre parking, créez des espaces pour garer les bicyclettes et demandez à votre patron d'installer une douche et des casiers, afin que les employés puissent venir au travail à bicyclette.

Étudiez de près les déplacements professionnels de vos collègues. Faites installer des équipements de vidéoconférence et réduisez les frais liés aux voyages. Si un déplacement est nécessaire, préférez le train à l'avion. L'utilisation des moyens de transport en commun, notamment des trains et des bus, produira moins de carbone que celle d'une voiture. L'avion est le moyen de transport le moins écologique de tous : sur ce point vous trouverez d'autres informations dans les chapitres 12 et 14. Si vous prenez en compte le temps nécessaire pour l'enregistrement personnel et celui des bagages, pour les contrôles de sécurité, vous verrez qu'il y a peu de différences en termes de temps gagné.

Rendre un bâtiment plus écolo

Après avoir étudié tous les aspects que l'on peut facilement gérer au bureau, tournez votre attention vers le bâtiment et voyez si vous pouvez le rendre moins gourmand en énergie. L'argent que vous dépenserez sera bien placé et, à long terme, il vous permettra de réaliser des économies.

Voici quelques-unes des mesures à prendre :

- Achetez des équipements qui économisent l'énergie.
- Veillez à ce que les systèmes de chauffage et de climatisation soient régulièrement entretenus et faites adapter des minuteries pour qu'ils servent uniquement lorsque les bureaux sont occupés.
- Installez des robinets à économie d'eau, des douchettes réglables, et un double système de distribution sur les chasses d'eau des toilettes.
- Faites poser des persiennes et des stores sur les fenêtres pour bloquer le rayonnement solaire direct pendant l'été et réduire l'utilisation de la climatisation. Ces mêmes écrans permettront de faire entrer la lumière pendant l'hiver. Cette mesure permet de réduire les coûts énergétiques : il faudra moins d'électricité pour rafraîchir le bureau en été et pour le chauffer en hiver.

✔ Investissez dans des meubles en matériaux naturels ou recyclés. Peignez et équipez le bureau de matériaux non toxiques, dans la mesure du possible (peintures naturelles, moins de plastique, parquets au lieu de moquettes, etc.).Vvoir le site Econo-Ecolo consacré aux gestes écocitoyens au bureau (`www.econo-ecolo.org`) et l'association Bâtir sain (`batir-sain.free.fr`).

Vos collègues réagiront positivement à ces changements s'ils ont l'impression qu'ils servent au bien de la planète et qu'il ne s'agit pas seulement d'une manœuvre visant à réduire les coûts de fonctionnement de l'entreprise. Faites en sorte qu'ils se sentent concernés. Pour chacun des aspects de la politique verte de votre société, nommez un responsable.

Vérifiez quel est le taux de maladies dans le bâtiment. S'il est élevé, il est possible que cela tienne à une mauvaise circulation de l'air. Un meilleur environnement de travail réduit le taux d'absentéisme dû aux maladies.

Acheter plus vert

Vous achetez des produits verts pour votre maison (sur ce point, le chapitre 4 vous en dira plus). Vous pouvez donc appliquer ce principe à votre lieu de travail. Il n'est pas très écolo de recycler du papier si ce papier n'est pas issu lui-même du recyclage.

Encouragez vos supérieurs hiérarchiques à acheter le papier à des fournisseurs écolo qui vendent des équipements verts (notamment du papier).
Dans une entreprise, la consommation annuelle de papier est de 75 kg par personne soit l'équivalent du volume de deux arbres entiers !

Avant d'acheter des équipements neufs, appliquez la règle des trois R (réutiliser, réparer, recycler), qu'il s'agisse de machines, de papier, de rouleaux de papier hygiénique ou de peinture.

✔ Vérifiez qu'il n'existe pas dans l'entreprise un équipement susceptible de remplir la fonction visée.

✔ Louez ce dont vous avez besoin au lieu de l'acheter.

✔ Cherchez une machine qui comporte, si possible, une grande part de matériaux recyclés.

✔ Choisissez un produit aussi peu emballé que possible.

✔ Vérifiez que vos équipements pourront être entretenus et réparés afin de durer plus longtemps.

✔ Réfléchissez à ce qu'ils deviendront après usage, lorsqu'ils ne pourront plus être réparés.

Achetez vos produits chez des fournisseurs locaux, afin de réduire les kilomètres parcourus par les équipements, et donc réduire la quantité d'énergie utilisée pour les transporter jusqu'à votre lieu de travail.

Il existe maintenant des gammes complètes de fournitures écologiques pour bureau : cahier, classeur, agrafeuse, cartouche… Vous trouverez tout chez Un bureau sur la terre (www.unbureausurlaterre.com). Consultez également www.toutallantvert.com et www.econo-ecolo.org

Dans le monde des affaires, le bouche à oreille fonctionne comme ailleurs, et plus il y aura de demande pour les produits verts, plus les prix baisseront, plus il y aura de choix. En devenant écolo, votre entreprise encourage ses fournisseurs verts et contribue à faire progresser leur cause.

Être écolo signifie faire preuve d'équité vis-à-vis des personnes comme de l'environnement. Quand vous achetez des produits verts, veillez à payer vos fournisseurs en temps et heure.

Se passer de papier

Pendant les années 1970, il était beaucoup question du « bureau de l'avenir », que la technologie allait améliorer au point que plus personne n'aurait besoin d'utiliser du papier. Si vous regardez autour de vous aujourd'hui, dans les entreprises, vous verrez sans doute des dizaines de ramettes de papier qui attendent d'être utilisées dans la photocopieuse et les imprimantes. Des piles de papier imprimé, bientôt oubliées. Une poubelle de recyclage pleine, des étagères remplies de dossiers imprimés et des bureaux sur lesquels s'entassent divers documents relatifs au travail en cours. Internet et les courriels ne semblent pas avoir contribué à réduire la consommation de papier.

Les gens envoient des courriels puis les impriment pour en garder une trace, ou bien ils envoient un rapport électronique avant d'en imprimer une version. Plus la technologie progresse, plus les gens sont capables d'échanger des informations, et plus la demande de papier semble augmenter.

D'un point de vue écologique, la réduction de la quantité de papier consommée est une priorité. Le papier provient des arbres, qui constituent une ressource en voie de déclin, et la plus grande partie de ce papier se retrouve dans les déchets. Cela signifie que non seulement le bois est gâché, mais aussi que l'on fabrique des produits chimiques et que l'on dépense de l'énergie pour traiter le papier.

Jamais on n'a autant recyclé de papier, mais ce processus de recyclage consomme de l'énergie que l'on pourrait économiser si l'on utilisait moins de papier. Sans compter l'acier des pinces et des agrafes !

Même si l'idée d'un bureau sans papier ne semble pas très raisonnable, la technologie vous permet de réduire considérablement la quantité de papier que vous utilisez au travail. Plus vous êtes jeune, et moins vous avez de difficultés à lire les informations sur ordinateur, sur Palm et même sur l'écran de votre téléphone mobile. Plus vous utilisez l'ordinateur, et plus vous pouvez travailler sur vos documents sans les imprimer ni les écrire à la main. Plus vous faites confiance à la technologie, moins vous avez besoin de copies papier de vos fichiers informatiques. Servez-vous de la technologie, et oubliez le papier.

- ✔ L'accès au courrier électronique et à Internet est une nécessité, et les progrès de la technologie permettent aux personnes comme aux entreprises de combiner les courriels, les télécopies et le courrier vocal.

- ✔ Les ordinateurs portables et les appareils de type Palm vous permettent facilement de télécharger des documents et de les lire en tous lieux. Ils sont aussi pratiques que le papier.

- ✔ Avec les scanners, vous pouvez aller chercher des images sur Internet et les recopier sur votre ordinateur, puis échanger les documents sous forme électronique ou les stocker dans un rapport.

- ✔ Les systèmes de stockage en ligne facilitent la gestion centralisée des informations électroniques et leur mise en réseau. Ils remplacent aisément les dossiers imprimés.

- ✔ Vérifiez que vos collaborateurs aient accès, de chez eux, au site de votre société, pour qu'ils puissent télétravailler sans emporter une pile de documents.

- ✔ Achetez une imprimante capable d'imprimer recto verso, afin de réduire votre utilisation de papier.

Si vous ne pouvez vous passer totalement de papier, achetez des ramettes dans des entreprises locales, afin de réduire la consommation d'énergie nécessaire à la production de papier neuf. Ainsi, vous protégez les arbres et le carburant pour le transport.

Le télétravail ne fait pas seulement économiser l'essence

Le *télétravail* est un système grâce auquel les employés ou les fournisseurs se connectent à une entreprise par le biais d'un ordinateur, à partir de leur domicile ou d'un lieu éloigné, ce qui réduit leurs besoins de se rendre sur place. Les sociétés ont tendance à proposer le télétravail à temps partiel, et les employés travaillent chez eux un ou deux jours par semaine.

Cette pratique est intéressante pour plusieurs raisons :

- ✔ Vous pouvez être plus productif, car le fait de travailler chez vous signifie que vous pouvez mieux vous concentrer sur vos tâches sans répondre à divers coups de fil, et sans être détourné de votre action par les sources de distraction qui existent à votre poste de travail dans l'entreprise.

- ✔ Vous bénéficiez de la confiance de vos supérieurs qui vous accordent la possibilité de gérer les problèmes qui peuvent surgir chez vous, si un enfant ou une personne âgée a besoin d'aide, par exemple. Tant que votre travail est fait en temps et heure, vous disposez d'un contrôle accru sur vos problèmes domestiques.

- ✔ Le patron de votre entreprise peut réduire ses coûts administratifs, car il n'a plus à répondre cinq jours par semaine aux besoins de ses employés. Si une partie du personnel télétravaille plusieurs jours par semaine, la direction peut réduire le nombre de bureaux, la taille des surfaces occupées, la quantité de papier et les places de parking.

- ✔ Le télétravail ouvre une série d'opportunités professionnelles. Si vous êtes en charge d'enfants ou de personnes dépendantes, si vous ne pouvez vous rendre dans votre entreprise, cette pratique vous permet de travailler tout de même.

Si le télétravail n'existe pas dans votre entreprise, c'est peut-être parce que votre direction ne l'a pas envisagé. Si cette formule vous intéresse, essayez de l'imaginer pour vous et servez-vous des arguments suivants pour convaincre votre patron.

Certains postes et certaines personnes ne sont pas adaptés au télétravail. De nombreuses fonctions supposent un contact en face à face, et les individus concernés n'ont pas toujours la personnalité qui convient, ou ne peuvent s'imposer la discipline qui leur permet d'être aussi productifs qu'au bureau.

Réduire les temps de transport

Le télétravail présente des avantages pour l'employeur et l'employé, mais aussi pour la communauté et l'environnement. Le principal argument qui milite en sa faveur, du point de vue de l'environnement, est la réduction des allers-retours entre le domicile et le lieu de travail pendant les heures de pointe. Si ces voyages supposent de prendre la voiture, les embouteillages et la pollution de l'air sont réduits, en même temps que la consommation de carburant.

Mis en place en même temps que les mesures de développement des transports en commun, l'encouragement de la marche et de la bicyclette, du covoiturage et la suppression de places de parking, le télétravail incitera les employés à laisser leur voiture au garage.

Les employeurs peuvent prêter des bicyclettes à leurs employés, ainsi que des équipements de sécurité pour le vélo. Aucune taxe ni frais d'assurance ne sont dûs dans ce cas. Vous pouvez obtenir davantage d'informations sur les CHSTC, Comités d'hygiène, de sécurité et des conditions de travail : www.chsct.com

Renseignez-vous sur les PDE, ou Plans de déplacement d'entreprise. Expérimentés à la fin des années 90, ils se multiplient en France et sont soutenus par l'Ademe. L'entreprise est gagnante puisqu'elle prend en compte les déplacements comme facteur de production.

Le télétravail en action

Le télétravail n'est pas accessible à tous. De nombreux employés doivent se trouver au siège de leur société pour participer à diverses réunions, avoir accès aux équipements adéquats, ou assurer les contacts avec les clients. Même si votre poste est adapté au télétravail, il se peut que vous ne disposiez pas du bon environnement chez vous. Les candidats les plus susceptibles d'être concernés sont les employés qui assurent des tâches discrètes, élaborent des projets ou des analyses, des travaux de recherche, de planification et de rédaction par exemple. Les télétravailleurs doivent pouvoir travailler sans encadrement, se passer d'interactions sociales avec leurs collègues, être capables de se motiver seuls et disposer de la confiance de leur supérieur.

Si vous avez une activité, une personnalité et la discipline adaptées au télétravail, vous avez également besoin des éléments suivants :

- Un bon équipement informatique : tout sera plus facile si vous disposez d'un ordinateur qui vous permette d'avoir accès à votre entreprise, comme si vous étiez sur place.

- Un environnement de travail adéquat chez vous : votre cadre de vie doit vous permettre de séparer votre vie professionnelle et votre vie quotidienne. Pour ce faire, vous devez disposer d'un bureau autonome équipé d'une table de travail, d'une chaise de bureau professionnelle, d'un bon éclairage et de l'espace suffisant pour installer une imprimante. Il faut aussi que vous ne soyez pas dérangé.

- Un accord de télétravail : avec votre patron, vous déciderez d'une durée de travail, de vos modalités et des horaires de contact avec l'entreprise, de l'éventualité de remboursement de frais (ordinateur, coûts d'impression, papier, café, etc.).

Si vous travaillez chez vous la plupart du temps, vous pouvez vous retrouver isolé de votre communauté professionnelle. C'est une chose que d'éviter tous les tracas du bureau, mais il peut être frustrant de ne pas bavarder avec les collègues, d'aller prendre un pot avec eux, et de ne jamais récolter de compliments quand tout va bien. Faites en sorte de passer régulièrement au bureau, assez en tout cas pour ne pas vous faire oublier !

Être éthique et écolo

Être écolo, c'est protéger l'environnement *tout en respectant les principes de l'éthique*. Respecter les principes de l'éthique, c'est accepter la responsabilité de vos actes et vérifier qu'ils n'exercent pas d'impact négatif sur l'environnement ou sur votre entourage. Au travail, ça signifie de ne rien faire d'injuste qui puisse rejaillir sur vos collègues, les clients, les fournisseurs et la communauté au sein de laquelle vous vivez.

Ces dernières années, les entreprises ont pris conscience du poids du comportement moral. Les employeurs s'assurent de traiter correctement leurs employés en se pliant à toute une série de législations. Ils s'engagent à verser un salaire minimum conventionné et à assurer un minimum de vacances annuelles. Il est interdit de licencier un salarié abusivement. Le patron doit s'assurer que l'environnement de travail est sain et sécurisé.

De votre côté, vous ne devez pas harceler vos collègues ni exercer de discrimination à leur encontre en raison de leur race ou de leur sexe. De même, il vous est interdit de vous comporter avec négligence et de leur porter préjudice. Évidemment, toutes les entreprises et tous les employeurs ne réussissent pas à se comporter de manière éthique en toutes circonstances, mais en évoluant vers un style de vie plus écolo, les professionnels comprennent mieux les conséquences de leurs actions.

Est-ce parce que les sociétés commencent à mesurer les avantages commerciaux d'un comportement éthique, ou parce qu'elles adhèrent aux idées écologiques, mais il est certain qu'elles sont nombreuses à prendre leur rôle communautaire plus au sérieux, à choisir la *responsabilité sociale d'entreprise*. Ce concept résume ce qu'une entreprise fait pour se conformer aux lois, pour ne nuire à personne et avantager tous les acteurs qui interviennent dans les transactions commerciales. Vous pouvez aider votre patron à mieux cerner ses responsabilités sociales. Vous trouverez de nombreuses informations sur le site du ministère de l'Emploi, de la Cohésion sociale et du Logement : www.travail.gouv.fr et www.developpement-durable.gouv.fr

Les entreprises peuvent encourager d'autres sociétés – notamment leurs fournisseurs – à devenir plus écolo, à mieux respecter l'éthique, et à agir de manière socialement responsable. Persuadez vos supérieurs de traiter leurs fournisseurs avec équité. Ce principe se développera rapidement, le degré de conscience de chacun s'en trouvera renforcé et les habitudes changeront en mieux.

Quand vous réfléchissez à la façon d'améliorer votre lieu de travail en le rendant plus vert, étudiez également d'autres aspects de l'éthique.

La société pour laquelle vous travaillez est intégrée à une communauté, celle de sa ville et de sa région. Elle est entourée de voisins, d'écoles, d'autres entreprises, de projets communautaires, environnementaux, d'hôpitaux et de toutes les autres infrastructures proches. Une entreprise vraiment verte vérifie que ses actions ne portent pas atteinte à cette communauté, et au contraire, qu'elles lui sont bénéfiques d'une manière ou d'une autre.

Si la communauté au sens large tire avantage des activités de cette entreprise, les résidents lui seront loyaux et elle en bénéficiera également.

Il existe de nombreuses manières d'œuvrer au bien de la communauté, et certaines d'entre elles demandent très peu d'efforts :

✔ donner de vieux ordinateurs à des écoles ou à des associations bénévoles ou à but humanitaire ;

✔ envoyer des cartouches d'imprimante usagées à des associations comme Handicap Interntional, `www.handicap-international.fr`, qui les collectent pour le bénéfice d'associations à but humanitaire, ou au collectif Asah : `www.collectif-asah.org` ;

✔ passer un accord avec une association au lieu d'encombrer les décharges, si votre entreprise se débarrasse régulièrement de produits présentant des défauts ;

✔ demander à votre patron si vous pouvez passer quelques heures en dehors de votre poste de travail pour donner un coup de main à un projet communautaire bénévole ;

✔ faire en sorte qu'une personne de votre entreprise puisse présenter ses activités dans les écoles proches pour parler aux enfants de l'entrée dans la vie active ;

✔ offrir aux jeunes un témoignage sur votre expérience professionnelle ;

✔ demander aux employeurs d'accorder des horaires flexibles aux employés, pour qu'ils puissent s'occuper de leurs proches ou s'acquitter de tâches bénévoles.

Tout en servant la communauté locale, votre société peut s'intéresser à des projets à but humanitaire à l'échelle de la planète.

Gérer votre entreprise verte

Une société verte peut agir pour la protection de l'environnement, mais elle est aussi susceptible d'intervenir dans n'importe quel domaine commercial tout en suivant des principes écolo. Quand vous créez une entreprise, qu'elle vende des vacances vertes, centralise des appels téléphoniques, fasse pousser des légumes bio, offre des services d'esthétique ou des maisons sur plans, vous pouvez favoriser la nature en prenant des initiatives comme celles qui sont décrites dans ce chapitre.

Si vous dirigez déjà une société, vous ne pouvez vous contenter d'ignorer les questions d'écologie. Toutes sortes de législations vous imposent de protéger l'environnement.

Une organisation, dont le site se trouve à l'adresse www.ademe.fr/dechets, vous aide à comprendre quelles sont les régulations en cours à propos des questions écologiques, en vous précisant les déchets qui conviennent ou non aux décharges, et les responsabilités que vous devez endosser pour faire en sorte qu'ils n'aboutissent pas dans les cours d'eau tout proches.

Les directeurs et gérants d'entreprises se plaignent souvent de toute la paperasserie qu'ils doivent signer. Mais lorsqu'il est question de rendre une entreprise verte, vous pouvez également prétendre à certains bénéfices. Le recyclage, la conservation de l'énergie, les équipements peu gourmands en électricité et les systèmes servant à économiser l'eau vous font gagner de l'argent en réduisant vos factures. Le fait de prendre des mesures préventives en faveur de l'environnement vous permet d'éviter les frais liés à de coûteux nettoyages en cas d'accident. En convaincant vos employés de s'impliquer dans ce processus écologique et de réduire la consommation énergétique au bureau, vous renforcez la cohésion au sein de votre équipe de collaborateurs et vous les motivez. Les messages que vous faites passer au travail à propos de l'environnement se diffusent mieux. En outre, des postes de travail plus verts sont susceptibles d'être plus sains, et vous perdrez moins d'argent dû à l'absentéisme d'employés malades.

Inscrivez vos principes écolo dans la charte de votre entreprise, et incluez-y les suggestions indiquées dans ce chapitre. Révisez-les régulièrement pour tenir compte des nouveautés technologiques susceptibles d'améliorer la situation et impliquez vos collaborateurs dans certains aspects de vos mesures écolo, pour que ces nouveaux principes fassent partie de leur culture de travail.

Chapitre 11

Cultiver l'école verte

· ·

Dans ce chapitre

▶ Sensibiliser les enfants assez tôt

▶ Le chemin écolo de l'école

▶ Agir pour rendre l'école plus verte

▶ Proposer des projets verts pour sensibiliser les enfants

▶ Porter l'étendard vert à l'université

· ·

*L*a vie écolo est un sujet à la mode dans beaucoup d'écoles en Europe. Les établissements primaires s'intéressent particulièrement à l'écologie, comme vous le découvrirez dans le paragraphe intitulé « Glaner les idées d'autres écoles ». Dans les établissements secondaires, le débat écologique fait partie intégrante des cours d'instruction civique, de sciences et de géographie. Toutefois, aucune politique nationale n'a été définie à propos de la nécessité et des modalités de l'enseignement écologique. Ce qu'apprennent vos enfants relève donc de l'initiative de chacun des professeurs et de l'enthousiasme du professeur principal. Ce chapitre vous indique comment vous investir et vérifier que l'école de votre enfant est la plus verte possible, afin d'influer sur les choix d'enseignements et faire connaître vos idées.

La plupart des universités parrainent des projets verts. Certaines d'entre elles cherchent à éveiller la conscience des élèves qui fréquentent les écoles locales ainsi que la communauté tout entière. Certains projets de recherche impliquent des étudiants qui travaillent à l'amélioration de l'environnement de la région. Si vous ne trouvez pas le projet qui vous intéresse à l'université, persuadez l'un des syndicats étudiants de nommer un médiateur vert qui lancera des idées.

Tout ce que vous faites chez vous pour mener une vie plus écolo peut se traduire dans l'univers scolaire. Ce que vos enfants apprennent à l'école peut aussi servir chez vous, et tout le monde est gagnant.

Sensibiliser les enfants assez tôt

De la même manière que les banques cherchent à attirer vos enfants pour en faire des clients, parce qu'ils le restent généralement à vie, vous voulez les sensibiliser aux questions écolo le plus tôt possible, parce qu'ils risquent de s'en tenir à ces principes pendant toute leur existence.

Les enfants semblent comprendre les problèmes écologiques parfois mieux que les adultes. Ils sont capables de s'identifier aux souffrances qui sont infligées aux animaux par les humains et aux effets des injustices sur la jeunesse des autres continents. Ils acceptent volontiers d'appliquer les conseils qui leur sont donnés à l'école sur le plan de l'écologie, et ils les mettent en pratique à la maison. Lorsqu'ils ont l'impression de pouvoir faire quelque chose pour aider d'autres enfants qui sont moins favorisés qu'eux ou pour éviter des souffrances aux animaux, ils adhèrent le plus souvent à ces idées avec enthousiasme.

Les enfants aiment expliquer un ou deux trucs à leurs parents quand ils en ont l'occasion. Donnez-leur l'occasion de prendre les rênes à la maison, notamment quand vous les chargez de divers aspects de la vie quotidienne, et ils adoreront ça.

Quand vous prenez une mesure verte chez vous, expliquez-en les raisons à vos enfants mais ne les forcez pas à changer. Donnez simplement l'exemple et ils adopteront rapidement votre attitude. Si vous les forcez à vivre écolo, ils pourraient se rebeller.

Vous n'êtes pas obligé de devenir un parangon de vertu verte en un clin d'œil. N'attendez pas non plus des résultats spectaculaires de vos enfants. Comme le dit le vieil adage, « pour manger un éléphant, il faut mâcher une bouchée à la fois ». Commencez par ce qui est le plus facile à changer. Chaque geste compte.

Aller à l'école

L'éducation écolo commence avant même que les enfants aillent à l'école. Les paragraphes qui suivent étudient toutes les possibilités pour les trajets entre l'école et la maison.

Marcher sur le chemin de l'école

Pour les personnes qui vivent trop loin de l'école pour s'y rendre à pied ou à bicyclette, il est nécessaire de prendre la voiture pour y conduire les petits. Pour d'autres, ce n'est qu'une habitude pratique. Si l'école n'est pas trop éloignée, laissez la voiture au garage. Expliquez à vos enfants que sur les petits trajets, le moteur de la voiture n'a pas le temps de se réchauffer, et que ces voyages sont ceux qui provoquent le plus de pollution.

N'oubliez pas de vous lever un peu plus tôt le matin, ou bien le stress jouera négativement sur votre santé, lorsque vous essaierez de faire en sorte que tout le monde soit prêt à partir à temps. Commencez par des trajets les jours où il ne fait pas trop mauvais, et continuez à faire le trajet en voiture quand le temps est trop désagréable.

Les enfants adorent voir leurs amis, vous pouvez donc contacter les parents de ceux qui empruntent le même trajet afin qu'ils fassent la route ensemble. Vous pouvez aussi partager la tâche qui consiste à les accompagner. S'il y a, dans le quartier, assez d'enfants qui prennent le même chemin, organisez une chenille, à l'intérieur de laquelle un groupe de petits est accompagné par un adulte. Le site web www.tousapied.org/le-pedibus/ donne toutes sortes d'informations sur les avantages qu'il y a à marcher pour se rendre à l'école.

Marcher n'est pas seulement un bon geste écologique. C'est un excellent exercice qui vous fait économiser de l'argent. Il peut même vous faire gagner du temps, car vous ne risquez plus de vous trouver coincé dans un embouteillage.

Lorsque les enfants sont assez grands pour grimper sur des bicyclettes, laissez-les se rendre à l'école à vélo. Pensez à les former correctement pour qu'ils se sentent à l'aise au milieu du trafic automobile et pour que vous ne vous fassiez pas trop de soucis. Rendez-vous sur le site www.servicevie.com/securite/ pour obtenir des renseignements à propos des normes nationales d'apprentissage de la bicyclette. Vous trouverez aussi des renseignements sur les centres d'apprentissage de votre région.

Si l'école est trop éloignée, voyez s'il existe une ligne de bus. Au cas où il y aurait un arrêt assez proche de chez vous pour vous y rendre à pied, voilà une solution presque aussi défendable que celle qui consiste à marcher ou à rouler à vélo.

Partager la voiture sur le chemin de l'école

Si vous devez utiliser une voiture pour emmener vos enfants à l'école, vous pouvez agir pour réduire le nombre de véhicules qui roulent tous les matins et tous les après-midi dans la même direction en pratiquant le covoiturage. Animez un groupe de parents qui prendra en charge les enfants qui peuvent être transportés en toute sécurité dans une petite voiture, et pratiquez l'alternance.

Non seulement le covoiturage vers l'école permet d'économiser du carburant et de réduire les émissions de carbone provoquées par les voitures, mais cette habitude permet aussi à tout le monde d'économiser du temps et de l'argent. Le covoiturage vous donne davantage de flexibilité, car vous n'avez plus à être là en permanence pour aller chercher les enfants à l'école.

Être plus vert à l'école – encadré pour les enfants !

Si vous voulez apporter votre pierre au sauvetage de la planète et que vous souhaitez faire participer le reste de votre école, dressez une liste des choses que vous voudriez voir changer et apportez-la à votre professeur. Vous pouvez lui parler des « catalogues pédagogiques » du WWF : www.wwf.fr et *Du développement durable, exposition pédagogique pour chaque école de France* de Yann Arthus-Bertrand avec son association Goodplanet : www.ledeveloppementdurable.fr. Il pourra vous aider à faire accepter vos idées. Regardez aussi le site du collectif francais pour l'éducation à l'environnement : CFEE : www.educ-envi.org. Allez voir aussi le site Éco-école : www.ecoecole.ifrance.com.

Voir aussi le site : ecolesdifferentes.free.fr. Pour être écolo, vous pouvez aussi adopter les démarches suivantes.

✔ Voir si vous pouvez marcher pour aller à l'école, y aller à vélo, ou prendre le bus au lieu de vous faire conduire par les parents. Il y a peut-être un bus scolaire qui passe par votre quartier. Prendre un bus ou un train réduit la quantité de carbone rejetée dans l'atmosphère, mais la marche et la bicyclette sont meilleures encore pour l'environnement, car elles ne provoquent aucune émission de carbone et vous apportent l'exercice dont vous avez besoin.

✔ Si vous n'avez pas le choix et que vous devez vous déplacer en voiture, demandez à vos amis si leurs parents seraient intéressés par l'idée du covoiturage sur le chemin de l'école : vous seriez ensemble dans la même voiture et il y aurait moins de véhicules sur la route.

✔ Si vous économisez de l'énergie et de l'eau chez vous, essayez de convaincre vos copains de faire la même chose à l'école. Éteignez les lumières quand vous êtes le dernier à quitter une salle de cours, par exemple, et votre ordinateur lorsque vous avez fini de vous en servir. Expliquez à vos amis pourquoi il est important d'économiser l'énergie et l'eau, et persuadez vos professeurs de participer à cette action.

✔ Un Francais jette entre 360 et 400 kg d'ordures ménagères par an. En moyenne, un francais consomme 200 kg de papier tous les ans. Conseillez à vos professeurs d'imprimer les deux côtés des feuilles avant de les jeter. Vérifiez que l'école utilise du papier recyclé, mais aussi qu'elle dispose d'un container pour le recyclage du papier. Lorsque vous vous servez d'un ordinateur, n'imprimez votre document que si cela est réellement indispensable, et gardez la feuille pour la réimprimer de l'autre côté.

✔ Créez un système de collecte des cartouches d'encre usagées et trouvez l'adresse où vous pouvez les faire remplir. Vérifiez que votre école ne se contente pas de les jeter lorsqu'elles sont hors d'usage.

✔ Si votre école n'a pas de containers pour le recyclage dans la cantine, parlez-en au professeur principal et essayez de le convaincre d'en installer un, notamment pour les canettes en métal, les bouteilles, le plastique et le papier. Vous demanderez également si les déchets alimentaires sont transformés en compost. Pour cela, réclamez une poubelle spéciale.

✔ Si vous buvez de l'eau dans des bouteilles en plastique, gardez-les et remplissez-les à nouveau plutôt que de les jeter.

Changer votre vision de l'école

Il ne suffit pas de se plaindre que les enfants ne font pas grand-chose pour l'environnement : parfois il est utile de s'investir pour que les choses changent. Les professeurs écoutent les parents, surtout s'ils proposent des idées constructives au lieu de contester les méthodes d'enseignement et de prétendre que leurs précieux rejetons sont maltraités.

Si vous êtes délégué de parents d'élèves, vous avez plus facilement accès à l'école, aux professeurs et aux autres élèves que si vous ne représentez que votre famille, et vous pouvez influencer tous ceux qui sont concernés, y compris les autres délégués de parents d'élèves.

Pour être délégué de parents d'élèves, vous n'avez pas besoin de compétences particulières. Il n'est pas nécessaire d'être médecin, professeur ou avocat pour bénéficier de la considération d'autrui. Les chauffeurs routiers, les ouvriers en bâtiment et les femmes au foyer sont aussi bien accueillis que les autres dans cette fonction. Vous n'avez même pas besoin d'être renseigné sur le système scolaire. C'est en forgeant qu'on devient forgeron et vous apprendrez sur le tas.

Vous pouvez contacter les différentes associations de parents d'élèves pour proposer vos services de délégué.

Les écoles ont besoin de délégués de parents d'élèves. Elles ne peuvent pas prendre de décisions à moins d'avoir assez d'interlocuteurs. Dans de nombreuses régions, ces délégués ne sont pas en nombre suffisant. Pour savoir comment procéder, allez sur le site www.education.gouv.fr ou www.jeunesse-sports.gouv.fr

Parler des questions écologiques

En tant que délégué de parents d'élèves – ou simplement en tant que parent – vous pouvez œuvrer en faveur de l'environnement en cherchant à alerter votre entourage sur les questions écologiques.

Demandez un rendez-vous au professeur principal ou à un professeur que votre enfant aime bien, et allez défendre vos idées devant lui. Restez très simple et proposez vos services au lieu d'exiger que les choses changent. Indiquez que vous êtes prêt à prendre en charge une classe, de temps en temps, en venant discuter de ces questions pendant dix minutes. Demandez ce que vous pouvez faire pour les professeurs, et non ce qu'ils peuvent faire pour vous.

Regardez des suggestions qui ne coûteront rien à l'école. Il est probable que celle-ci ne soit pas riche :

- ✔ Trouvez qui peut fournir à l'établissement des produits recyclés, notamment le papier à imprimer et le papier hygiénique, et offrez de négocier de bonnes conditions d'achat.

- ✔ Proposez de fournir des containers pour le recyclage et le compost.

- ✔ Suggérez de remplacer les ampoules ordinaires par des ampoules à économie d'énergie.

- ✔ Organisez le covoiturage ou les « chenilles » et fournissez aux parents les informations nécessaires sur les transports en commun.

Obtenir des conseils pour économiser l'énergie

Il ne s'agit pas seulement de l'enseignement des principes écologiques, mais de l'école elle-même. Les bâtiments scolaires produisent de grandes quantités de carbone. En Angleterre, les écoles sont responsables de 15 % des émissions de carbone imputables aux bâtiments publics comme les hôpitaux et les ministères.

Vous pouvez contribuer à réduire les émissions de carbone en éveillant les consciences aux problèmes occasionnés par les gaz à effet de serre (le chapitre 2 vous en dit davantage sur les gaz à effet de serre et sur la manière de les minimiser).

L'une des manières d'économiser l'argent de l'école consiste à organiser la venue d'un expert qui dira sur quel poste il est possible de faire des économies. L'Ademe, avec son bilan carbone, vous indique comment épargner l'énergie sur tous ses sites, et propose un guide énergétique pour les professeurs.

Initier des projets écolo

Les écoles ont un rôle à jouer au sein de la communauté urbaine et elles peuvent donner l'exemple. Pour les rendre écolo, il faut faire intervenir les élèves dans des projets à vocation écologique. Si l'école utilise une énergie renouvelable et si elle composte ses déchets, elle montre aux enfants, aux parents comme à tous les observateurs extérieurs une communauté verte en pleine action.

Les meilleurs projets sont ceux qui impliquent tout le monde à l'école, du plus petit au plus grand, des plus terre-à-terre aux plus ambitieux. Essayez, si possible, de proposer des projets de divers types, pour que tout le monde ait la possibilité d'y jouer un rôle. Le site de la Fondation Nicolas Hulot (www.fnh.org) peut être une source d'inspiration.

Glaner les idées d'autres écoles

Un peu partout en Europe, les écoles développent des projets écolo. En voici quelques exemples :

✔ La Kingsmead Primary School du Cheshire a été conçue pour être aussi verte que possible. Les élèves et les professeurs ont modifié tous leurs engagements éthiques pour viser un changement écologique.

✔ Dans la Dorothy Stringer High School, dans l'East Sussex, les élèves et le personnel administratif ont transformé un bâtiment inutilisé en un « éco-centre » où ils gèrent toutes sortes de projets verts.

✔ À la Nab Wood School de Bingley, dans le Yorkshire, un groupe d'élèves a lancé une campagne pour faire cesser le chaos climatique. Aujourd'hui, ils travaillent à convaincre les instances régionales à collaborer avec eux. D'ici à la fin de leur campagne, ils espèrent faire fonctionner leur école avec une énergie renouvelable, faire distribuer des bicyclettes aux élèves, réduire les déchets au minimum, instaurer le remboursement de l'équivalent de dix centimes d'euros pour chaque canette en métal recyclée. Et nommer un responsable scolaire pour la politique écologique.

✔ La Leigh Infant School a reçu le prestigieux « Drapeau vert » décerné par l'association ENCAMS, pour sa remarquable contribution à la protection de l'environnement. Les élèves ont planté des bulbes, recyclé du papier et collecté des ordures ménagères qui ont été intégrées à une œuvre d'art scolaire. L'étape suivante, pour les enfants, consiste à mettre sur pied un environnement sécurisé pour les élèves, avec des jeux extérieurs, de nouveaux bancs et des sculptures de jardin.

Les idées de projets peuvent vous être inspirées par ce que vous faites chez vous ou ce que pratiquent d'autres établissements. Consultez l'encadré ci-dessus (« Glaner les idées d'autres écoles ») et cherchez d'autres suggestions sur Internet. N'oubliez pas non plus de consulter vos enfants pour savoir s'ils n'ont pas d'autres propositions.

Le genre de projets qui se concrétise en Angleterre va du recyclage et du compostage à la lombriculture et à la culture de légumes pour la cantine scolaire. Les élèves des collèges se rendent dans les écoles primaires pour parler de l'environnement aux plus jeunes. Les paragraphes suivants vous aident à rendre l'école plus verte.

Faire pousser des légumes à l'école

Si l'école dispose d'un peu de terrain libre qui peut servir à la culture, persuadez les professeurs de donner leur feu vert pour un potager. Les élèves pourront faire pousser des légumes bio (voir les techniques dans le chapitre 7) afin de les consommer à la cantine.

L'école économise de l'argent en produisant une partie des aliments qui sont consommés par les élèves. Ceux-ci apprennent les techniques de la production biologique, se renseignent sur les légumes locaux et saisonniers, font le lien entre la terre et ce qui aboutit dans leur assiette. Les enfants comme les professeurs prennent de l'exercice en jardinant, et tous pourront consommer les légumes qu'ils seront fiers d'avoir fait pousser.

Privilégier les déjeuners verts

Les menus des cantines constituent une question délicate. En effet, l'Éducation nationale s'inquiète de voir de plus en plus d'enfants obèses, et les chefs les plus célèbres tentent d'améliorer la qualité de la nourriture qui est servie dans les écoles. Si vous vous souciez des aliments que votre enfant consomme à la cantine, essayez de persuader le professeur principal et les cuisiniers que les menus doivent être aussi verts que possible. Une grande partie de la nourriture saisonnière peut être achetée à proximité et non importée. Cette pratique contribue à promouvoir la vie écolo sur de nombreux fronts (voir le chapitre 7 pour les aliments verts).

Visiter la décharge locale

expérience intéressant

Il peut paraître étrange de faire une telle visite pour se divertir mais, si vous emmenez vos enfants voir une décharge – qui n'est en fait qu'un grand trou dans la terre –, vous pouvez exercer une grande influence sur leurs habitudes. S'ils voient quelle quantité de déchets est produite et se font une idée des immenses tas d'ordures qui s'entassent un peu partout dans le pays, ils comprendront sans doute pourquoi il est impossible de continuer à gérer les détritus de cette manière.

Plus d'un tiers des ordures générées par les foyers français aboutissent dans les décharges, mais le pays ne trouve plus de lieux adéquats pour en créer de nouvelles. De ce fait, l'État sera bientôt forcé de convaincre tous les citoyens de réduire leurs déchets, de réutiliser et de recycler le plus de matériaux possibles.

Aidez vos enfants à identifier les objets qui pourraient être réutilisés, réparés ou recyclés. Expliquez-leur combien de temps il a fallu pour fabriquer ces différents articles qu'ils voient se décomposer et indiquez-leur quels sont les produits toxiques qui sont entrés dans leur fabrication. Soulignez le fait que ces produits sont enfouis dans la terre. Ensuite, présentez-leur les différentes options pour se débarrasser des ordures et les réduire à une quantité minimale. En quittant la décharge, allez au centre de tri et de recyclage. Montrez aux enfants ce qui arrive aux déchets qui ont été triés et retraités sur place. En découvrant tout cela, ils pourront prendre des photos qu'ils ramèneront chez eux et qu'ils montreront à leurs amis avant d'en discuter avec eux.

Si vous ne parvenez pas à organiser la visite d'une décharge parce que cela est interdit par les autorités locales, ou parce que le personnel scolaire pense qu'il y a des risques sanitaires à le faire, pensez à organiser une visite :

- ✔ d'un centre technologique alternatif ;
- ✔ d'un centre de compost ;
- ✔ de jardins communautaires ;
- ✔ de fermes urbaines.

Certaines associations écolos de votre région peuvent vous donner d'autres idées. Renseignez-vous auprès de votre mairie et sur Internet. Il existe également de nombreux sites web que les enfants trouveront drôles et intéressants. Nous vous en proposons une liste dans le chapitre 16.

Planter des arbres

Si l'école ne dispose d'aucun terrain sur lequel installer ces producteurs d'oxygène, trouvez un autre endroit où vous pourrez planter quelques arbres que les enfants regarderont grandir. Pour la neutralité carbone, le fait de planter des arbres est important, comme nous vous l'expliquons dans le chapitre 1.

Les personnes qui prennent l'avion pour voyager devraient planter un arbre ou financer la plantation d'un arbre afin que celui-ci puisse absorber le carbone rejeté dans l'atmosphère à la suite du vol. Le même principe s'applique à toutes sortes de voyages, et vous pouvez réguler votre style de vie pour approcher la neutralité carbone en plantant des arbres ou en participant à d'autres projets présentés dans le chapitre 1. Expliquez ce principe à vos enfants et voyez s'ils peuvent s'impliquer dans un projet qui compensera les émissions de carbone à chaque fois que leur école risque, par une activité ou une autre, de dégager du carbone dans l'atmosphère. Si vous trouvez un événement particulier, dans un autre coin du monde, qui justifie de planter des arbres, vos enfants comprendront mieux le concept de neutralité carbone.

Plantez des arbres à croissance rapide pour que les enfants puissent mieux en profiter.

Créer un prix écolo

Les récompenses encouragent les enfants à travailler, et il en va de même pour les projets écolo, qui ne sont après tout qu'un des aspects de la vie scolaire. Si vous avez les moyens de financer chaque année un prix pour l'école de votre enfant, les professeurs ne refuseront sans doute pas votre offre. Le fait de savoir qu'il existe un prix écolo attire l'attention des élèves, des professeurs et des parents sur l'importance des enjeux.

Indiquez clairement quel genre de projet le prix doit couronner, pour que les élèves sachent ce que l'on attend d'eux. Les règles peuvent préciser que le prix ira à l'élève qui présentera le meilleur projet écolo de l'année, ou qui écrira le meilleur texte sur une question spécifique, par exemple. Comme pour tous les autres aspects de la vie, plus le prix sera alléchant, plus les élèves seront prêts à s'investir.

Vérifier que votre université est bien verte

De nombreuses universités défendent des projets écolo, soit dans le cadre de la recherche, soit dans le cadre de projets communautaires où les étudiants et la population locale peuvent s'investir. Si votre université ne paraît pas active sur ce front, ou si vous pensez que d'autres projets pourraient être lancés, le meilleur moyen d'avancer consiste à contacter les syndicats étudiants. Vous pouvez également contacter Fac verte (www.facverte.org).

À l'université de Cambridge, par exemple, un coordinateur des questions écolo encadre la campagne verte, intitulée CUSU Green, qui a été lancée par les étudiants. Il défend les idées des étudiants auprès de l'administration universitaire. Le but visé est d'alerter les étudiants sur la nécessité de défendre l'environnement, l'éthique et la justice sociale sur le campus. Les projets portent sur le recyclage, l'investissement éthique et le commerce équitable, ainsi que sur l'utilisation de l'énergie sur le campus. Les étudiants sont également actifs au sein du Cambridge Green Belt Project, afin de promouvoir la conservation et l'entretien des espaces verts, avec l'aide des habitants de la ville. Ce projet vise à donner accès à la nature, pour que les personnes qui profitent de ses plaisirs apprennent à connaître la flore et la faune sauvage sans devoir se déplacer trop loin de chez elles.

Votre université peut très bien défendre toutes sortes d'autres projets en oubliant complètement l'aspect du recyclage, de la réutilisation et de la conservation de l'énergie. Alertez les syndicats étudiants sur ce point et encouragez un changement dans les habitudes. C'est aussi important que de porter le message écolo à la communauté urbaine voisine.

Vous pouvez aussi persuader le personnel de l'université et les administrateurs d'adopter des comportements écolo – en vérifiant, par exemple, que le papier est recyclé et que le nouveau papier provient de matériaux recyclés – d'offrir davantage d'espace pour le rangement des bicyclettes et d'utiliser des ampoules à économie d'énergie. Pour cela aussi, passez par les syndicats étudiants. Une grande partie des suggestions faites pour l'entreprise, dans le chapitre 10, s'applique également à l'université.

Cinquième partie
Voyager sans endommager la planète

« Nous avons visité l'Amazonie avec une association
écolo. Malheureusement, Brian est tombé dans l'eau et
les piranhas ne l'ont pas raté. »

Dans cette partie :

Les voyages – notamment en avion – sont responsables de l'émission d'une grande quantité de gaz à effet de serre qui est rejetée dans l'atmosphère. Dans cette partie du livre, nous réfléchissons aux différentes manières de voyager. Pensez au cadeau que vous faites à votre corps quand vous marchez ou que vous roulez à bicyclette. Songez à l'argent que vous économisez en coût de transport. Si vous avez besoin d'une voiture, les constructeurs automobiles vous proposent des solutions de plus en plus écologiques, car les moteurs consomment beaucoup moins d'essence qu'avant, et certains fonctionnent avec des carburants alternatifs.

Cette partie du livre étudie également la planète du tourisme et offre quelques suggestions pour vous permettre de devenir un touriste plus écolo, notamment en vous rendant en des lieux où votre impact environnemental sera limité au minimum.

Chapitre 12

Choisir judicieusement votre moyen de transport

Dans ce chapitre

▶ Réduire l'utilisation de la voiture

▶ Utiliser d'autres moyens de transport

▶ Trouver des solutions pour vous rendre au travail

▶ Faire ses courses en ligne

▶ Créer la différence en voyageant moins souvent en avion

*Q*uand vous étiez petit, vous vous demandiez certainement si vous posséderiez un jour votre propre véhicule, une voiture qui vous donnerait de l'indépendance par rapport à vos parents, la possibilité de rendre visite à vos amis, d'aller découvrir des lieux inconnus, ou simplement de tout laisser derrière vous. Vous aviez peut-être envie de frimer avec un modèle un peu voyant, pour montrer que vous étiez quelqu'un de cool et d'important. Parmi mes amis, bien peu ont grandi en rêvant de prendre le bus ou le train, ou d'acquérir une bicyclette dotée de toutes les améliorations technologiques.

L'autonomie et le statut auxquels une voiture donne accès ont exercé une profonde influence sur le style et le développement des zones urbaines, et beaucoup de gens ont souhaité vivre dans de vastes maisons. La possibilité de l'éloignement a permis de vivre loin de notre lieu de travail, des boutiques, des écoles, des amis et de la famille. L'utilisation de la voiture et l'extension des zones urbaines vont de pair. Les banlieues s'étendent parce que nos véhicules nous permettent de nous déplacer à volonté. Toutefois, l'utilisation intensive de la voiture s'accompagne d'aspects moins agréables comme la pollution de l'air, les accidents de la route, les conséquences néfastes sur la santé et la condition physique, et, dans certaines régions rurales, la raréfaction des transports en commun.

Est-il possible de garder sa liberté de mouvement en se servant de sa voiture, tout en assurant la durabilité de nos zones urbaines ? La réponse est oui, si vous êtes prêt à conjuguer l'utilisation de votre véhicule avec celle des transports en commun.

Ce chapitre étudie certaines des options disponibles et présente diverses initiatives qui doivent vous convaincre de laisser plus souvent votre véhicule au garage, et explique quelles sont les solutions de transport plus durables.

Apprendre à moins compter sur les voitures

Vous vous demandez peut-être s'il est réaliste de réduire votre utilisation de la voiture. Sans doute la prenez-vous presque tous les jours, soit pour aller à votre travail, soit pour faire les courses ou accompagner les enfants à l'école. Mais avez-vous vraiment besoin de vous en servir pour tous vos déplacements ?

Tous les ans, les citoyens francais parcourent en moyenne 12 000 kilomètres et recourent à leur voiture pour 60 % leurs déplacements. Un trajet en voiture sur deux est réalisé sur une distance inférieure à 3 km : ils pourraient être facilement réalisés à pied ou en bicyclette. Les Francais adorent leur auto. Toutefois, en réduisant le nombre de kilomètres parcourus chaque jour, tout le monde pourrait faire en sorte que le pays devienne plus vert et plus agréable. Imaginez une meilleure qualité de l'air, la réduction conséquente de maladies comme l'asthme, la raréfaction des accidents mortels de la route, des espaces plus sécurisés pour la marche et la bicyclette.

En France, le secteur des transports est le premier émetteur de CO_2 (35 % des émissions). Il y a plus de 32 millions de véhicules légers en France. Le fait de réduire le nombre de voitures en circulation, de changer le type de carburant utilisé et de recourir à d'autres moyens de transport comme les bus et les trains peut provoquer la réduction des quantités de dioxyde de carbone et d'autres gaz à effet de serre, sans compter l'impact positif sur nos villes.

Réduire votre utilisation de la voiture

Voici certaines des meilleures méthodes à adopter pour réduire votre utilisation de la voiture :

✔ **Laissez votre voiture à la maison pendant une journée.** Ne l'utilisez pour vous rendre au travail que quatre jours par semaine. Le cinquième, marchez, faites de la bicyclette ou servez-vous des transports en commun.

Un péage pour les automobilistes à l'entrée de Londres

En février 2003, la municipalité de Londres a pris des mesures drastiques pour réduire l'utilisation de la voiture au centre de la capitale. Les conducteurs de véhicules à moteur qui entraient dans la zone centrale ont dû régler une taxe de 7 euros au titre des embouteillages produits. Devant cette mesure, les automobilistes étaient encouragés à réfléchir à deux fois avant de prendre leur voiture pour se rendre au centre-ville, et à la laisser en périphérie pour emprunter les transports en commun, voire pour marcher. Les estimations montrent que les embouteillages se sont réduits d'un tiers environ lorsque cette taxe de 7 euros a été appliquée. Depuis 2005, elle est désormais de 11 euros, ce qui a encore réduit les embouteillages de 5 %. Le maire veut l'augmenter pour qu'elle atteigne 14 euros, et étendre ce système à une zone plus importante dans la ville. D'autres zones urbaines envisagent de suivre son exemple. L'État anglais étudie divers systèmes de réduction des embouteillages, sous forme de péages, afin de forcer la réduction du trafic.

✔ **Partagez votre voiture**. Bien souvent, vous vous retrouvez seul au volant et vous voyez des centaines d'automobilistes prendre la même direction que la vôtre, seuls au volant. Pratiquez le covoiturage et invitez un collègue à profiter de votre véhicule, ou emmenez les enfants de vos voisins à l'école.

✔ **Dégagez de l'espace dans le garage**. Vendez votre deuxième voiture et organisez la répartition de la voiture qui reste entre les membres de la famille.

✔ Débarrassez-vous tout particulièrement des 4x4, sauf si vous vivez en pleine cambrousse. Vous avez très peu de chances de l'utiliser pour ce pour quoi il a été conçu, et il consomme beaucoup plus de carburant qu'il ne vous en faut pour vos voyages urbains.

✔ **Pratiquez le télétravail.** La négociation d'accords plus flexibles vous permet de travailler chez vous tout en accédant à votre entreprise par le biais d'Internet. Demandez à votre employeur si vous pouvez travailler chez vous un jour par semaine.

✔ **Planifiez vos déplacements.** Regroupez vos courses en une fois, au lieu de faire plusieurs petits voyages. Par exemple, profitez de ce que vous allez chercher votre enfant à l'école pour faire votre shopping.

En suivant ces petits conseils, vous allégerez considérablement le nombre de voitures sur les routes et le nombre de kilomètres parcourus.

Quand vous utilisez votre voiture, conduisez de la manière la plus écolo possible, en entretenant correctement votre véhicule et en vérifiant que la pression des pneus est adéquate. Dans le cas contraire, vous utilisez plus de carburant que nécessaire. Les pneus sous-gonflés peuvent augmenter votre consommation de près de 3 %. Souvenez-vous aussi que la vitesse excessive tue, et qu'elle conduit à consommer davantage. Il en va de même si vous laissez tourner votre moteur pendant que la voiture ne roule pas, surtout si vous le faites rugir devant les feux tricolores !

Si vous avez déjà une voiture, vous pouvez la rendre plus écolo, et peut-être obtenir une subvention pour le faire. Le site de l'Ademe, rubrique Transport, vous offre de nombreux conseils pour réduire votre consommation d'essence (www.ademe.fr transports). Vous pouvez aussi aller voir le site de la consommation durable du ministère de l'Écologie (www.developpement-durable.gouv.fr/consodurable/ : vélo, routes et voies vertes).

WWF, organisme à but non lucratif, promeut l'utilisation responsable de la voiture. Le site web de cette organisation (www.guide-topten.com) propose des conseils pour le choix des véhicules, explique la technologie des carburants alternatifs, les principes de réduction de l'utilisation de la voiture, le covoiturage, la meilleure technique de conduite, la planification des voyages, la manière la plus écologique de se débarrasser d'un véhicule, et tout ce qui peut concerner de près ou de loin l'utilisation de la voiture.

Contribuer à résoudre la crise de l'énergie

Un peu partout dans le monde, l'utilisation de la voiture est l'activité la plus polluante en ville.

En vous servant moins de votre voiture, vous obtenez un avantage essentiel, car vous minorez la demande de carburant fossile. Certains commentateurs font valoir que les réserves de carburants fossiles sont déjà largement entamées, et que nous puisons désormais dans la deuxième moitié des stocks.

Le prix élevé des carburants et du gaz indique déjà que l'offre n'est plus ce qu'elle était. Il n'est pas nécessaire d'être diplômé en économie pour le comprendre. Nous savons désormais que le pétrole et le gaz, qui proviennent de la terre, sont des sources d'énergie limitées qui doivent être gérées de manière beaucoup plus efficace avant d'être complètement épuisées.

Étant donné que la plus grande partie des carburants fossiles sert à l'industrie du transport, il est facile d'en conclure qu'une moindre utilisation des voitures réduira le besoin d'essence et de pétrole, ce qui contribuera à alléger la pression sur des réserves de plus en plus réduites.

Les voitures qui utilisent des carburants alternatifs (dont nous parlerons en détail dans le chapitre 13) offrent certes une réponse partielle, mais ne peuvent à elles seules résoudre le problème. Plutôt que d'attendre la mise au point de voitures plus efficaces, alors que les réserves de carburants fossiles continuent à s'épuiser, les spécialistes de l'environnement pensent qu'il convient de réduire notre dépendance vis-à-vis des voitures. Il faut pour cela vérifier que la population ait accès à des moyens de transport plus durables, et l'encourager dans cette voie par des subventions.

Apprendre à respirer librement

Selon une étude commandée par l'OMS aux autorites francaises, près de 30 000 personnes meurent précocement chaque année en France du fait de la mauvaise qualité de l'air. Une grande partie de la pollution provient des gaz d'échappement, et tout particulièrement des moteurs diésels.

Les gaz à effet de serre, notamment le dioxyde de carbone (voir le chapitre 1 pour une définition complète) ne constituent pas les seuls rejets des voitures. À ce mélange, il faut ajouter les hydrocarbures, les oxydes d'azote et les particules. Vous avez alors une image complète de la pollution automobile.

Un certain nombre de ces agents contaminants ont été désignés comme des facteurs de cancers, de fausses couches, de maladies nerveuses et cérébrales, et de dégâts à long terme sur les poumons. Les émissions d'hydrocarbures entrent dans la composition de l'air que l'on respire tous les jours. Un certain nombre de ces gaz d'échappement sont également toxiques, et sont susceptibles de provoquer des cancers.

Les émissions de gaz dues aux voitures sont tout particulièrement nocives pour les personnes, de plus en plus nombreuses, qui souffrent d'asthme. Il a été prouvé que la pollution des villes aggravait l'asthme et déclenchait des crises. Il semble que l'ozone, qui est l'un des principaux ingrédients de l'air, et les particules dues à l'essence provoquent l'apparition de l'asthme chez certains sujets. L'association Asthma déclare que les cas d'asthme ont été grosso modo multipliés par quatre depuis trente ans, et que cette situation est largement due aux gaz d'échappement. Vous pouvez contacter cette association : www.asmanet.com/asthme.

L'association Écologie sans Frontière a fait une étude très poussée, « Le scandale de la pollution de l'air », dans les villes que vous pouvez consulter sur son site internet (www.ecologiesansfrontiere.org).

La combinaison de toutes ces émissions contribue à appauvrir la qualité de l'air que nous respirons et à créer cet horizon sale auquel nous sommes habitués. Aujourd'hui, plus personne ne s'étonne de voir circuler à Tokyo des cyclistes équipés de masques, et c'est aussi de plus en plus courant à Londres ou à Paris

L'association Écologie sans Frontière préconise une réduction drastique des émissions de carbone, afin qu'elles soient inférieures de 12,5 % à ce qu'elles étaient en 1990.

Les émissions de gaz automobiles doivent donc être considérablement réduites. C'est une question de santé publique.

Choisir des options de transport durables

L'utilisation excessive des voitures n'a aucun caractère durable. La marche et le vélo, qui requièrent seulement l'énergie de vos jambes sont, eux, tout à fait durables.

Vous pensez sans doute qu'il serait judicieux de réduire votre utilisation de la voiture, mais vous ne voyez pas comment passer à l'usage des transports en commun. Personnellement, comme j'ai grandi dans une ferme, je pense que si l'on vit dans une zone rurale, c'est l'absence de transports en commun qui justifie l'utilisation réaliste de la voiture. Toutefois, ce paragraphe doit vous expliquer comment utiliser les différentes formes de transports durables, allant des transports en commun au covoiturage, en passant par la marche et le vélo.

Opter pour les transports en commun

Si, pour votre travail, vous n'avez pas besoin de voiture, pensez à vous servir des transports publics.

Les personnes interrogées invoquent plusieurs raisons courantes pour ne pas recourir aux transports en commun, mais d'autres prétextent les mêmes motifs pour expliquer qu'elles les apprécient. Les gens qui sont hostiles au train et aux bus se réfèrent souvent à des soucis de sécurité, disent que les horaires ne sont pas fiables, qu'il n'y a pas assez de stations ou de gare près de chez eux. Les défenseurs des transports en commun soulignent la nécessité de réduire l'impact négatif que les particuliers peuvent exercer sur l'environnement en se servant de leur véhicule privé. L'utilisation des bus et des trains est plus écologique, en raison du nombre des usagers qui y sont réunis. La quantité de gaz à effet de serre émise, divisée par le nombre de voyageurs, est minime par rapport à celle qui est produite par un individu seul à son volant. Les trains et les bus sont mieux sécurisés qu'avant ; les passagers se sentent intégrés à la communauté lorsqu'ils se côtoient, ont le temps de lire le journal, de faire des mots croisés, de remplir quelque paperasse. Ils arrivent plus décontractés à leur destination. Les autobus et les trains sont plus sûrs et arrivent désormais à l'heure à cause de la pression du public, d'une meilleure organisation des associations de voyageurs et d'une prise de conscience générale de l'importance des transports publics.

Toutefois, une partie de la population hésite encore à miser sur les transports en commun. Il s'agit de personnes qui ont grandi sans jamais utiliser les bus ni les trains, et qui rechignent à tout changement dans leur vie. Que celles-là se rassurent : avec Internet, elles disposent de tous les renseignements pour savoir comment se servir des transports publics.

Retrouver la santé en évitant la voiture

Votre voiture ne se contente pas d'émettre des gaz polluants. Le fait de l'utiliser sans cesse exerce un impact négatif sur votre santé et encourage votre paresse. Pourquoi marcher si vous pouvez conduire ? Si vous constatez que votre taille s'arrondit, pensez à toutes les occasions dont vous auriez pu profiter pour marcher ou faire du vélo au cours de la semaine qui vient de s'écouler. Généralement, vos trajets urbains vers le parc, l'école ou les magasins sont faisables à pied, et ce vilain bourrelet qui alourdit votre silhouette trouverait là une occasion de disparaître.

La voiture peut être définie comme une forme non active de transport. Le choix du transport actif – notamment celui de la marche ou de la bicyclette, du voyage en bus ou en train, en tramway ou en ferry dans certains coins du pays – peut avoir des conséquences extrêmement bénéfiques sur notre santé. Si vous marchez de temps à autre, vous prenez un précieux exercice, et vous contribuez à réduire les frais de la Sécurité sociale.

En augmentant votre activité physique chaque fois que vous ne vous servez pas de votre voiture, vous consentez des efforts de prévention des maladies cardiovasculaires, vous réduisez le risque d'obésité, du diabète et de l'ostéoporose. La récente augmentation du stress montre aussi que vous pouvez tirer des bénéfices psychologiques en ne conduisant pas.

Les gens qui marchent, roulent à vélo ou se servent des transports publics ont, le plus souvent, six kilos de moins que les personnes qui utilisent leur voiture pour tous leurs déplacements. Vous vous faites plaisir et vous faites plaisir à votre corps si vous faites du sport.

La paresse inhérente à l'utilisation de la voiture est particulièrement importante pour les enfants. Les petits qui manquent d'activité physique ont plus de chances d'être en surpoids. Une récente enquête gouvernementale montre que près de 17 % des adolescents en classe de troisième accusent un surpoids en France. Les critiques font valoir que ces chiffres sont inexacts et trop élevés à cause de la méthode de mesure employée mais, de toute évidence, il y a là un problème.

En dehors de l'impact négatif sur la santé du manque d'exercice, les enfants qui ont l'habitude d'être conduits à l'école se privent d'un apprentissage essentiel : ils peuvent manquer de motivation pour se débrouiller seuls et retrouver leur chemin. Ils prennent l'habitude de naviguer passivement et de se sentir mal à l'aise dans les espaces publics. Ayant moins d'expérience des règles du code de la route, ils encourent des accidents graves.

La plupart des sociétés de transport en commun disposent d'excellents sites web qui peuvent les aider à planifier leurs déplacements de manière efficace. Vous y trouverez des informations sur les horaires, des cartes qui détailleront l'itinéraire suivi, les tarifs, les réductions, ainsi que des renseignements sur la destination. Notez simplement, sur les flancs du bus ou sur les quais de gare, les étapes prévues, ou appelez votre mairie pour obtenir des renseignements plus complets.

Certaines sociétés de transport vous proposent même un guide complet pour votre voyage, que vous pouvez consulter à l'instant où vous quittez votre domicile. Sur leur site, si vous entrez votre adresse, votre destination et l'heure à laquelle vous souhaitez partir, vous recevrez une liste d'options possibles pour votre transport, un itinéraire, l'emplacement de la station de bus ou de la gare à laquelle vous devez vous rendre, ainsi que des itinéraires à pied et les distances par rapport à votre destination.

✔ L'Ademe, avec sa calculette éco-deplacement, vous permet de calculer l'impact quotidien de vos déplacements (www.2ademe.fr/calculette-eco-deplacements/).

✔ Il y a de plus en plus en France d'éco-comparateur entre les différents moyens de transport. Vous pouvez consulter celui-ci : www.bougezautrement.gouv.fr

✔ La FNAUT, Fédération nationale des associations d'usagers des transports en commun, est une organisation d'optimisation des transports dans l'optique de la défense de l'environnement. Vous pouvez consulter son site sur www.fnaut.asso.fr

Les chiffres des transports en commun

Les transports en commun présentent-ils un caractère durable ? Les bus qui fonctionnent au diesel et les trains consomment beaucoup d'électricité, mais ils entrent dans la catégorie des transports durables. C'est une question de chiffres. Les bus et les trains emmènent beaucoup plus de passagers dans une seule voiture que les véhicules individuels. Ceux-ci transportent cinq personnes au maximum, et en moyenne, ce chiffre tombe à une ou deux. Les bus accueillent en moyenne 60 passagers, voire 120 si le bus a deux étages. La SNCF, la seconde entreprise ferroviaire européeene, gère 572 millions de voyageurs en Île-de-France par an. Son site internet (voyages-sncf.com) a lancé avec l'Ademe « l'éco-comparateur » qui permet de comparer l'impact en CO_2 des choix de mode de transport. Par exemple, sur un trajet Paris-Marseille, les émissions de CO_2 par personne s'élèvent à 178 kg en voiture (pour un conducteur seul), 97 kg en avion, et 3 kg en TGV.

Si vous êtes novice dans les transports en commun, commencez par aller sur le site web du transporteur et voyez si vous pouvez vous déplacer entre votre domicile et votre travail (ou d'autres destinations) par son intermédiaire. Si vous trouvez un service adéquat, adaptez votre emploi du temps pour vous accorder le temps d'arriver jusqu'à votre station de bus ou votre gare, en partant et en rentrant chez vous.

L'augmentation du nombre de bus, de trains, de ferries et de trams et l'amélioration du taux de remplissage de ces moyens de transport réduisent les embouteillages, le temps et l'argent perdus à attendre qu'un feu passe au vert, tout en limitant la pollution. Au bout du compte, l'utilisation des transports en commun fait rétrécir votre empreinte carbone (voir le chapitre 1 pour obtenir davantage de renseignements sur l'impact que vous exercez sur votre environnement).

Prendre un vélo, un bus...

En France, près de 40 % des trajets quotidiens font moins de deux kilomètres. Vous n'avez donc pas d'excuses pour refuser de marcher un peu ou d'enfourcher un vélo.

Consultez les sites de location de vélos : à Paris (www.velib.paris.fr), à Lyon (www.velov.grandlyon.com) et à Rennes (veloalacarte.free.fr).

Partager le volant – et la voiture !

Le covoiturage devient de plus en plus populaire dans certains coins d'Europe. Même s'il existe de nombreuses différences entre les différents réseaux locaux, cette pratique se présente sous deux aspects fondamentaux.

✔ **Le covoiturage sur un trajet** : un groupe d'employés partage régulièrement une voiture pour se rendre au travail et en revenir. Le véhicule est généralement fourni par la personne qui la conduit tous les jours. Dans certains cas, l'employeur fait don d'une voiture au groupe en vue du covoiturage.

Si vous cherchez quelqu'un avec qui partager les frais de transport, enregistrez-vous sur le site www.carstops.org ou www.123envoiture.com ou www.easycovoiturage.com ou www.ecotrajet.com afin de trouver dans votre quartier des personnes qui vont dans la même direction que vous.

Il n'est pas nécessaire que la personne avec qui vous pratiquez le covoiturage travaille dans la même société que vous. Vous pouvez organiser votre propre trajet avec des voisins qui travaillent à proximité de votre entreprise ou dans la même ville. Il est possible de s'inscrire sur le site national du covoiturage : www.covoiturage.fr

Il existe aujourd'hui un logiciel qui aide les entreprises à organiser le covoiturage, en fonction de l'endroit où vivent les gens et l'heure à laquelle ils souhaitent arriver dans un lieu précis. Diverses sociétés commercialisent ces logiciels et les adaptent à vos besoins. Consultez le site www.patacaisse.com ou www.laroueverte.com pour obtenir plus d'informations.

✔ **L'autopartage** : ce modèle d'autopartage fonctionne un peu comme une société de location de voitures classique, mais vous ne partagez le véhicule qu'avec un nombre restreint de membres abonnés. On appelle ça de l'auto partage : on peut louer une voiture à la carte pour une heure (faire quelques courses) ou plus. Contactez Caisse commune (www.caisse-commune.com) ou Mobizen (www.mobizen.fr) ou les derniers-nés : www.avis.fr et www.vincipark.com. L'offre du parc Vinci s'appelle Okigo : www.okigo.com

> France Auto-partage réunit huit centrales de véhicules à travers la France : Bordeaux, Grenoble, Lyon, Marseille, Montpellier, Strasbourg, Rennes, Lille.

Si vous rechignez à utiliser les transports en commun tout en souhaitant opter pour des moyens de transport durables, pourquoi ne pas essayer le covoiturage ?

Le covoiturage présente un avantage écologique essentiel, celui de réduire le nombre de voyages avec un seul passager par véhicule et donc, le nombre de voitures sur la route.

En Angleterre, de nombreuses villes comme Cambridge, Londres et Édimbourg ont adopté des systèmes de location de bicyclettes, mais la plupart du temps, ces systèmes n'ont pas été efficaces parce que les vélos ont été progressivement volés, repeints et vendus. En France et en Allemagne, le système fonctionne mieux, peut-être parce que la culture du vélo y est mieux intégrée aux mœurs.

Pourquoi ne pas créer une association de partage de bicyclettes ? Achetez un vélo avec des amis et utilisez-le chacun votre tour. Même si vous n'allez qu'une fois par semaine au travail en vélo, vous serez un voyageur écolo ce jour-là.

Aller au travail par des moyens écolo

Si vous envisagez de moins utiliser votre voiture, il paraît logique de vous concentrer sur votre trajet d'aller-retour au travail. De nombreuses initiatives, conçues pour encourager une approche plus équilibrée de la voiture, sont axées sur le lieu de travail.

Demandez à votre employeur si vous pouvez moduler vos heures d'arrivée et de départ pour prendre les transports en commun lorsqu'ils sont moins encombrés. Si vous êtes le patron, voyez si vous avez vraiment besoin de réunir tout votre personnel à la même heure que toutes les autres entreprises voisines. Si la réponse est non, mettez au point des horaires échelonnés pour vos employés. Certaines entreprise ont parfois la possibilité de mettre en place des DPE : ce sont des plans de déplacements d'entreprise grâce, par exemple, à un bus spécialement affecté aux deplacements domicile/travail de ses salariés.

Si vous ne pouvez accéder facilement aux transports publics à partir de l'endroit où vous vivez, pensez à vous rendre à la station de bus ou à la gare la plus proche et à y laisser votre voiture. Vous pouvez aussi envisager de déménager dans un endroit plus pratique par rapport à votre lieu de travail. Si cette option est réaliste, vous marcherez ou roulerez à bicyclette pour vous rendre au boulot.

Changer vos habitudes de déplacement est bénéfique pour l'environnement, pour la paix de votre esprit et pour votre portefeuille. Les économies relatives peuvent être substantielles. Une personne qui utilise les transports en commun et des taxis tout au long de l'année dépense moins d'argent que celle qui achète une voiture et l'utilise. Il faut en effet compter l'assurance, le carburant et les frais d'entretien. Imaginez les frais d'une famille qui possède deux voitures ou plus !

Si vous devez utiliser votre voiture, voyez si vous pouvez la partager avec quelqu'un d'autre qui suit un itinéraire proche du vôtre. Consultez le paragraphe précédent, intitulé « Partager le volant – et la voiture ! ». Les particuliers qui suivent ce conseil peuvent se garer en un lieu choisi et attendre les collègues pour la suite du voyage. Des arrangements informels comme ceux-là ont conduit de nombreuses municipalités à fournir des zones de *parking partagé*. C'est vous qui créez la différence.

Se servir de ses jambes pour marcher (et pour pédaler)

La vérité, c'est que beaucoup de gens vivent trop loin de leur travail pour y aller à pied. Toutefois, on remarque une nette tendance au rapprochement du lieu du travail et des lieux de loisirs. Maintenant, les jeunes professionnels aiment rester dans les centres-villes et profiter des boutiques sur le chemin du boulot.

Si vous habitez trop loin de votre entreprise, il est plus sain de marcher jusqu'à la station de bus ou la gare la plus proche, et c'est une option beaucoup moins chère que la voiture.

Le vélo est un moyen de transport de plus en plus populaire, notamment parce que de nombreuses municipalités ont doté leur territoire de pistes cyclables confortables et sécurisées qui ne gênent plus les autres véhicules. Dans certains cas, la bicyclette est un moyen de transport plus rapide que d'autres, en raison des embouteillages.

Pour vous rendre au travail à vélo, il est essentiel de vous organiser à l'avance :

✔ Vérifiez que votre entreprise est dotée d'un parking pour les bicyclettes et d'équipements pour les verrouiller, afin de ne pas vous faire voler l'objet de votre précieux investissement.

✔ Vérifiez que vous avez accès à une douche et à un vestiaire où vous pourrez vous changer. Si votre société n'en est pas équipée, suggérez à votre patron de créer un tel espace, et dites-lui pourquoi vous le jugez nécessaire à la fois pour l'entreprise et pour l'environnement. De nombreux employeurs n'y ont tout simplement pas pensé parce que personne n'a soulevé ce problème.

✔ Étudiez votre itinéraire, cherchez les chemins les plus carrossables et les plus larges pour éviter tout conflit avec d'autres véhicules.

Si vous avez fait tout cela, alors, n'attendez plus : enfourchez votre vélo !

Le site officiel du tourisme en France, France guide (`ca.franceguide.com`), promeut les méthodes de transport durable. Il donne tous les sites de cartes de pistes cyclables en france et propose des cartes pour trouver les routes les plus sûres.

Si vous adoptez le vélo pour devenir un voyageur plus écolo, ne négligez pas l'aspect sécurité. Assurez-vous de disposer d'un bon éclairage, et portez toujours un casque, des vêtements bien visibles, des bandes fluo. Les automobilistes doivent être capables de vous voir facilement dans l'obscurité ou lorsque les conditions de visibilité sont mauvaises.

Environ deux tiers des habitants du Royaume-Uni pourraient facilement atteindre une gare en prenant leur bicyclette, mais ils en sont souvent empêchés par le fait qu'il n'existe pas de moyen de la garer aux abords de la gare ou de l'embarquer dans le train ou le bus. Certaines compagnies se montrent très strictes quant au nombre, à la taille et au type de bicyclettes qui peuvent être transportées. D'autres ne les autorisent que sur certains trajets. Vérifiez ce qu'il en est avant de commencer votre voyage et militez pour l'installation de parkings vélo à proximité des gares.

Créez la différence en profitant de meilleurs aménagements de transport sur votre lieu de travail

Beaucoup d'employeurs voudraient désormais encourager leurs employés à laisser leur véhicule à la maison.

La plupart des entreprises sont soumises à la pression qu'exercent les employés en demande d'un véhicule de fonction. Lorsqu'elles peuvent encourager des solutions alternatives, elles en tirent profit tout en protégeant l'environnement. En réduisant les frais liés aux véhicules de fonction, les employeurs récupèrent la surface des parkings et peuvent les utiliser à des fins plus productives.

Les aménagements de transport encouragent les gens à faire des choix plus durables, parce qu'ils bénéficient de choix qui leur permettent de réduire leur utilisation de la voiture. Parmi les mesures d'incitation proposées, il y a :

✔ Le remboursement partiel ou total des transports en commun, alternative moins coûteuse pour la société, qui incite les employés à délaisser la voiture qui coûte cher en carburant, en parking et en entretien.

- ✔ Une information personnalisée et des documents de marketing.

- ✔ Un accès facilité aux stations de bus, à partir de l'entreprise.

- ✔ L'attribution de places nominatives sur le parking, ce qui facilite le partage entre les utilisateurs.

- ✔ La flexibilité du temps de travail, le télétravail et le travail à domicile : tous ces éléments permettent de laisser la voiture à la maison, de voyager à des heures de moindre affluence ou d'utiliser les transports en commun à une heure de faible encombrement.

- ✔ Des informations sur les itinéraires à emprunter pour la marche ou le vélo.

- ✔ Des systèmes de points de fidélité qui récompensent ceux qui réduisent leur utilisation de la voiture.

- ✔ Une réserve de vélos appartenant à l'entreprise, qu'il est possible d'utiliser pour rentrer chez soi et venir au travail.

- ✔ Une réserve de véhicules peu polluants pour le personnel.

- ✔ Des annonces relatives aux transports en commun et d'autres informations en temps réel.

- ✔ Des événements liés à l'usage des transports en commun (petits déjeuners, déjeuners, séminaires, etc.).

- ✔ Agendas et liens vers des sites d'organisation de voyages.

Si votre lieu de travail ne dispose pas d'aménagements particuliers pour les déplacements, demandez à quelques-uns de vos collègues de se joindre à vous pour les organiser. Si vous parvenez à vous faire aider, allez voir votre patron et présentez-lui un rapport ou des informations glanées sur Internet pour souligner les avantages de ces équipements.

Il existe aujourd'hui un logiciel qui aide les entreprises à organiser le covoiturage, en fonction de l'endroit où vivent les gens et l'heure à laquelle ils souhaitent arriver dans un lieu précis. Diverses sociétés commercialisent ces logiciels et les adaptent à vos besoins. Consultez le site www.patacaisse.com ou www.laroueverte.com pour obtenir plus d'informations.

Vous obtiendrez d'autres renseignements en vous rendant sur le site officiel www.developpement-durable.gouv.fr ou en consultant le site de la Fédération des associations des usagers de transports, www.fnaut.asso.fr

Fournissez à votre société toutes les informations qui mettent en valeur les avantages des aménagements de transport, notamment le fait qu'ils :

- ✔ facilitent les relations entre le personnel et la direction ;

- ✔ contribuent à attirer le personnel et à le fidéliser ;

✔ améliorent l'image de la société au sein de la communauté qui reconnaît l'utilité d'adopter une approche durable ;

✔ permettent des économies par les subventions en vue de l'utilisation des transports en commun, plutôt que les lourdes dépenses dues aux véhicules de fonction.

Faire ses courses sans se fatiguer... à la maison

Internet exerce un impact considérable sur les transports en offrant la possibilité de faire ses achats en ligne et d'éviter les allers-retours vers les zones commerciales. Sans doute faites-vous vos courses en voiture, notamment pour l'alimentation, les équipements encombrants et tout ce qui peut entrer dans le coffre. Au lieu de vous soumettre au stress de chercher une place de parking dans un énorme centre commercial, vous pouvez désormais acheter sur la Toile les marchandises que vous n'avez pas besoin de voir pour les choisir.

Bien que les livraisons commerciales par avion, par train et par véhicules spéciaux soient susceptibles d'augmenter du fait du développement du commerce en ligne, cet impact est compensé par la réduction des voyages individuels. Certes, l'augmentation du trafic commercial sur Internet peut exercer un impact négatif sur la vie économique et sociale dans les centres urbains, mais cette question fait encore débat.

Voici quelques-uns des secteurs dans lesquels il est possible de réduire le nombre de voyages des particuliers.

✔ **Les livres et la musique** : Amazon.com a été l'une des premières sociétés à promouvoir l'achat de livres et de disques en ligne. L'avantage réside dans un choix plus important que celui que propose le magasin local. Vous pouvez même passer des commandes auprès de sociétés qui ont leur siège outre-mer, mais cela sera sans doute néfaste à votre économie locale.

✔ **Les aliments périssables et non périssables :** souvent, les grands supermarchés et les magasins bio encouragent le commerce électronique, parce qu'une grande partie des internautes dressent la liste de ce qu'ils veulent acheter et n'ont pas besoin de voir les produits qu'ils connaissent déjà.

✔ **La nourriture à emporter :** la livraison de pizzas à domicile a été l'un des premiers services proposés dans les zones urbaines. Il suffit de téléphoner pour être livré. Aujourd'hui, beaucoup de sociétés proposent des menus variés et délicieux en ligne.

- ✔ **L'ameublement et les équipements ménagers :** de nombreux détaillants, parmi les plus connus, disposent de superbes catalogues en ligne qui vous encouragent à commander et à faire livrer vos gros objets sans avoir à lever le petit doigt.

- ✔ **Tout et n'importe quoi :** les sites comme eBay, qui donnent à leurs visiteurs l'occasion de vendre leurs objets, ont volé de grandes parts de marché aux soldeurs de tout poil qui se trouvent dans les grandes et les petites villes.

La plupart des détaillants possèdent maintenant leur site interactif qui déploie de magnifiques catalogues de leurs biens et services et que vous pouvez explorer pour y trouver votre bonheur.

Rendez-vous sur votre site favori et suivez les étapes :

1. Cliquez sur un produit pour l'envoyer dans votre panier d'achats virtuels, où vos articles sélectionnés attendront que vous soyez prêt à payer.

2. Terminez votre séance d'achats en cliquant jusqu'à la facturation. Le coût de vos articles est calculé en même temps que les taxes supplémentaires et les frais de livraison pour vous donner un montant total.

3. Servez-vous de votre carte de crédit pour régler votre achat et fournissez votre adresse pour que les articles puissent vous être envoyés. Si vous êtes inquiet à l'idée de donner des renseignements sur vous, servez-vous du système PayPal. Il vous permet de payer quiconque est doté d'une adresse électronique et d'un numéro de compte en ligne, sans donner les détails qui figurent sur votre carte de crédit. Vous obtiendrez d'autres renseignements en vous rendant sur le site www.paypal.fr

4. Recevez un courriel qui confirme l'achat de vos articles, leur prix et vous annonce les modalités de livraison.

Et hop. Tout ça dans le confort de votre maison.

Ne plus faire autant de kilomètres en l'air

Où que vous vous trouviez, si vous levez le nez vers les nuages, vous n'attendrez pas longtemps avant de voir passer un avion. Ils sont 3 000 à 4 000 à sillonner le ciel d'Europe à tout instant. Même si chacun d'entre eux ne véhicule que 100 passagers, on arrive à un total de 400 000 voyageurs, sans compter tous ceux qui décollent ou atterrissent au moment où vous finissez de lire cette phrase. Environ 220 millions d'usagers se rendent dans les aéroports anglais tous les ans. Depuis 1987, le nombre d'utilisateurs des aéroports de Londres a plus que doublé, et triplé pour ceux qui empruntent les aéroports régionaux. L'État pense que ce chiffre doublera à nouveau d'ici à 2030. Le trafic aérien devrait continuer à progresser, puisque les vols restent relativement abordables, ce qui met les avions à la portée de plus en plus de gens.

Si vous prenez en compte le nombre croissant des voyageurs en provenance des pays émergents, vous comprendrez que le trafic aérien soit un gros souci pour les scientifiques qui mesurent ses effets sur l'environnement. Le surcroît de vols signifie la multiplication des aéroports, des envols et des atterrissages, l'augmentation de la consommation de kérosène et celle du rejet de gaz à effet de serre dans l'atmosphère.

De toutes les pollutions, celle des avions connaît l'expansion la plus rapide dans le monde.

En France le trafic aérien est responsable d'environ 6 % des émissions de gaz à effet de serre. Ces gaz étant rejetés à haute altitude, ils provoquent deux fois plus de dégâts que ceux émis par les usines et les bâtiments d'habitation. Les avionneurs font valoir qu'ils construisent des moteurs de plus en plus propres et efficaces, mais le taux de croissance des déplacements annihile ces avancées technologiques.

Comme on construit des avions plus gros qui peuvent aller plus loin qu'avant, cela signifie que de nombreux passagers vont multiplier les trajets sans qu'il soit nécessaire d'augmenter le nombre de vols, mais cette règle ne prévaut que si les avions sont totalement pleins. L'État français n'aime pas l'idée de taxer le kérosène, car cette mesure aurait pour effet d'augmenter les tarifs et limiterait les déplacements. En attendant, l'avion est devenu le moyen de transport le plus polluant de tous.

Réagissez en limitant vos déplacements par avion pendant vos vacances et en restant dans l'hexagone au lieu de vous rendre à l'étranger. Vous pouvez chercher des moyens plus écolos de voyager, notamment si vous prenez le train. De même, certaines mesures permettent de compenser les émissions de carbone liées à vos voyages en avion. Par exemple, vous pouvez financer la plantation d'un arbre pour absorber le dioxyde de carbone rejeté par votre avion. Vous trouverez davantage d'informations sur ce point dans le chapitre 1.

Chapitre 13

Encourager la transformation écolo de la voiture...

Dans ce chapitre

▶ Délaisser le moteur à combustion interne

▶ Utiliser des carburants qui réduisent les rejets de gaz

▶ Devenir plus efficace dans la gestion des carburants

▶ Concevoir la voiture écolo de l'avenir

La voiture est le bouc émissaire de tous nos problèmes d'environnement, et elle est montrée du doigt dans les villes, désignée comme responsable des embouteillages, des accidents et de l'obésité rampante. Mais il est difficile d'imaginer une vie sans elle. Il est peut-être possible de réduire son utilisation et son impact, mais les voitures ne sont pas sur le point de disparaître de nos routes. En France un individu parcourt 12 000 km par an.

Parce que les automobiles se servent d'essence ou de diesel et que ces carburants sont produits à partir du pétrole (un carburant fossile), les moteurs produisent du dioxyde de carbone. En France, le secteur des transports est le premier émetteur de CO_2 (35 % des émissions). Il représente à lui seul 130 millions de tonnes de CO_2 par an. Par ailleurs, ce carbone est partiellement responsable du changement climatique qui conduit l'humanité à s'inquiéter de l'avenir de la planète.

Ce chapitre se concentre sur la façon dont vous pouvez limiter l'impact négatif de votre voiture sur l'environnement, par l'utilisation de sources d'énergie renouvelable, plus propres et moins polluantes. Il étudie également la nouvelle génération de voitures écolo qui sont en cours de développement et qui seront bientôt exposées près de chez vous.

Mieux conduire, conduire plus écolo

Les gens mènent la plus grande partie de leurs activités sociales et professionnelles au sein de leur communauté, mais l'invention de la voiture leur a donné une plus grande mobilité. Aujourd'hui, certaines personnes passent plus de deux heures tous les jours pour se rendre au travail et en revenir, et se déplacent sur de longues distances pour rendre visite à leur famille et à leurs amis.

Produites en masse, les voitures qui fonctionnent à l'aide de carburants fossiles constituent le moyen le plus abordable de voyager, ce qui contribue à augmenter la consommation de carburants, de rejets de gaz à effet de serre et à renforcer la pollution.

Pour réduire l'impact de votre voiture sur l'environnement, il convient de la remplacer par la marche, la bicyclette ou les transports en commun, d'utiliser des carburants plus verts. Le seul fait de laisser votre auto au garage vous rend plus écolo. Le chapitre 12 vous en dit long sur la manière de moins utiliser votre voiture.

Si votre voiture fonctionne avec un carburant sans plomb (et si vous pouvez vous permettre d'investir dans un carburant alternatif, comme ceux qui sont décrits un peu plus loin dans ce chapitre), vous pouvez tout de même réduire votre consommation de carburant et vos rejets de carbone en suivant ces conseils :

- ✔ Faites entretenir régulièrement votre voiture. Les véhicules vieillissants polluent beaucoup plus que les modèles récents, qui présentent de meilleures performances. L'entretien régulier peut réduire cette pollution.

- ✔ Réduisez votre vitesse, évitez les accélérations brutales et les coups de freins intempestifs. En conduisant doucement et sans à-coups, vous réduisez votre consommation de carburant. À 80 kilomètres heure, vous utilisez moins de carburant qu'à 110.

- ✔ Éteignez votre moteur à l'arrêt et ne le faites pas hurler au démarrage. Une voiture à l'arrêt produit 80 % de pollution supplémentaire par rapport à une auto qui roule. Le ministère américain de l'Énergie indique qu'il est plus économique et moins polluant de couper le moteur et de le rallumer si le véhicule est arrêté pendant 30 secondes ou plus.

- ✔ Voyagez léger. Retirez de votre voiture tout ce dont vous n'avez pas besoin, afin de réduire le poids du véhicule, d'améliorer la consommation de carburant et de réduire les rejets de gaz.

- ✔ Vérifiez que vos pneus sont correctement gonflés. Les pneus sous-gonflés font consommer jusqu'à 3 % de carburant en plus.

- ✔ N'utilisez votre climatisation et les autres gadgets électriques que lorsque vous en avez besoin. En effet, ils vous font consommer jusqu'à 10 % de carburant en plus.

- ✔ Évitez de conduire aux heures d'affluence. Le fait de stationner longuement dans un embouteillage conduit à un gâchis d'essence.

Envisagez le covoiturage et le partage des voitures quand cela est possible et d'acheter une voiture en commun avec une autre personne.

Les motos et les scooters sont plus écolo et consomment moins de carburant (voir le paragraphe intitulé « Les deux roues sont plus écolo que les quatre roues », un peu loin dans ce chapitre).

Éveiller l'intérêt de vos proches pour les énergies alternatives

Évidemment, l'épuisement des ressources en carburants fossiles et l'augmentation de leur prix ont suscité un fort intérêt pour les carburants alternatifs. Même les Américains se sont rendu compte qu'ils devaient cesser de faire confiance aveuglément au pétrole.

Plusieurs carburants moins polluants et plus performants sur le plan énergétique exercent un impact moindre sur l'environnement :

- ✔ Le diesel propre à faible teneur en soufre, et le *biodiesel*, fabriqué à l'aide de végétaux comme le colza et le soja, le suif et certaines huiles.

- ✔ Les carburants à base d'éthanol, notamment le diesohol (15 % d'éthanol et du diesel à faible teneur en soufre), l'éthanol hydraté et l'essence sans plomb mélangés à l'éthanol (alcool éthylique). L'*éthanol* est un alcool à forte teneur en volume d'alcool, fabriqué essentiellement à partir de canne à sucre brésilienne. L'éthanol utilisé pour les voitures contient également des additifs toxiques.

- ✔ Les carburants gazeux, notamment l'hydrogène (qui peut être transformé en électricité pour alimenter les voitures à cellule hydrogène), le gaz naturel comprimé (GNC, mais on dit couramment GNV), le gaz naturel liquide (GNL), le gaz de pétrole liquéfié (GPL) pour les voitures, et le GPL comme le gaz propane.

Certains carburants alternatifs peuvent être mélangés à l'essence et au diesel pour servir dans des moteurs à combustion interne. De ce fait, ils continuent à produire des émissions de carbone, mais beaucoup moins que l'essence ou le diesel seuls. À ce jour pourtant, il n'y a pas de production de masse de véhicules fonctionnant avec ces carburants alternatifs en Europe. Ces voitures restent plus chères que celles qui fonctionnent à l'essence.

Opter pour les biocarburants et pour le biodiesel

Les *biocarburants* sont constitués d'éthanol qui sert à remplacer l'essence. Généralement, ils sont fabriqués à partir de betterave, de canne à sucre ou de maïs, et leur usage est très répandu dans certains pays comme le Brésil. En Europe, les biocarburants sont mélangés à l'essence qu'ils ne remplacent pas complètement. Vous trouverez d'autres renseignements complémentaires dans le paragraphe suivant, intitulé « Mélanges ». L'utilisation d'éthanol pur en lieu et place de l'essence fait diminuer d'environ 13 % les émissions de carbone, si l'on tient compte de la quantité de carbone rejetée dans l'atmosphère au cours du processus de production, et si l'on considère que les voitures à l'éthanol ne couvrent que 70 % des distances assurées par les voitures à essence.

Le biodiesel, fabriqué à partir de plusieurs plantes, est le meilleur compromis qui existe pour les moteurs diesel. Tirés d'huiles végétales et de graisses animales mélangées à une substance proche de l'alcool, appelée méthanol, la plupart des biodiesels sont mélangés avec le diesel (le plus souvent à hauteur de 20 %) pour être utilisés dans les moteurs diesel actuels sans modification. Vous pouvez aussi faire tourner un moteur diesel avec 100 % de biodiesel : le moteur produira beaucoup moins de gaz nocifs (jusqu'à 75 % de moins qu'avec un véhicule diesel normal) ; mais si vous le faites sans modifier votre moteur, celui-ci pourrait en pâtir. Toutefois, vous pouvez faire transformer votre véhicule actuel pour qu'il accepte des carburants plus écolo, surtout s'il utilise déjà une part de biodiesel.

L'Angleterre considère que les biocarburants constitueront 5 % des carburants de transport d'ici à 2010, et les règles de l'Union européenne stipulent que les carburants conventionnels soient mélangés aux biocarburants. Elles visent pour eux une part de 5, 75 % sur l'ensemble des carburants de transport d'ici à 2010. Tous les ans, la demande mondiale de biocarburant augmente de 25 %.

Les biocarburants et le biodiesel sont souvent désignés comme des carburants écolo par excellence. Toutefois ils proviennent de plantes qui exigent une grande superficie de terrain. Dans certaines régions, notamment en Amérique du Sud et dans le Sud-Est asiatique, des forêts naturelles (y compris des forêts tropicales) ont été détruites pour laisser place à des cultures de maïs, de canne à sucre, de palmier et de soja afin de produire l'huile qui sera transformée en biocarburant et en biodiesel, ce qui a contribué à faire monter les prix.

Si la demande en biocarburants augmente, la destruction des forêts naturelles s'aggravera, à moins que les producteurs de biocarburants veillent à ce que les récoltes utilisées pour les biocarburants soient gérées de façon durable, en faisant pousser des arbres à croissance rapide sur les terres qui ne sont pas nécessaires à la production d'aliments et qui n'ont pas été volées aux forêts naturelles.

La presse publie divers articles à propos de conducteurs qui fabriquent chez eux un mélange d'huile domestique et de méthanol, pour obtenir un mélange bon marché adaptable à la voiture. N'oubliez pas que vous devez payer des taxes sur ce carburant maison !

Le bon mélange (pour le carburant)

L'éthanol peut servir de carburant pour les voitures. Il est produit à partir de la fermentation et de la distillation de végétaux comme la canne à sucre, le maïs, l'orge et le blé ou encore n'importe quel végétal contenant de l'amidon ou du sucre, au cours d'un procédé similaire à celui qui permet d'obtenir de l'alcool.

Généralement, l'éthanol est mélangé à l'essence pour constituer un carburant plus écologique qui peut être utilisé dans les moteurs à combustion. Si vous voulez vous servir d'éthanol pur tout en gardant le choix de revenir à l'essence, vous avez besoin d'un véhicule flex fuel (FFV). On trouve de plus en plus de FFV sur le marché parce qu'il suffit d'opérer un petit changement sur le moteur à combustion standard.

Le mélange le plus populaire (E85) est constitué de 85 % d'éthanol et de 15 % d'essence. C'est le carburant alternatif qui représente le meilleur compromis du moment, parce qu'il ne requiert pas de grands changements par rapport à la conception actuelle des voitures. L'E85 réduit considérablement les émissions de gaz à effet de serre et la pollution, mais pas autant que les autres carburants alternatifs qui sont mentionnés ailleurs dans ce chapitre.

Saluer l'avenir de l'hydrogène

L'hydrogène, qui est le plus simple des éléments chimiques naturels, est partout – dans l'eau, les plantes et les animaux. Le ministère américain de l'Énergie indique que l'hydrogène est, de tous les carburants alternatifs, le plus propre et le plus efficace sur le plan énergétique. Parce que sa production n'est absolument pas limitée, il pourrait résoudre la crise énergétique de la planète. Lorsqu'il est utilisé pour propulser divers véhicules, l'hydrogène est fourni à une cellule de carburant (qui ressemble à une batterie). Dans cette cellule, une réaction chimique entre l'hydrogène et l'oxygène produit de l'énergie électrique qui actionne le moteur, produisant seulement de l'eau en guise de déchet. La cellule de carburant ne se décharge pas, comme les batteries conventionnelles, aussi longtemps que l'hydrogène et l'oxygène lui sont fournis.

Cependant, pour que l'hydrogène soit adapté au transport de masse, l'État américain indique que les questions suivantes doivent être résolues :

- Les niveaux énergétiques par litre d'hydrogène ne sont pas aussi élevés que ceux de l'essence (qui fournit jusqu'à cinq fois plus d'énergie par litre qu'une cellule hydrogène.

- Aucun grand fabricant automobile ne produit (encore) de véhicules à hydrogène pour le grand public.

- Il faudra de l'argent et beaucoup d'efforts pour construire de nouvelles stations pour la distribution de l'hydrogène. La mise en œuvre de tout carburant alternatif suppose en effet des coûts substantiels.

Certains bus fonctionnent déjà à l'hydrogène dans certaines grandes villes anglaises (notamment à Londres).

L'État américain estime, de manière assez conservatrice, qu'il faudra de dix à vingt ans pour développer à grande échelle les véhicules à hydrogène et les infrastructures nécessaires pour les faire fonctionner, bien que les fabricants automobiles prétendent y parvenir dès 2010. Certains fabricants japonais bien connus ont beaucoup progressé dans le développement de nouveaux véhicules à propulsion à hydrogène, à tel point que ce genre de véhicule pourrait être disponible sur le marché d'ici à cinq ans.

Prendre le vent du gaz naturel

Le *gaz naturel comprimé* (GNC) est une meilleure option que l'essence parce qu'il produit moins d'émissions toxiques. Il existe un marché relativement prospère pour les véhicules au gaz naturel aux États-Unis, mais ce type de voiture n'est pas encore disponible en Europe. Le GNC est produit à partir de réserves souterraines de gaz, ou bien il s'agit d'un produit dérivé du pétrole brut : de ce fait, il ne provient pas d'une source renouvelable. Toutefois, le gaz naturel est également un composé de méthane, produit pendant le traitement et le recyclage des eaux usées. Sur ce plan, il constitue une source plus écologique et renouvelable dans laquelle il sera possible de puiser à l'avenir.

L'inconvénient du GNC est qu'il apporte seulement un tiers environ de l'énergie fournie par l'essence.

L'autre option s'appelle le GPL. Il s'agit d'un sous-produit du raffinage du gaz naturel et de l'essence. En cela, c'est un produit moins naturel que le GNC, qui provient de réserves souterraines, mais qui possède des vertus similaires pour ce qui concerne la propreté de l'air.

Le GPL apporte beaucoup plus d'énergie par litre que le GNC (en fait, il est presque aussi performant que l'essence sur ce point), et il est plus facile de créer des infrastructures de distribution au public. Alors que le gaz naturel est généralement stocké dans des dépôts, le GPL peut être transporté par camion un peu partout dans le pays. Cependant, cette pratique augmente les coûts de transport et contribue aux émissions de gaz toxiques par le biais des véhicules de transport.

Miser sur la voiture de l'avenir

Votre prochaine voiture peut être plus écolo que celle que vous possédez actuellement. Plusieurs années de recherches et d'investissement consentis par les constructeurs automobiles permettront de mettre sur le marché des voitures plus vertes, fonctionnant à l'aide d'un carburant renouvelable, propre et efficace sur le plan énergétique. Cependant, ces nouvelles voitures alternatives ne seront pas bon marché. Jusqu'à ce qu'elles soient développées à l'intention d'un vaste marché, elles risquent d'être un peu plus chères que leurs cousines à essence.

Mesurer l'étendue du problème automobile

La voiture d'aujourd'hui – équipée d'un moteur à combustion interne, de deux sièges avant, de trois places à l'arrière, d'un châssis servant à protéger le conducteur et les passagers et de quatre pneus en caoutchouc – ressemble beaucoup à ce qu'elle était il y a un siècle.

Le moteur à combustion interne est très inefficace sur le plan de l'utilisation de l'énergie :

- Dans chaque litre d'essence utilisé par le moteur, il y a 34 mégajoules, dont un tiers sont perdus en raison de l'inefficacité du moteur.

- 8 % supplémentaires sont perdus au cours du parcours dans les différents accessoires du moteur.

- 17 % sont gâchés par le seul fait d'allumer le moteur, pendant que la voiture est toujours à l'arrêt.

- En tout, 87 % du carburant est utilisé avant même que la voiture ne commence à se déplacer sur la route.

Les gaz à effet de serre et la pollution surviennent au cours de la combustion des carburants fossiles comme le pétrole, ainsi que nous l'avons expliqué dans le chapitre 2. Une grande partie du pétrole extrait de la croûte terrestre est transformé en essence et en diesel pour les voitures, les camions, les bus et autres véhicules lourds.

Si vous souhaitez posséder une voiture plus verte, vous pouvez obtenir des renseignements auprès de la rubrique transport de l'Ademe www.ademe.fr, ou allez voir le site d'informations dédié aux transports propres, Clean Auto (www.clean-auto.com). Si vous n'êtes pas tout à fait prêt à acheter une voiture écolo, vous pouvez tout de même faire l'acquisition d'un véhicule moins polluant que le vôtre. Vérifiez les émissions de gaz toxiques pour une liste de nouvelles voitures, présentée par le WWF, le palmarès des voitures propres en ligne : www.guide-topten.com

Trouver ce qui est disponible sur le marché automobile

Désormais, il est possible d'acheter des voitures écolo. Si vous avez l'intention de changer de véhicule, vérifiez-en les spécifications, notamment la consommation d'essence et le type de carburant utilisé. L'ademe a élaboré un « palmarès Ademe » des véhicules, selon leur consommation de carburant et leurs émissions de CO_2, que vous pouvez consulter sur www.ademe.fr

La plupart des voitures actuellement disponibles se servent de biocarburant mélangé à l'essence ou au diesel. Elles peuvent aussi parcourir de courtes distances en utilisant l'électricité, avant de repasser à la consommation de carburant ordinaire. Plus le moteur est petit et plus la consommation de carburant est basse, plus votre véhicule sera écolo. Sur son site, le WWF vous indique quelles économies vous pouvez réaliser en achetant une voiture qui consomme moins de carburant, www.guide-topten.com. De même, le site Clean auto : www.clean-auto.com est une bonne source d'informations sur les différents types de voitures écolo disponibles sur le marché ainsi que www.autobio.eu, le site du magazine européen consacré aux véhicules nouvelles énergies.

Encourager l'hybridomanie

L'adjectif « hybride » est employé pour qualifier une voiture équipée d'un moteur à combustion qui peut utiliser un autre type de carburant – généralement l'électricité. Les voitures hybrides sont de plus en plus populaires. Elles passent du mode « essence » au mode « électrique » lorsqu'elles sont à l'arrêt ou qu'elles se déplacent à faible vitesse, ce qui contribue à réduire les émissions de gaz toxiques et la consommation en carburant.

L'un des arguments de vente de la voiture hybride repose sur le fait que le composant électrique de la voiture n'a pas besoin d'être rechargé par le biais d'une prise électrique. Vous rechargez la batterie chaque fois que vous appuyez sur la pédale de frein.

La plus connue des voitures hybrides est la Toyota Prius, www.prius.fr, qui coûte environ 23 800 euros. La Honda Civic hybride, www.nouvellecivic-hybrid.com, sa principale concurrente, coûte environ 23 700 euros. La plupart des grands constructeurs automobiles disposent d'un modèle hybride.

Encourager l'engouement pour les véhicules électriques

Jusqu'à une date récente, les seuls véhicules électriques qui sillonnaient les rues étaient les minibus. Les voitures électriques produisent très peu de gaz à effet de serre, ne rejettent pas de carbone. Si l'électricité provient d'une source renouvelable comme l'énergie éolienne ou l'énergie solaire, votre voiture est véritablement verte.

Le ministère américain de l'Énergie indique que le coût d'utilisation et d'entretien d'une voiture électrique est bien moindre que celui d'autres véhicules, notamment à essence. Il y a moins de pièces à entretenir et remplacer, même s'il faut changer de batterie tous les trois à six ans.

Les avis sont partagés à propos de la voiture électrique, car l'électricité provient toujours d'usines qui fonctionnent avec des carburants fossiles, et non à partir de sources renouvelables comme les éoliennes.

Les voitures électriques encore en prototype

En France, deux projets de voitures électriques sont à l'étude : la Cleanova de Dassault encore en expérimentation, www.cleanova.com, et la Bluecar de Bolloré, www.moteurnature.com. Sur ce site vous aurez un panorama des voitures de l'avenir.

Certains observateurs font valoir que les voitures électriques ne sont pas fiables, qu'elles requièrent un entretien constant et qu'elles ont des capacités de stockage limitées : elles ne peuvent pas rouler longtemps sans être constamment rechargées. Il faut jusqu'à six heures pour recharger complètement une batterie à partir d'une prise électrique, ce qui n'est pas pratique si vous êtes en retard pour vous rendre à une réunion importante. Les infrastructures de rechargement sont encore très limitées. Il y a peu de garages où vous pouvez demander ce rechargement. Les batteries sont lourdes et le plomb qu'elles contiennent suscite de vastes débats.

Les voitures électriques présentent l'avantage d'être petites, facilement garées. Une grande partie d'entre elles sont hybrides : elles peuvent fonctionner à l'électricité puis à l'essence quand la batterie se décharge. Vous en apprendrez davantage sur les voitures hybrides en lisant le paragraphe intitulé « encourager l'engouement pour les véhicules électriques » un peu plus haut dans ce chapitre.

En réalité, les voitures électriques servent surtout à circuler en ville et à faire de petits parcours. Vous pouvez les recharger la nuit dans votre garage. On en voit de plus en plus dans les rues. Pour obtenir davantage d'informations et peser le pour et le contre des véhicules électriques, rendez-vous sur le site des transports de l'Ademe, www.ademe.fr

L'hydrogène, au bout du compte

Si l'on réfléchit à toutes les solutions alternatives, il apparaît que la voiture à l'hydrogène est la plus écolo de toutes. Confrontés à l'épuisement des ressources en pétrole, les constructeurs automobiles semblent se lancer dans une course à la concurrence pour produire la première voiture à hydrogène véritablement commercialisable.

- Honda a été le premier constructeur à lancer la FCX à hydrogène en 1999. Depuis, il a tenté de l'adapter au marché. L'une des questions que cette société doit résoudre est celle qui l'oblige à créer un réservoir à hydrogène assez petit pour entrer dans des voitures d'une taille relativement modeste, mais assez vaste pour contenir la cellule de carburant.

- Honda est bien avancé dans le développement de stations-service prototypes servant au rechargement des batteries à hydrogène, et dans le développement d'un poste de rechargement à domicile générant de l'hydrogène à partir de gaz naturel. Cette chaudière servirait également à fournir de l'électricité et de l'eau chaude dans les maisons.

- General Motors, BMW, Ford et Toyota se sont également lancés dans la fabrication de prototypes à cellule hydrogène.

Les autres options

Outre les voitures hybrides et les voitures électriques, il existe des véhicules qui fonctionnent avec du gaz naturel comprimé ou du pétrole liquéfié, décrits dans le paragraphe intitulé « Prendre le vent du gaz naturel », avec un mélange de biocarburant et d'essence ou de diesel. Les constructeurs de voitures travaillent dur pour sortir de nouvelles voitures spécifiquement conçues pour fonctionner avec ces carburants alternatifs. Vous obtiendrez d'autres renseignements en vous rendant sur le site de l'Ademe, dans la partie transport (www.ademe.fr).

Voici quelques bons modèles alternatifs disponibles sur le marché :

- Honda dispose de quatre modèles alternatifs une Honda Civic à GNC, et trois hybrides électriques/essence – une Honda Accord, une Honda Civic et une Honda Insight.

- Ford propose cinq modèles alternatifs : une hybride électrique/essence, une voiture à moteur à GNC seulement, une voiture bi-carburant à GNC/essence, et quatre voitures à éthanol E85.

- Nissan a un modèle de voiture à l'éthanol E 85 (Titan).

- Toyota a deux hybrides électriques/essence : un 4x4 Highlander et la Prius.

- Daimler Chrysler dispose de quatre modèles à l'éthanol E 85.

Consulter votre boule de cristal

Voyant que la demande de véhicules verts augmente, de plus en plus de constructeurs monteront dans le train en marche et la concurrence fera baisser les prix. Comme la pratique du péage urbain risque de s'étendre, la demande de voitures écolos va croître (étant donné que ces véhicules ne paient pas de péage). Davantage de gens achèteront des voitures vertes en remarquant que les infrastructures de rechargement se multiplient. Comme les problèmes de parking se multiplient, les voitures plus petites qui consomment moins de carburant deviendront plus populaires. Tout cela contribuera à créer moins de pollution, moins d'émissions de carbone, et un air plus propre.

Les voitures plus écolo doivent aussi être moins utilisées pour que la différence soit sensible. Il faut encore de l'énergie et beaucoup de ressources planétaires pour produire des voitures. Si vous ne réduisez pas votre utilisation de la voiture et si le nombre de véhicules sur les routes continue à augmenter, les émissions de carbone ne baisseront pas, les voies d'accès resteront encombrées, et on continuera à aménager des routes qui détruiront des pans entiers du paysage et grignoteront une terre précieuse.

Il est plus écolo de rouler sur deux roues que sur quatre

Les motos et les scooters ont envahi les rues des villes depuis quelques années, souvent parce qu'ils sont plus manœuvrables dans les embouteillages et plus faciles à garer. Récemment, à Londres, ils ont été exemptés de péage. Les engins à deux roues sont adaptés aux personnes qui ne doivent pas aller trop loin pour travailler, faire leurs courses, rencontrer leurs amis ou qui n'ont pas à transporter de grands objets fragiles.

Une moto ou un scooter qui fonctionnent à l'essence produisent beaucoup moins de gaz à effet de serre qu'une voiture. La multiplication des deux roues, accompagnée d'une diminution du nombre de voitures, serait donc une bonne nouvelle pour l'environnement. La plupart des modèles les plus robustes sont conçus pour rouler à l'essence, mais comme pour les voitures, vous trouverez un nombre croissant de modèles électriques. Pour vous renseigner sur les options de transport à deux roues, rendez-vous sur le site Le guide des achats durables, www.guidedesachatsdurables.be, ou www.2rouesfrance.com

C'est aussi le grand retour du solex électrique, www.e-solex.fr, et l'on voit apparaître de drôles d'engins à deux roues comme le segway (www.segway.fr)

et un choix multiples de vélos électriques (www.velo-electrique.com, www.neovolis.com ou www.veloscoot.com) : vous avez le choix !

L'option la plus écolo de toutes consiste à marcher ou à rouler à bicyclette : vous aurez alors tous les avantages de l'exercice.

Payer les péages

L'État doit faire en sorte que les voitures disparaissent des rues avant que celles-ci ne soient totalement engorgées. Une des manières d'y parvenir consiste à augmenter le prix des déplacements, pour que les gens préfèrent les transports en commun. À cette fin, toutes sortes de systèmes de péages ont vu le jour en Angleterre, où un péage national sera bientôt adopté.

Le projet de taxe au kilomètre

Un nouveau système de taxe au kilomètre est à l'étude en Angleterre. Il sera appliqué dans les dix ans qui viennent. Les voitures seront équipées d'une boîte noire qui enregistrera le nombre de kilomètres parcourus, et les conducteurs devront payer une taxe plus élevée s'ils roulent aux heures d'affluence et les jours de grand départ.

La politique des transports est du ressort des parlements écossais, gallois et irlandais (pour l'Irlande du Nord). De ce fait, chacun de ces parlements devra prendre des décisions séparées pour déterminer s'il veut ou non appliquer ce système.

L'heure des amendes pour les gourmands en essence

En France de plus en plus d'associations environnementales voient le jour pour lutter contre le phénomène des 4 x 4 en ville. Elles mènent des actions diversifiées. Certaines dégonflent les pneus des « gourmands en essence » et militent pour leur interdiction en ville parce qu'ils sont très polluants.

Vous pouvez lire *Autobio*, le premier magazine sur l'actualité automobile autour de l'écologie et des énergies renouvelables : www.autobio.eu

Chapitre 14

Devenir un touriste écolo

· ·

Dans ce chapitre
▶ Étudier l'impact du tourisme
▶ Réduire les émissions de carbone
▶ Tirer le meilleur parti de vos vacances écolo
▶ Les lois de l'écotourisme

· ·

Le tourisme est l'une des industries les plus lourdes du monde. Les visiteurs, venus des quatre coins du monde, se pressent chez nous en nombre. Les vacanciers voyagent plus souvent, et de plus en plus loin. Les billets d'avion à petit prix permettent à tous de s'offrir deux à trois voyages par an.

Auparavant, une grande partie des trajets vers quelques sites choisis se faisaient en train ou en bateau. Aujourd'hui, les voyageurs veulent se déplacer à moindre coût et le plus rapidement possible, afin de jouir plus longtemps d'un bel hôtel dans un agréable lieu de villégiature. Les différents pays y bâtissent des infrastructures de loisirs pour mieux attirer des visiteurs au portefeuille bourré de devises, ce qui apporte des emplois et de l'argent à leurs régions.

L'impact sur l'environnement se mesure en émissions de carbone liées au trafic aérien, et en dégradation des zones touristiques les plus populaires. Dans certaines régions du monde, les populations locales regrettent amèrement le jour où le premier voyageur a mis le pied sur leurs superbes plages désertes, aujourd'hui surpeuplées, surexploitées et dénaturées. Dans ces lieux, les bénéfices du tourisme sont oubliés depuis longtemps.

Tout le monde a un rôle à jouer pour réduire l'impact négatif du tourisme et pour prolonger l'intérêt économique des lieux visités. L'« écotourisme », le « tourisme éthique » et le « tourisme durable » ont fait leur apparition. Ils visent à réduire les conséquences néfastes du tourisme, à sensibiliser les visiteurs à la culture comme à la beauté de l'environnement. Mais les touristes ne se comportent pas forcément de manière négative. Comme de plus en plus de gens optent pour des vacances écologiques, le nombre de visiteurs qui choisissent des destinations écotouristiques pourrait bien augmenter au point de mettre en danger la durabilité de ces sites.

Mesurer le poids du tourisme sur l'environnement

Comme n'importe quelle activité qui suscite une demande croissante, le tourisme exerce un impact significatif sur l'environnement et sur les communautés locales. Le World Wildlife Fund, www.wwf.fr, indique les éléments suivants :

- Le développement forcené des zones côtières détruit l'écosystème local, notamment la flore et la faune sauvages.

- Dans les régions arides, l'utilisation de l'eau à des fins touristiques, notamment pour les hôtels, les piscines et les terrains de golf, amenuise considérablement les ressources d'eau disponibles pour les populations locales.

- Dans les zones naturelles, le développement touristique perturbe l'habitat et les schémas migratoires des oiseaux et de la faune, notamment marine.

Ces impacts devraient conduire l'industrie touristique à développer des normes afin d'encourager la prise de conscience des voyagistes et des touristes eux-mêmes. Les concepts de tourisme durable, de tourisme éthique et d'écotourisme sont nés du besoin de faire quelque chose pour réduire ces conséquences négatives sans détourner les touristes de régions qui ont besoin des revenus provenant de cette activité économique.

Réduire les voyages en avion

L'avion est le plus grand coupable en matière de dommages touristiques. Les trajets aériens constituent la source de pollution dont l'aggravation est la plus rapide de toutes, et les gaz à effet de serre sont rejetés dans une partie de l'atmosphère où ils créent les plus graves dommages. Un trajet aérien entre l'Australie et Londres produit autant de gaz polluants que trois voitures en une année entière. Ajoutez-y le bruit dont souffrent les personnes qui habitent à proximité des aéroports et sous le passage des avions, et vous comprendrez pourquoi les experts pensent qu'il faut réduire le trafic aérien.

Pendant que vous lisez ces lignes, près d'un demi-million de personnes sillonnent le ciel d'Europe pour se rendre vers toutes sortes de destinations. Prendre l'avion est devenu une seconde nature pour beaucoup de gens. La moitié de la population anglaise effectue au moins un vol par an, et ce niveau de trafic aérien semble destiné à être multiplié par trois d'ici à 2040. Un quart des trajets relèvent d'une activité professionnelle, ce qui nous laisse beaucoup de voyages d'agrément qui créent d'importantes émissions de carbone. Tout cela signifie un surcroît d'avions, de pistes, d'aéroports et de carburant. Les nouveaux avions, qui bénéficient des technologies les plus en pointe, sont plus propres, moins bruyants et moins agressifs pour l'environnement, mais la flotte est loin d'être entièrement renouvelée.

Si vous ne faites rien pour prendre des vacances plus écolo, réduisez le nombre de vos vols annuels. Quand vous décidez de partir en vacances, la première question qui se pose est celle de la distance que vous souhaitez parcourir. Si vous devez aller de l'autre côté de la planète pour rendre visite à des parents ou à des amis, il n'est pas possible de renoncer à l'avion, mais si vous avez le choix de vous rendre en un lieu plus proche de chez vous, envisagez d'autres moyens de transport.

Avant de prendre l'avion, demandez-vous si vous avez réellement besoin de voyager de cette manière. Pour protéger l'environnement, vous pouvez réduire le nombre de vos déplacements aériens.

Calculer le coût du budget des compagnies aériennes

Les compagnies aériennes à bas prix ont mis leurs vols à la portée de toutes les personnes qui ne pouvaient se payer ce moyen de transport et, désormais, ces nouveaux voyageurs veulent bouger plus souvent. Parce que les vols sont largement subventionnés et qu'il n'existe aucune taxe sur le kérosène, les personnes qui prennent l'avion ne paient pas l'intégralité des frais qui sont occasionnés par leur voyage. Si les compagnies devaient répercuter la totalité de leurs coûts sur leurs passagers, le trafic aérien ne serait plus abordable.

Si vous devez prendre l'avion, préférez les trajets directs. Les vols à bas prix supposent souvent une étape. L'atterrissage et le décollage supposent une plus grosse dépense énergétique que le vol à haute altitude. Si votre voyage est morcelé, vous occasionnez davantage d'émissions de carbone.

Préférer le train

Il existe peut-être une manière plus écolo d'atteindre votre destination. Si vous parcourez de longues distances, le train est plus lent, mais si vous restez à l'intérieur des frontières d'un pays européen, vous ne gagnerez pas beaucoup de temps à prendre l'avion, si vous ajoutez au parcours le temps nécessaire pour l'enregistrement et celui pendant lequel vous attendez vos bagages. Pour un vol intérieur, vous provoquez six fois plus d'émissions de carbone que si vous prenez le train.

Vous pouvez passer de merveilleuses vacances dans l'hexagone et en Europe, où le train sera pour vous une source d'agrément. Vous n'aurez pas à vous demander si vos bagages vous suivront, et vous verrez de superbes paysages. Le train est un moyen de transport plus écolo que l'avion, même s'il ne l'est pas autant que la marche ou le vélo.

Les bateaux et les bus doivent également être pris en compte : ils sont plus écolo et souvent moins chers, même s'ils sont plus lents.

Prendre l'avion en respectant la neutralité carbone

Même si vous souhaitez absolument être un voyageur écolo, il y a des moments où vous ne pouvez pas éviter de prendre l'avion. Comme pour tout autre aspect de l'écologie, le plus petit geste compte, et il est inutile de se fixer des objectifs inaccessibles. Si vous réduisez le nombre de vos voyages annuels en avion et que vous prenez le train, si vous passez vos vacances dans votre pays et que vous ne volez que par nécessité, vous apportez votre contribution.

Toutefois, vous pouvez compenser une partie des dommages à l'environnement qui sont infligés par chacun des vols que vous prenez. Vous contrebalancerez les gaz à effet de serre qui sont rejetés dans l'atmosphère en plantant des arbres, ou en payant pour la plantation d'arbres qui absorberont le carbone de ces gaz. Par exemple, si vous volez de Paris en Australie et que vous payez pour la plantation de cinq arbres, vous pouvez prétendre à la neutralité carbone.

Bien sûr, plus vous occasionnez d'émissions de carbone, plus vous devez planter d'arbres, et cela peut finir par vous coûter pas mal d'argent. Les sites comme www.actioncarbone.org calculent le coût équivalent à vos émissions de carbone et vous encouragent à investir dans un projet de réduction du carbone. Dans certains cas, vous pouvez, au lieu d'acheter des arbres, faire l'acquisition d'équipements à consommation électrique réduite, ou participer à un projet de conservation de l'énergie dans un pays en voie de développement, afin d'aider les populations locales. Vous obtiendrez d'autres renseignements en vous rendant sur le site www.climatmundi.fr et www.co2solidaire.org. Le chapitre 1 explique comment compenser certaines des émissions de carbone liées à notre style de vie, qui vont du chauffage de la maison à l'utilisation de la voiture.

Avant de réserver un vol, calculez le coût de la plantation d'un arbre et intégrez cette donnée au calcul du prix de votre billet. Actuellement, il faut environ 13 euros pour planter un arbre (il vous faudra compter environ 11 euros pour un vol aller-retour à destination du Maroc, et 1,5 euro supplémentaire si vous devez prendre un autre vol pour vous rendre d'abord dans la capitale).

La neutralité carbone est le meilleur objectif à viser si l'on ne peut éviter de prendre l'avion. Mais elle ne compense pas toutes les émissions de gaz à effet de serre provoquées par le trafic aérien. La terre n'est pas assez vaste pour accueillir tous les arbres qui seraient nécessaires pour contrebalancer le rejet de ces gaz, au vu de l'augmentation perpétuelle du trafic aérien. Si les habitants de la Chine et de l'Inde se mettent eux aussi à multiplier leurs voyages en avion, les itinéraires de vols seront bientôt saturés, et il n'y aura plus assez de forêts à détruire pour construire des aéroports. La seule option réaliste consiste à limiter les trajets en avion. Si vous devez voyager, empruntez le train, moins polluant.

Devenir un touriste vert responsable

Les vacances les plus vertes sont celles que vous passez chez vous, à apprécier le paysage qui vous entoure plutôt que de parcourir de longues distances et d'ajouter aux dégâts infligés à l'environnement. Mais vous avez parfois besoin d'air. Faites en sorte qu'il soit aussi vert que possible.

Sérier les différents types de voyages écolo

L'industrie du voyage répond aux demandes accrues de tourisme vert ou de vacances éthiques. Elle propose plusieurs choix :

- **Des vacances durables** qui n'exercent pas d'impact négatif sur l'environnement.

- **Des vacances conformes à l'éthique,** dont le concept est plus ambitieux : il s'agit aussi de traiter la population locale de manière équitable et de vous assurer que l'argent apporté par vos soins est bien investi dans l'économie locale.

  Dans les pays en voie de développement, une grande partie des revenus générés par le tourisme n'atteint jamais la population locale.

- **L'écotourisme** est à la fois durable et conforme à l'éthique, mais il se pratique à l'écart des hôtels et des clubs. Le paragraphe intitulé « La découverte de l'écotourisme », situé un peu plus loin dans ce chapitre, vous donnera davantage de renseignements sur cette formule.

Les économies locales ont beaucoup d'avantages à retirer de ces formules. Par ailleurs, le tourisme constitue la principale source de revenus de certaines communautés. Un tourisme qui ne serait pas géré de manière durable et éthique risque d'infliger de lourds dommages, de générer de la pollution, l'exploitation culturelle, des dégâts pour l'environnement et un excès de dépendance économique.

Demandez à votre agent de voyages s'il pratique une politique conforme à l'éthique. Participe-t-il à la réduction des déchets et à la limitation de la consommation d'eau, limite-t-il les actions négatives contre la faune sauvage et l'environnement marin ? Fait-il appel à une main-d'œuvre locale et, dans la mesure du possible, utilise-t-il des produits locaux ? Paie-t-il des salaires décents à la population locale ? L'ATR, un groupe de voyagistes (dont Nouvelles Frontières) réunis en association pour un tourisme responsable (www.tourisme-responsable.org) peut vous proposer des solutions éthiques. Les associations jouent elles aussi un rôle important en matière de tourisme durable. L'ATES (Association pour le tourisme équitable et solidaire), www.tourismesolidaire.org, vous aidera à devenir un éco-voyageur.

Les vacances les plus vertes sont durables, éthiques et bonnes pour la nature. Si vous voulez être écolo, faites en sorte que vos congés soient aussi doux que possible pour l'environnement, qu'ils bénéficient à la communauté locale et à la vie économique de votre lieu de destination.

Réduire l'impact de vos vacances

Restez chez vous pendant les vacances ou choisissez le moyen de transport le plus vert, en prenant le train plutôt que l'avion ou la voiture. Si vous devez prendre un avion, compensez vos rejets de carbone (voir le paragraphe précédent intitulé « Prendre l'avion en respectant la neutralité carbone »).

Résidez dans de petits hôtels, des *bed and breakfast* ou louez un gîte rural : l'essentiel est que votre lieu de résidence ne fasse pas partie d'une grande chaîne. De cette manière, votre argent ira probablement à la communauté locale. Si vous prenez un forfait tout compris par le biais d'une société française, votre argent sera largement soustrait à l'économie locale.

Organisez votre séjour à l'avance afin de trouver la solution la plus écolo. De plus en plus de gîtes utilisent une énergie renouvelable, des éoliennes, et vous encouragent à réutiliser vos serviettes de toilette au lieu de les changer tous les jours.

Mangez dans des restaurants locaux qui achètent leurs aliments sur place, du poisson frais que leur vendent les pêcheurs du coin, de la viande et des légumes provenant du fermier voisin, afin de réduire votre compte de kilomètres par avion (voir le chapitre 7).

Sillonnez les environs avec les transports en commun, marchez ou louez des bicyclettes au lieu de polluer l'atmosphère en louant une voiture.

Observez les mêmes principes verts qu'à la maison : éteignez les lumières et les équipements électriques à la prise quand vous ne les utilisez pas ; faites sécher les vêtements à l'air libre plutôt que de les confier au service de nettoyage de l'hôtel ; emportez avec vous un chargeur de téléphone mobile à batterie solaire (ce genre d'appareil fonctionne de la même manière que les panneaux solaires). Vous trouverez des détaillants sur Internet en tapant « chargeur solaire de téléphone portable » sur un moteur de recherche, ou renseignez-vous dans les magasins qui vendent du matériel pour les randonnées ; quand vous vous promenez dans la campagne, n'empruntez que les sentiers balisés pour ne pas abîmer la nature ; trouvez les infrastructures locales de recyclage et n'oubliez pas vos déchets derrière vous.

Organiser des vacances vertes

Voici un pense-bête pour votre voyage écolo :

- ✔ Si vous faites toutes les réservations vous-même (pour le séjour et le voyage), vous pourrez opérer les meilleurs choix écolo.
- ✔ Cherchez des moyens alternatifs de vous rendre sur votre lieu de vacances et pour en revenir.
- ✔ Choisissez un voyagiste écolo et responsable qui se mettra en relation avec l'un de ses agents locaux et les chargera de faire les choix les plus écologiques.
- ✔ Si vous prolongez votre séjour et ne faites qu'un seul déplacement par an sur une grande distance, vous limitez les émissions de carbone.

Si vous réservez votre séjour par l'intermédiaire d'un agent de voyages, choisissez-en un sur la liste des voyagistes indépendants du label ATR (Association pour un tourisme responsable) ou ATES (Association pour le tourisme équitable et solidaire) qui s'engagent à protéger l'environnement et les ressources naturelles, à limiter la pollution, à vérifier que les populations locales bénéficient du tourisme, que les cultures et les coutumes régionales sont respectées par les touristes. Certains agents financent divers projets communautaires dans les pays où ils organisent des voyages. Renseignez-vous avant de réserver.

Choisir votre lieu de villégiature

La première étape à respecter quand vous organisez des vacances écolo consiste à glaner un maximum de renseignements à propos de votre destination. Vous seriez surpris de constater combien de visiteurs ne savent rien de l'endroit où ils vont passer leur temps. Parfois, ils ignorent même que ce lieu existe sur une carte.

Votre choix dépendra largement de ce que vous souhaitez sur place : de la plongée sous-marine, du sport, une piscine au bord de laquelle vous pourrez lambiner, etc. Il vous faudra prendre plusieurs aspects en considération :

✔ Chercher un endroit où vous pourrez être aussi écolo que chez vous.

✔ Faire quelque chose de différent, par exemple participer à un projet local, pendant que vous êtes loin de chez vous.

✔ Essayer, pour une fois, de participer à un chantier bénévole, par exemple travailler dans une ferme bio.

Demandez-vous à quoi ressemble la vie des gens qui vivent dans la région. Vous méritez un peu de confort en vacances, mais dans certaines destinations de luxe, les habitants du cru vivent en dessous du seuil de pauvreté. Parfois, les seules personnes qui vivent dans le luxe sont les vacanciers qui séjournent dans les hôtels cinq étoiles. Si vous réservez l'un de ces hôtels pour un séjour en pension complète ou un forfait, seule une petite partie de votre argent ira à la communauté locale et vous repartirez aussi ignorant qu'à votre arrivée.

Même si vous restez dans les limites des frontières nationales, vous devez vous souvenir que les grandes villes touristiques attirent le gros des visiteurs, et que, dans certaines régions rurales, les gens peuvent avoir du mal à joindre les deux bouts. Pensez à délaisser les zones les plus touristiques et à dépenser votre argent ailleurs.

Y aller et en revenir

Les vacances régionales sont les plus écolo, surtout si vous utilisez le train, le bus ou la bicyclette pour vous rendre sur place. Si vous avez le choix entre l'avion, la voiture et le train ou le bus, optez pour le train ou le bus. L'avion et la voiture sont les options les plus polluantes.

Séjourner sur place

Que vous décidiez de passer vos vacances dans une métropole ou au sommet d'une montagne, vérifiez soigneusement les possibilités de séjour. Le camping est l'une des solutions les plus vertes. Vous pouvez acheter et préparer vos aliments sur place, contrôler vos apports énergétiques. En dehors des hôtels qui vous encouragent à réutiliser vos serviettes plusieurs jours de suite, vous pouvez choisir des établissements autonomes sur le plan énergétique, qui disposent de leur propre puits et économisent l'eau par divers moyens, sont décorés de manière naturelle, pratiquent le recyclage et utilisent uniquement les produits locaux dans leur cuisine.

Vous aimeriez peut-être savoir comment ces hôtels traitent leur personnel et si, à l'étranger, ils emploient des personnes de leur région en leur offrant des conditions de travail équitables. Quand vous trouvez un établissement, vous pouvez interroger votre voyagiste pour savoir quel est son comportement sur le plan écologique. N'oubliez pas de demander si les transports en commun sont facilement accessibles.

Choisissez un lieu que vous pouvez atteindre facilement depuis votre aéroport ou votre gare d'arrivée, sans avoir à louer une voiture. Il faut aussi que votre lieu de résidence soit situé au centre de toutes les attractions que vous souhaitez visiter, en vous y rendant à pied, à bicyclette ou en transports en commun.

Vous trouverez peut-être utile de consulter ces sites web avant de faire vos réservations, www.echoway.org et www.voyagespourlaplanete.com

Vous pouvez vous adresser à l'Association internationale d'hôteliers intégrant les préoccupations environnementales (www.greenhotels.com) ainsi qu'au label la clef verte qui recompense les gîtes et les hôtels qui font des efforts (wwwlaclefverte.org).

À Rome, faites comme …

Que vous soyez en vacances dans une bruyante métropole comme Rome ou dans un minuscule village de Patagonie, faites en sorte que votre argent aille à la communauté locale et aux commerçants du coin. Avant de réserver, vérifiez que l'hôtel, l'auberge ou la pension travaille avec la communauté locale et offre des emplois aux gens de la région. Une fois sur place, apportez votre contribution :

✔ En faisant appel aux guides locaux,

✔ En achetant des produits alimentaires ou autres provenant de l'artisanat local. Évitez les grandes boutiques de tourisme qui vendent des ersatz bon marché provenant de pays lointains. Préférez les marchés locaux.

✔ En apprenant un peu de vocabulaire de la langue locale, afin de pouvoir communiquer avec les membres de la communauté et enquêter sur leurs conditions de vie.

✔ En respectant la culture locale par une tenue appropriée. Un bon guide devrait vous donner un avis sur la question.

✔ En vous renseignant sur les pratiques locales concernant l'environnement. Il se peut que vous ayez à conserver l'eau et l'énergie, surtout dans certaines régions du monde, dans les pays en voie de développement.

Le meilleur moyen de connaître un endroit consiste à essayer d'agir comme les habitants :

- Achetez votre nourriture sur les marchés locaux pour préparer votre repas vous-même dans votre location. Si vous voyez une file d'attente, mettez-vous en ligne !

- Allez partout. Dans les voyages organisés, vous ne fréquentez que les autres touristes.

- Visitez les cafés et les bars de la ville au lieu de rester dans les hôtels et les zones touristiques.

- Achetez les journaux du coin, écoutez les radios locales, regardez les chaînes de télévision régionales. Même si vous ne comprenez pas un mot, les sons et les images vous donneront une idée assez nette de la vie locale.

Découvrir l'écotourisme

Le concept d'écotourisme donne lieu à de multiples confusions, même au sein des agences de voyages. Tout voyagiste qui organise un périple, un mode de logement ou divers services dans des lieux naturels bien conservés comme les parcs nationaux, les réserves animales, les plages, les lacs et même des îles lointaines, prétend être un spécialiste de l'écotourisme.

Le label ATR tourisme responsable défend les principes suivants :

- La destination du voyage est généralement une zone naturelle non polluée.

- Au cours du séjour, l'accent est mis sur la flore, la faune et leur biodiversité.

- L'économie locale et sa dimension particulière doivent être promues.

- L'écotourisme doit contribuer à préserver l'environnement et à défendre l'importance de la protection de la nature.

- L'écotourisme suppose souvent une expérience d'apprentissage.

L'ATES (Association pour le tourisme équitable et solidaire) a aussi ses critères

- Minimiser l'impact des visites.

- Promouvoir la connaissance et le respect de la dimension culturelle et environnementale.

- Offrir des expériences positives aux visiteurs comme à leurs hôtes.

- Investir directement dans la conservation des sites.

✔ Apporter des bénéfices financiers et augmenter leur maîtrise sur leur cadre de vie.

✔ Encourager la prise de conscience, par les visiteurs, des réalités politiques, environnementales et sociales de la région.

Comme vous pouvez l'imaginer, il n'est pas facile d'atteindre tous ces objectifs, et si vous organisez vos vacances à la dernière minute, vous ne trouverez pas aisément des vacances écologiques au meilleur prix. Néanmoins, la demande de séjours d'écotourisme est en hausse, car les voyageurs sont de plus en plus soucieux de leur impact sur l'environnement local et ils cherchent activement des formules de vacances vertes. Les communautés locales considèrent l'écotourisme comme une manière d'attirer des vacanciers qui paieront un peu plus cher pour contribuer à sauver une espèce animale menacée ou protéger son écosystème naturel.

L'écotourisme est radicalement différent de ces formules où tout est payé avant le départ, et où très peu d'argent est injecté dans les communautés locales. La difficulté réside dans le fait que les personnes impliquées dans l'écotourisme n'arrivent pas à se mettre d'accord sur les critères de mesure de cette formule. L'écotourisme fait l'objet d'études de plus en plus nombreuses, et il existe désormais plusieurs systèmes d'accréditation pour vous aider à choisir le bon service.

Obtenir de l'aide et des informations

Si vous êtes convaincu que vos prochaines vacances devraient être plus vertes que les précédentes et si vous souhaitez obtenir des renseignements, essayez les références ou sites web suivants :

✔ Ushuaia, des voyages d'aventures écolo : www.ushuaia-voyages.com ;

✔ Ecovolunteer : fr.ecovolunteer.be ;

✔ Planète urgence, pour effectuer des missions humanitaires : www.planete-urgente.org

✔ *Le guide des vacances écologiques* (éditions Le Fraysse) ;

✔ Liste d'associations d'écovolontariat : www.volontariat.org ;

✔ Echoway, des voyages responsables : www.echoway.org ;

✔ Tourisme durable : www.tourisme-durable.net

✔ *Guide du routard* et les guides *Lonely Planet* : www.routard.com et www.lonelyplanet.fr ;

✔ Écotourisme responsable et solidaire : www.voyagespourlaplanete.com.

C'est à vous qu'il revient de mener des recherches pour vérifier que vos vacances sont aussi écolo que possible. Ne croyez pas sur parole la société qui s'occupe de vos réservations : elle peut prétendre, à tort, respecter les principes de l'écotourisme. Une société qui s'autoproclame écolo apporte-telle une valeur ajoutée ou un impact négatif ? Vous devrez vérifier. La société en question peut très bien ne rien faire pour protéger l'environnement ou favoriser les communautés locales. Malheureusement, il n'existe pas de label international pour les vacances écologiques. Les nombreux labels régionaux s'appliquent à une zone géographique spécifique.

Voici les coordonnées de trois labels – deux internationaux et un français – parmi les plus fiables et les plus connus :

✔ The Blue Flag, `www.blueflag.org`, est un label décerné aux sociétés qui interviennent sur diverses plages et marinas. Il applique des critères stricts en matière de qualité de l'eau, de gestion de l'environnement, d'éducation, d'information et de sécurité.

✔ Les 87 communes françaises et les 250 plages dotées du label Pavillon bleu sont la garantie d'un tourisme respectueux ; leur classement est consultable sur le site : `www.pavillonbleu.org`

✔ Green Globe, `www.greenglobe21.com`, est un label qui repose sur les principes de développement durable figurant sur la liste de l'Agenda 21 des Nations unies. Il offre une certification reposant sur quatre normes de développement durable, et ne se limite pas aux sociétés pratiquant l'écotourisme, mais s'étend à toutes les formules de tourisme, en ville ou dans les zones naturelles.

Renseignez-vous avec l'aide des organisations dont les coordonnées figurent dans l'encadré « Obtenir de l'aide et des informations ».

Traverser les hauts lieux de l'écotourisme

La première question à poser quand vous envisagez des vacances écolo, c'est celle de la destination. Bien sûr, il vaut mieux rester dans votre pays d'origine si vous voulez réduire l'impact du trafic aérien, mais il y a aussi beaucoup d'avantages culturels et économiques à se déplacer à l'étranger, surtout si vous apportez votre aide aux économies locales.

À l'échelle internationale, de nombreux pays deviennent des sites écotouristiques intéressants. Voici quelques-unes des destinations les plus populaires, dotées de plus en plus d'attractions écotouristiques.

✔ **L'Afrique :** le Kenya et le Swaziland sont devenus des hauts lieux du tourisme. Leurs parcs nationaux, leurs déserts, leurs forêts ainsi que leur superbe faune et leurs cultures traditionnelles (celle, par exemple, des guerriers Massaï, au Kenya) les désignent comme des sites intéressants. L'industrie touristique est soumise à de fortes pressions pour assurer que le surcroît d'intérêt pour ce pays est géré de manière raisonnable.

✔ **Le Sud-Est asiatique :** les touristes apprécient toujours autant l'Indonésie et la Thaïlande, où les forêts tropicales et les chaînes montagneuses contrastent avec des plages de toute beauté. De plus en plus d'écotouristes visitent des pays relativement peu connus comme le Cambodge, le Laos et le Népal.

✔ **Les Antilles et l'Amérique centrale :** certains sites écotouristiques ont le vent en poupe. De petits pays comme la République dominicaine, Belize et le Costa Rica sont appréciés pour leurs plages et leur forêt tropicale. Le Costa Rica est devenu l'une des destinations touristiques les plus populaires sur le continent américain, notamment parce que l'État y soutient le tourisme, et parce que les sites (forêts tropicales, volcans, montagnes et plages) sont extraordinairement variés.

✔ **L'Amérique du Sud :** l'Équateur, le Pérou et le Brésil figurent en tête de la liste des sites écotouristiques, avec la région de l'Amazone au Brésil, les volcans couronnés de neiges éternelles et la population indigène en Équateur. Les Andes, au Pérou, restent une destination de rêve pour de nombreux voyageurs.

✔ **L'Amérique du Nord :** les parcs nationaux, vastes et superbes, mais de plus en plus visités, continuent d'attirer des voyageurs. L'Alaska et le Canada connaissent des regains de popularité.

De plus en plus de guides touristiques, et plusieurs sites web (www.greenglobe21.com et www.blueflag.org) mettent en valeur les attractions des régions naturelles du monde. Les guides touristiques, www.lonelyplanet.fr, proposent des services écotouristiques axés sur l'aventure responsable : « Itinéraires responsables, quelques pistes pour un autre voyage » de *Lonely planet* vous est offert pour l'achat d'un guide de la collection. *Alternatives économiques* publie également un hors-série pratique : « Le tourisme autrement » (www.alternativeseconomiques.fr). Tapez « écotourisme » sur un moteur de recherche, et vous trouverez bien d'autres renseignements.

Agir de manière naturelle

Il ne sert à rien de recourir aux services d'une société qui vend de l'écotourisme si vous n'avez pas l'intention de vous comporter comme un écotouriste. Voici sept principes qui vous permettent de ne laisser aucune trace quand vous vous rendez dans des zones naturelles. Consultez le site Planète urgence sur les écogestes, www.planete-urgence.com, ou les sites du Défi pour la Terre de Nicolas Hulot et le *Guide vert des montagnes*, www.defi-pour-la-terre.org ou www.wwf.fr

✔ **Organisez-vous et préparez-vous à l'avance :** ce principe suppose de réfléchir à votre voyage pour éviter les périodes de grand départ, de programmer des visites en petits groupes et de prévoir d'emporter de la nourriture et des boissons pour causer aussi peu de dégâts que possible.

✔ **Voyagez et campez dans des structures existantes :** choisissez les campements existants, ne modifiez pas un site naturel pour l'adapter à vos besoins, et restez sur les pistes balisées. Marchez les uns derrière les autres, évitez les lieux où vous voyez que des traces de passage ont commencé à les détériorer.

✔ **Débarrassez-vous proprement des déchets :** si vous apportez des produits, emportez-les après utilisation. Pour le lavage et le nettoyage, servez-vous de détergents biodégradables.

✔ **Laissez sur place ce que vous trouvez :** n'emportez ni pierres, ni plantes, ni autres objets potentiellement précieux dans votre sac à dos quand vous quittez les lieux.

✔ **Limitez les dégâts occasionnés par les feux de camp :** ne faites du feu que si cette pratique est autorisée et essayez de vous servir des foyers existants. Ne laissez aucune braise et réduisez tout en cendres, pour éviter tout danger.

✔ **Respectez la faune sauvage :** ne nourrissez pas les animaux sauvages, cela pourrait modifier leur comportement naturel. Regardez-les seulement de loin.

✔ **Respectez les autres :** quand vous rencontrez d'autres voyageurs, faites preuve de politesse et laissez-leur le passage.

Sixième partie
La Partie des Dix

Ils sont peut-être lents, mais ils sont écolo
et ils servent d'engrais à la pelouse.

Dans cette partie...

Tous les livres de la collection Les Nuls présentent un chapitre intitulé « De dix en dix ». Dans celui-ci, vous trouverez quelques idées géniales pour savoir comment agir de manière écolo aujourd'hui. Dix excellentes adresses sur le Net, dix bonnes résolutions à mettre en œuvre, dix choses à dire à vos enfants sur l'écologie, et dix projets verts dans lesquels vous pourriez impliquer votre communauté.

Chapitre 15

Dix décisions de développement durable que vous pouvez prendre aujourd'hui

Dans ce chapitre

▶ Commencer à être écolo sans dépenser d'argent

▶ Changer vos habitudes à long terme

▶ Vous organiser pour mener une vie plus verte

*L*a plupart des suggestions faites dans ce livre supposent une organisation et un peu d'aide pour être mises en pratique, mais vous pouvez aussi prendre quelques initiatives immédiates. Ce chapitre vous fournit une liste de mesures faciles à concrétiser qui ne videront pas votre portefeuille et ne réclament qu'un peu de temps et de volonté.

Organiser votre recyclage

Organisez votre recyclage et facilitez-vous la vie. Vous recyclerez d'autant plus facilement que cela vous paraîtra pratique, chez vous et en dehors de chez vous. Il serait utile d'équiper votre logement de bacs ou de sacs différents pour que vous n'ayez plus qu'à mettre les différents déchets à leur place. C'est bien plus facile à faire que de s'imposer un tri après-coup.

Vous pouvez recycler le carton, les journaux, les magazines, le papier, le verre, le plastique, les boîtes de conserve et les vêtements. Vérifiez quelles sont les structures de recyclage dans votre quartier ou votre région. Appelez la mairie et demandez à être mis en contact avec la personne responsable. Certaines municipalités fournissent de grandes poubelles de tri pour le recyclage, disposées en des points stratégiques de votre commune. D'autres distribuent des poubelles de tri individuelles que vous pouvez remplir, et qui sont ensuite collectées par les services de la voirie certains jours de la semaine.

Si vous avez un jardin, installez-y une caisse où vous mettrez les déchets alimentaires et les pelures de fruits et légumes. Chargez un membre de la famille d'ajouter le contenu de la caisse à votre compost en plein air ou dans votre bac à compost.

Vous pouvez recycler d'autres objets domestiques au lieu de simplement les jeter. Par exemple, recyclez vos sacs de supermarché en les emportant lors de vos prochaines courses au supermarché ou servez-vous-en comme sacs-poubelle au lieu d'en acheter de nouveaux.

Réduire votre utilisation de la voiture

Planifiez vos déplacements pour la semaine afin de réduire votre utilisation de la voiture. Si vous devez emmener vos enfants à l'école et les ramener, profitez-en pour faire vos courses en route. Si vous devez vous rendre à votre travail en voiture et en revenir, organisez des étapes utiles. Partagez vos déplacements avec des collègues ou emmenez les enfants des voisins en même temps que les vôtres à l'école. Garez votre voiture à la station de bus ou à la gare la plus proche pour finir votre voyage en transports en commun. Demandez-vous si vous pouvez marcher ou prendre la bicyclette plutôt que la voiture.

Même si vous n'évitez ainsi que quelques petits voyages, vous apporterez votre pierre à l'édifice. Les courts trajets sont les plus agressifs pour l'environnement : en effet, quand votre moteur est froid, il utilise plus de carburant et provoque davantage d'émissions nocives.

Une des raisons pour lesquelles vous effectuez de courts trajets avec votre voiture tient au fait que vous devez vous rendre dans un magasin proche et ramener chez vous des articles encombrants. Voyez si vous n'avez pas un vieux sac à dos dans une remise, et si vous ne pouvez pas l'utiliser pour faire vos courses. Les caddies à roulettes semblent démodés mais ils sont très utiles : pourquoi n'imposeriez-vous pas une nouvelle tendance ? Ainsi vous pourrez dire « non merci » quand on vous offrira un sac en plastique dans le magasin.

Si vous devez prendre votre voiture, réfléchissez à votre manière de conduire. Les accélérations brutales et le freinage intempestif vous font consommer plus d'essence. Une conduite détendue est moins nocive pour l'environnement. Ne laissez pas tourner le moteur quand vous êtes à l'arrêt.

Décider de votre autarcie énergétique

Décidez aujourd'hui de mieux utiliser l'énergie. Regardez dans votre logement tous les équipements que vous possédez. Nombreux sont ceux qui sont branchés et qui consomment de l'électricité alors que vous ne vous en servez pas. Faites votre tournée et éteignez-les. D'autres sont en mode veille : s'ils ne sont pas débranchés à la prise, ils continuent de consommer. Tous les ans en Angleterre, les télévisions et autres ordinateurs font dépenser environ 210 millions d'euros en mode veille, ce qui est un véritable gâchis et pèse sur les factures individuelles.

Si vous laissez votre chargeur de téléphone mobile dans la prise, il consomme les trois quarts de l'électricité qu'il lui faudrait pour charger l'appareil.

Éteignez les lumières dans les pièces où vous ne vous trouvez pas, baissez le thermostat du chauffage et la température de votre eau chaude. Toute la famille peut porter des pulls dans la maison au lieu de transpirer en manches courtes. Vérifiez le réglage de la température de votre frigo. Il gâche de l'énergie s'il est réglé en dessous de 3 °C. Jetez aussi un coup d'œil à l'arrière de votre réfrigérateur. S'il est couvert de poussière, l'appareil lutte pour effectuer correctement sa tâche et il utilise davantage d'électricité qu'il ne devrait.

Le frigo et le freezer sont plus efficaces s'ils sont pleins. Si votre freezer est à moitié vide, remplissez les espaces avec du papier journal.

Quand vous faites votre lessive, choisissez une température plus basse. Le lave-linge utilisera moins d'électricité et votre linge risquera moins de déteindre. En faisant sécher la charge à l'air libre sur un tancarville, non seulement vous économiserez l'énergie nécessaire pour faire tourner le sèche-linge, mais vos vêtements auront une meilleure odeur et ne rétréciront pas.

Demandez-vous s'il existe un moyen de rationaliser la consommation énergétique de vos appareils ménagers. Par exemple, si vous faites bouillir la quantité d'eau nécessaire dans la bouilloire électrique au lieu de la remplir systématiquement à chaque fois que vous avez besoin d'une tasse d'eau, vous économisez de l'électricité. Si vous avez un four ventilé, vous utilisez davantage d'électricité en utilisant systématiquement la ventilation, alors que vous pourriez souvent vous en passer. Vérifiez que votre lave-linge et votre lave-vaisselle sont pleins, plutôt que de les utiliser en demi-charge.

Sur une longue période de temps, vous pouvez passer en revue tous vos appareils. Un petit appareil de mesure, que vous trouverez facilement dans le commerce, vous indiquera quelle est la consommation de chaque appareil. Ainsi vous verrez exactement où va votre électricité et vous aurez une idée plus claire des économies que vous pouvez réaliser.

Voir la lumière

Quand vous faites vos courses, achetez des ampoules à basse consommation d'énergie. Au fur et à mesure que vous devez les remplacer, installez des ampoules qui consomment un cinquième d'énergie par rapport aux anciennes, tout en vous donnant autant de lumière. Ces ampoules sont plus chères, mais elles durent beaucoup plus longtemps – parfois jusqu'à douze ans – et vous économiserez de l'argent à long terme. Si vous pouvez vous permettre de remplacer toutes les ampoules existantes aujourd'hui même, vous accomplirez un grand pas vers l'écologie, mais, si votre budget n'est pas élastique, remplacez-les une à une.

Changer de fournisseur en énergie

Certains fournisseurs d'énergie peuvent vous vendre de l'énergie provenant de sources renouvelables, comme l'énergie éolienne. Appelez votre fournisseur et voyez s'il offre un forfait énergie verte. La plupart des grandes sociétés le proposent. Pour certaines formules, toute l'énergie provient de sources renouvelables. Pour d'autres, vous payez un supplément qui est investi dans un projet à énergie renouvelable. Chaque fois que vous allumez la lumière ou que vous utilisez un appareil électrique en consommant de l'énergie non renouvelable, vous êtes responsable d'émissions de dioxyde de carbone.

Avec l'énergie verte, il n'y a pratiquement pas d'émissions de dioxyde de carbone. Si votre fournisseur n'a rien d'intéressant à vous proposer, vous pouvez en changer.

Fermer le robinet

L'eau est la plus précieuse des ressources naturelles et on ne lui accorde pas assez d'importance. Dès aujourd'hui, vous pouvez réduire la quantité d'eau que vous utilisez en réalisant des économies. Le gâchis le plus important survient quand on laisse couler l'eau pendant que l'on se brosse les dents. Si chaque membre de la famille cesse cette pratique, la maisonnée est bien partie pour devenir plus écolo.

Quand vous laissez couler l'eau froide pour obtenir de l'eau chaude, vous en perdez une grande quantité. Recueillez-la dans la bouilloire, dans des bouteilles que vous pourrez mettre au frigo ou dans une bassine que vous pouvez utiliser pour arroser vos plantes.

Vérifiez que votre lave-linge et votre lave-vaisselle sont pleins avant de les mettre en marche, pour les solliciter moins souvent. Si vous lavez à la main, ne le faites pas sous l'eau courante. Prenez des douches rapides au lieu de bains. Toutefois, si vous avez une douche à jet puissant ou si vous restez plus de dix minutes dans la cabine, vous utiliserez davantage d'eau que pour un bain. Vous pouvez vous servir de l'eau du bain pour arroser les plantes (même un bain parfumé sera très dilué), laver les carreaux, les sols et la voiture.

Collectez l'eau de pluie dans une citerne ou un grand tonneau en plastique pour arroser le jardin, pour laver la voiture ou le vélo. Vous pouvez certainement recueillir l'eau qui tombe des gouttières. Gardez un couvercle sur votre citerne afin que l'eau ne s'évapore pas les jours de soleil.

N'acheter que le nécessaire

Si vous êtes comme tout le monde, vous avez probablement accumulé, au fil des années, beaucoup d'objets dont vous n'aviez pas réellement besoin et qui ne vous servent pas plus aujourd'hui qu'hier. Tout ce que vous achetez provoque des émissions de gaz à effet de serre, dues au processus de fabrication, à l'emballage et au transport vers le magasin ou vers votre logement. Plus vous achetez d'objets, plus vous contribuez aux émissions de carbone. Par ailleurs, de nombreux objets finiront leurs jours dans une décharge où ils mettront des milliers d'années à se dégrader. Si vous voulez vraiment sauver la planète, il vous suffit d'acheter moins et de moins peser sur les ressources de la planète.

La clé de la vie écolo, c'est de réduire, recycler, réutiliser et réparer. Réfléchissez avant d'acheter un produit, pour savoir si vous en avez réellement besoin. Si vous ne l'achetez pas, vous réduisez l'impact que vous exercez sur l'environnement parce que vous n'induisez pas d'émissions de carbone liées à la fabrication de cet article. Vous n'épuisez pas les ressources de la planète, vous ne remplissez pas les décharges puisque vous n'avez pas à vous en débarrasser. Peut-être possédez-vous déjà un objet qui fera l'affaire si vous le réparez. Mais soyez réaliste ! La vie est trop courte pour repriser des chaussettes. Toutefois, vous pouvez vous servir des chaussettes trouées pour faire du ménage chez vous.

Au lieu d'acheter, voyez si vous pouvez emprunter l'objet ou le partager avec un ami. Quand vous achetez, demandez-vous si l'article peut être recyclé quand vous n'en aurez plus besoin. Peut-être une de vos connaissances peut-elle l'utiliser ou une association à but non lucratif lui procurera-t-elle une seconde vie.

Le papier d'emballage des cadeaux et certains tissus peuvent être réutilisés. Les cadeaux que vous avez reçus et qui ne vous plaisent pas séduiront certainement l'un de vos amis.

Faire participer tous les occupants de la maison

Il est bien joli de vouloir devenir écolo, mais ça ne marchera pas si chacun des membres de votre entourage ne prend pas la même décision. Parlez de vos projets à ceux qui vivent avec vous, et expliquez pourquoi vous avez fait ce choix. Vous voulez que tout le monde joue son rôle. Chaque personne peut endosser certaines responsabilités. Il faudra peut-être un moment avant que chacun pense à débrancher son chargeur de portable. Toutefois, une fois l'habitude prise, elle devient une seconde nature et, en donnant l'exemple, vous pouvez créer une nouvelle culture écolo dans la maison.

Les enfants d'âge scolaire sont mieux informés des questions écologiques que la plupart des adultes. Vous pouvez donc leur confier la tâche de vérifier que vous êtes au fait des bonnes pratiques dont ils auraient entendu parler et que vous pouvez appliquer chez vous. De cette manière, ils auront l'impression de mener la révolution verte qui touche la maison.

Rester informé

Pour mener une vie plus écolo, les informations ne manquent pas, à tel point qu'il devient difficile de savoir par quoi commencer. J'espère que ce livre vous donnera de bonnes idées et qu'il vous conduira à réfléchir, même s'il ne fait qu'effleurer le problème.

Les meilleurs moyens de contribuer au sauvetage de la planète peuvent changer avec la révélation de nouvelles données sur l'impact que nous exerçons sur notre environnement. Vous pouvez rester informé grâce à Internet et à tous les sites web qui s'intéressent à cette question. Tapez « vie écolo » sur n'importe quel moteur de recherche, et vous verrez surgir toutes sortes de renseignements utiles. Les journaux, les émissions de radio et de télévision prennent ces réalités bien plus au sérieux qu'il y a quelques années, et ils sont bien utiles pour connaître les dernières tendances. Il ne vous coûte rien de rester informé.

Dans le chapitre 16, vous trouverez l'adresse de vingt sites qui vous donneront un complément d'informations. Après avoir lu ce chapitre, n'hésitez pas à aller les consulter sur Internet.

Décider de s'impliquer davantage dans un mode de vie écolo

Lorsque vous commencerez à réfléchir aux moyens de mener une vie plus écolo et que vous lirez les arguments en faveur de ce mode de vie, vous aurez peut-être envie d'en faire plus.

Les conseils donnés dans ce chapitre ne coûtent pas cher à mettre en œuvre. Si vous pouvez les appliquer, vous économiserez. La plupart des mesures vertes que vous pouvez prendre et qui coûtent de l'argent finissent par devenir un bon investissement (par exemple, lorsque vous vous débarrassez de vieux appareils ménagers et que vous achetez des appareils plus efficaces sur le plan énergétique). Vos factures d'électricité baisseront si vous pouvez transformer une partie de votre jardin d'agrément en potager, ce qui vous donnera l'avantage de consommer des légumes plus sains et de prendre de l'exercice en jardinant.

Si vous voulez vraiment devenir un écolo vert foncé, plutôt que vert pâle ou vert moyen, vous pouvez produire votre électricité à partir de panneaux solaires ou d'une turbine éolienne. Renseignez-vous pour savoir à quelles subventions vous avez droit et tenez-en compte dans votre calcul des dépenses. Vous trouverez des informations sur les subventions dans le chapitre 3. Si votre voiture est sur le point de rendre l'âme et que vous avez l'intention de la remplacer, vérifiez les options dont vous disposez.

Il n'est pas utile de dépenser beaucoup d'argent pour devenir écolo, et si vous vous organisez bien, vous pourrez constater que sans dépenser davantage, vous épargnez beaucoup à long terme.

Si vous changez vos habitudes – et si les autres font de même –, vous pourrez vous considérer comme un véritable écolo et vous vous ferez de nouveaux amis.

Chapitre 16

De super sites web bourrés d'informations

. . . .

Dans ce chapitre

▶ Utiliser Internet comme source de renseignements écolo

▶ Chercher des idées pour rendre votre vie plus verte

▶ Faire des courses vertes sur Internet

▶ Trouver des sites web qui proposent des projets verts

. . . .

Internet est une mine de renseignements sur la vie écolo. Vous y trouverez l'explication de tout ce que vous ne comprenez pas, ainsi que toutes les informations sur les différents projets verts existants. Il existe un site web pour tous les choix, du covoiturage (expliqué dans le chapitre 12) aux subventions pour la rénovation verte de votre maison (voir le chapitre 3), sans oublier la présentation de presque tous les objets verts imaginables sous le soleil.

En guise de bonus, Internet est un moyen raisonnablement écolo de vous documenter, et d'acheter les produits verts dont vous avez besoin, parce qu'il utilise moins d'énergie et produit moins de gaz à effet de serre (voir le chapitre 1) que si vous deviez prendre votre voiture pour mener vos recherches dans les magasins. Les sites web que nous indiquons dans ce chapitre ne constituent qu'un échantillon de ce qui est disponible.

Évaluer votre impact sur la planète : www.wwf.fr/s_informer/calculer_votre_empreinte_ecologique

Mesurez l'impact que vous exercez sur la planète en remplissant le questionnaire relatif à votre empreinte écologique. Vous répondez à quinze questions dans la langue qui vous convient. Le site web calcule la surface de terre nécessaire pour répondre à votre consommation des ressources planétaires – notamment pour la nourriture et l'énergie – pour votre vie quotidienne. Comparez vos résultats à ceux des personnes qui se trouvent dans d'autres coins du monde. Cette expérience fait réfléchir et vous aide à voir dans quel domaine vous pouvez intervenir.

Tout changement qui rend votre vie plus écolo est bon à prendre.

Le réseau associatif français : www.l'alliance.fr/associations-membres/

Grâce à ce site, vous obtiendrez un aperçu non exhaustif des associations environnementales.

Les défenseurs de la biodiversité

Hubert Reeves est président de la Ligue ROC. Astrophysicien, il s'est engagé pour la défense de la biodiversité, en devenant en 2001, Président de la Ligue ROC pour la préservation de la faune sauvage et la défense des non-chasseurs : www.roc.asso.fr

Allain Bougrain-Dubourg est le Président de la Ligue pour la Protection des Oiseaux (LPO). Depuis 20 ans, il fait de la télévision pour parler des animaux : www.lpo.fr

Les choix écolo : www.ademe.fr

L'Agence de l'environnement et de la maîtrise de l'énergie est un établissement public qui cherche à vous apporter des informations simples sur les alternatives écolo pour contribuer à protéger l'environnement.

Le guide du consommateur écolo : www.planetecologie.org et www.agora21.org

Ce site est une encyclopédie de l'environnement en ligne. On y trouve toutes les réponses à toutes les questions concernant l'écologie.

Les répertoires verts

Consultez www.guidededesachatsdurables.be ; www.consodurable.org ; www.lemarchecitoyen.net ; www.eco-sapiens.com ; www.consoglobe.com et www.toutallantvert.com. Ces sites permettent de s'y retrouver si l'on veut acheter écolo. Ils sont complémentaires. Cela vaut le coup de les comparer entre eux. N'oubliez pas l'Institut national de la consommation INC : www.conso.net et www.60millions-mag.com qui peuvent également vous apporter des informations précieuses. Idem pour l'association Que choisir (www.quechoisir.org) ou www.clcv.org pour ses fameux *topten*.

Si vous êtes à la recherche du répertoire vert du commerce équitable, allez sur www.commercequitable.org. Pour les produits bio, rendez-vous sur www.agence-bio.org. Enfin, si vous recherchez un répertoire vert végétarien, allez sur www.vegetarisme.fr

Si vous devez acheter, achetez vert sous toutes ses formes !

La fédération France Nature Environnement (FNE)

Cette fédération est aujourd'hui le porte-parole d'un réseau de 3 000 associations de protection de la nature et de l'environnement généralement organisées aux échelles départementales et régionales. En 2008, elle fête ses 40 ans d'existence ! Consultez www.fne.asso.fr

La fondation Nicolas Hulot

Prenez le temps de visiter le site http://www.fondation-nicolas-hulot.org et si vous êtes convaincus, engagez-vous à changer vos habitudes de tous les jours (cliquer sur le logo « un geste pour la planète » de la page de garde). Allez aussi sur http://www.pacte-ecologique-2007.org

La Terre vue du ciel : www.yannarthusbertrand.com

Vous trouverez là toute la beauté de la terre en photo. Le photographe Yann Arthus-Bertrand et son association GoodPlanet ont mis en place « Action carbone » pour compenser les émissions de gaz à effet de serre engendrées par ses propres activités photographiques aériennes…

Chapitre 17

Dix idées vertes
à mettre en pratique

- -

Dans ce chapitre

▶ Donner ce dont vous n'avez plus besoin

▶ Des idées de shopping pour créer une différence

▶ Économiser l'énergie

▶ Être écolo, ce n'est pas déserter les soirées ou les salles de gym

▶ Faire attention au shampoing

▶ Louer votre maison écolo

- -

Pendant que la révolution verte fait son chemin, vous pouvez acheter des aliments et des objets qui rendent votre vie plus écolo, donner les objets qui ne vous sont plus utiles, organiser des fêtes vertes et même faire du sport en respectant l'environnement.

Être écolo ne suppose pas toujours de dépenser de l'argent. Vous pouvez vous contenter de mettre de bonnes idées en pratique et d'aider les autres à se conformer aux principes éthiques.

Ce chapitre vous présente quelques idées écolo à mettre en œuvre.

Freecycling (cadeaucyclage)

Le cadeaucyclage (*freecycling*) consiste à se débarrasser des objets dont vous ne voulez plus et à les donner à quelqu'un qui en a envie. Vous pouvez cadeaucycler pratiquement tout ce que vous voulez, des vêtements et des chaussures, des sacs à main, des appareils électriques, des meubles. Bien sûr, vous pouvez récolter de l'argent en vendant ces produits sur Internet mais le *freecycling* est une option plus verte. Tout en offrant aux autres les objets qui ne vous plaisent plus, vous pouvez parfois recevoir des aubaines en retour.

Indiquez ce que vous voulez donner sur le site fr.freecycle.org ou sur www.consorecup.com Ce sont deux des nombreux sites web qui se consacrent à cette pratique. Le Freecycle Network www.fr.freecycle.org vous donnera des détails sur les quelque 3 700 groupes de cadeaucyclage dans le monde.

Les systèmes de ce genre permettent de limiter le nombre de nouveaux produits que les gens achètent et la quantité d'énergie qui est investie dans leur production.

En guise de bonus, le fait de donner vos objets inutiles est bon pour votre moral ; vous agissez pour empêcher que les décharges ne se remplissent.

Acheter des caisses de légumes bio

La manière la plus écolo de se nourrir consiste à acheter des légumes locaux, cultivés de manière biologique. Le chapitre 7 explique que les aliments locaux parcourent seulement de courtes distances. S'ils sont biologiques, ils contiennent très peu ou pas de produits chimiques. La plupart des régions ont des coopératives bio, et il est probable qu'il y en ait une près de chez vous ou dans les Amap, http://alliancepec.free.fr

Certaines coopératives livrent des produits locaux, vous obtenez donc des légumes de saison, et vous risquez de ne pas les trouver très variés. D'autres incluent dans les caisses des produits bio importés ; vous avez donc plus de choix, mais la nourriture doit parcourir de grandes distances, ce qui la rend moins écolo.

Renseignez-vous sur les différentes coopératives avant de vous affilier à l'une d'elles.

Le label bio est AB, agriculture biologique, que vous pouvez voir sur le site de www.intelligenceverte.org et agriculture-biologique.asp, certifié par l'organisme certificateur le plus connu et l'un des plus rigoureux : www.ecocert.fr

Les supermarchés proposent aussi des caisses de légumes, mais les produits qu'ils livrent sont susceptibles de comporter une grande partie de légumes importés. De plus, ils entrent en concurrence avec les fermiers locaux. Si vous le pouvez, achetez directement vos produits chez le fermier.

Manger avec vos enfants

Si vos enfants participent aux courses alimentaires et à la cuisine, ils sauront bien mieux d'où viennent les produits, ce qui est bon ou mauvais pour leur santé. Emmenez-les voir une ferme locale accessible aux visiteurs, afin qu'ils comprennent le lien entre la nourriture et la campagne. S'ils ont l'habitude de manger des produits frais, notamment des fruits et des légumes, ils seront moins sensibles au goût des aliments tout prêts.

Acheter des produits du commerce équitable

Comme nous l'avons expliqué dans le chapitre 7, le commerce équitable est un système qui fait en sorte que les producteurs des pays en voie de développement obtiennent des prix équitables en échange de leurs produits, que leurs salariés aient des conditions de travail et d'échange décentes avec les sociétés avec lesquelles ils collaborent.

Les magasins et les supermarchés présentent une gamme de plus en plus large de produits issus du commerce équitable, environ 300 au moment où nous écrivons, notamment du thé, du café, du chocolat, des bananes, des herbes et des épices, des fleurs, du coton et des ballons de football. La liste ne fait que s'allonger au fur et à mesure que le réseau s'étend. Vous obtiendrez d'autres renseignements en vous rendant sur le site www.commercequitable.org

Acheter des accessoires verts

Il existe des milliers de gadgets verts en vente. De plus en plus de sociétés participent à la révolution verte et présentent de nouvelles idées tous les jours. Voici quelques types d'objets qui pourraient vous intéresser.

✔ **Des pochettes** pour recueillir les mégots de cigarettes et les vieux chewing-gums quand vous vous trouvez loin d'une poubelle. Vous pouvez vous procurer des pochettes qui entrent dans votre sac ou que vous pourrez glisser dans votre poche à l'adresse www.buttsandgum.co.uk

Le geste de jeter ses ordures à terre est antisocial, mais il coûte aussi une fortune en nettoyage. Les mégots de cigarettes ne sont pas biodégradables. Au mieux, ils offensent l'œil, au pire ils déclenchent des feux de forêt. Il est notoire que les chewing-gums restent longtemps collés sur les trottoirs, ou qu'ils finissent sur vos semelles ou vos vêtements.

✔ **Des chargeurs à batterie solaire ou éolienne** pour votre mobile ou votre iPod. Ce type d'appareil était jusqu'ici le privilège des randonneurs, mais il est désormais disponible à grande échelle. Vous pourrez le trouver dans les magasins de sport et sur Internet. Tapez « chargeur de téléphone portable à batterie solaire » sur un moteur de recherche et vous verrez apparaître toutes sortes d'offres de détaillants.

✔ **Des téléphones portables biodégradables :** il s'agit d'une invention récente. Ils sont fabriqués en plastique biodégradable et contiennent une graine de tournesol. Lorsque votre téléphone est usé, vous le compostez et il vous donne une fleur de tournesol. Bientôt, vous les verrez en boutique.

Miser sur l'énergie verte

L'*énergie verte* provient de sources renouvelables, vent ou soleil, par exemple. La plupart des fournisseurs d'énergie peuvent vous vendre de l'énergie verte. Si cela n'est pas à la portée du vôtre, essayez d'en contacter un autre. Vous pouvez aussi tirer le meilleur parti de votre énergie actuelle en réduisant votre consommation, notamment en éteignant vos appareils électriques à la prise au lieu de les laisser en veille (ce qui continue à utiliser de l'électricité), en baissant le thermostat du chauffage et en utilisant des appareils plus rationnels sur le plan de la consommation électrique.

Prenez en compte les informations qui suivent :

✔ **Les ampoules à économie d'énergie** réduisent vos factures d'électricité et permettent réellement d'économiser l'énergie. Elles sont plus chères que les ampoules ordinaires mais durent beaucoup plus longtemps. Vous pouvez les trouver en quincaillerie et dans les supermarchés.

✔ **Les radios et les réveils que vous pouvez remonter mécaniquement** sont verts car ils n'utilisent pas d'énergie et ne vous obligent pas à vous débarrasser des piles.

Faire des fêtes vertes

Tous les grands événements d'une vie – naissance, anniversaires, mariages, fêtes de Noël et autres festivités religieuses – méritent une fête. Organiser des festivités, c'est dépenser de l'argent et acheter des objets : veillez à acheter des objets verts. Préférez les produits du commerce équitable, de l'artisanat équitable, ou des aliments biologiques produits localement, ainsi que les boissons, les fleurs, les accessoires de fête et les cadeaux ayant le même type de provenance (le chapitre 4 parle des fêtes et des funérailles écolo). Si vous voulez bricoler sans polluer et décorer sans vous intoxiquer, consultez le magazine des idées créatives et écologiques : www.espritcabane.com

Quand il est question d'offrir, fabriquez vos propres cartes et passez-vous de papier cadeau : si vous réutilisez celui que l'on vous a donné, vous produirez moins de déchets. Donnez des objets qui ne supposent pas d'utiliser beaucoup d'énergie, qui fonctionnent à l'énergie solaire ou dont la consommation électrique a été rationalisée. Faites circuler les cadeaux dont vous ne voulez pas, ou faites des cadeaux éthiques. Parmi les articles à faible impact énergétique, citons les œuvres d'art, les places de théâtre ou les invitations au restaurant, les dons aux organismes à but non lucratif. Allez voir le site www.ebay.fr ou allez voir la plate-forme du commerce équitable pour trouver des idées, www.commercequitable.org, et le marché citoyen avec son guide vert de la consommation responsable « mes courses pour la planète », www.lemarchecitoyen.net, pour y puiser d'autres idées écolo.

Si vous voulez donner une fête chic en dehors de chez vous, un bon hôtel devrait être en mesure de vous proposer des aliments biologiques de provenance locale. Glanez des idées sur le site www.mariage-ecolo.fr pour savoir comment organiser un mariage écolo. N'oubliez pas que si vos invités viennent de loin, ils devront consommer beaucoup de carburant et émettre une grande quantité de gaz à effet de serre.

Le fait d'organiser des fêtes à l'étranger implique de voyager par avion, ce qui exerce un énorme impact sur l'environnement (voir le chapitre 12).

Se muscler par des exercices écolo

Le sport est important pour la santé et il vous aide à ne pas prendre de poids. Beaucoup de gens s'inscrivent à un club de sport, mais ce ne sont pas les endroits les plus verts pour prendre de l'exercice. Ils utilisent une très grande quantité d'énergie en climatisation, éclairage, en entretien des équipements, en chauffage de piscines, de saunas et de jacuzzis. Par ailleurs, les piscines utilisent beaucoup de produits chimiques et les serviettes doivent être constamment lavées et séchées. Si vous devez vous inscrire à un club de gym, allez-y au moins à pied ou à vélo plutôt qu'en voiture.

Vous pouvez pratiquer vos exercices à domicile ou dans un parc tout proche. Au parc, vous ne dépenserez que votre énergie. À moins d'utiliser un appareil électrique, vous ne consommerez pas plus d'électricité que d'habitude si vous restez chez vous. Le ménage est une excellente forme d'exercice, qui n'est pas plus ennuyeuse que l'utilisation d'un appareil de musculation. De plus, vous faites l'économie de l'inscription dans le club de gym.

Des cheveux verts pour l'écologie

Du calme ! Je veux seulement dire qu'il est possible de se laver les cheveux sans shampoing, et non pas que vous devez teindre vos cheveux de la couleur du gazon ! La solution la plus écolo consiste à se passer de shampoing et à laver simplement vos cheveux à l'eau ou pas du tout. Vous constaterez peut-être qu'ils sont gras et ne sentent pas bon, mais l'aspect gras ne dure environ qu'un mois, et vous pourriez au contraire noter que vos cheveux s'en portent mieux.

Si vous cessez de vous laver les cheveux, vous économisez le coût du shampoing et de l'après-shampoing, celui du chauffage de l'eau ainsi que l'eau elle-même. Vous réduisez aussi la quantité de produits chimiques que vous mettez dans l'eau évacuée dans les canalisations.

Outre le fait que les shampoings sont souvent testés sur les animaux, ils sont généralement pleins de produits chimiques. À chaque shampoing, vous introduisez des substances chimiques dans le circuit des eaux usées. En outre, du fait de la demande d'huile de palme qui est ajoutée à toutes sortes de produits (y compris le shampoing), des forêts naturelles comme celles de Bornéo et de Malaisie ont été détruites et remplacées par des plantations de palmiers, ce qui menace de nombreuses espèces d'animaux sauvages.

Si vous utilisez du shampoing, essayez d'acheter des shampoings écolo, sans huile de palme. Les magasins de diététique et les chaînes de produits naturels en proposent des gammes très complètes et certains magasins non spécialisés les vendent aussi. Vous obtiendrez d'autres renseignements en lisant le *Guide des cosmétiques bio* (Paris, Vigot, 2006) ou en vous rendant dans tous les points de vente Bio comme Biocoop, Naturalia et sur Internet www.mademoiselle-bio.com. Jetez aussi un œil sur le guide cosmetox de greenpeace : www.greenpeace.org/France/vigitox/documents-et-liens/documents-telechargeables/guide-cosmetox/

Prendre des locataires écolo

Si vous avez la chance de posséder une maison, un appartement ou un studio que vous pouvez louer, réfléchissez à la « location écolo ». Il faut dépenser de l'argent pour équiper un logement d'accessoires écolo, mais ce faisant, vous devenez un précurseur (voir le chapitre 3 pour les changements écolo que vous pouvez apporter chez vous).

Jusqu'ici, très peu de propriétaires appliquaient l'idée de la location écolo en Grande-Bretagne, mais certains agents immobiliers signalent qu'ils reçoivent de plus en plus de demandes en ce sens. Espérons que cela donne des idées aux Français ! Les locataires écolo accepteront certainement de payer un peu plus cher pour habiter dans un espace qui leur coûtera moins d'argent. Il est également probable qu'ils y resteront plus longtemps, et vous aurez moins de périodes « creuses » où le logement n'est pas loué pendant que vous cherchez un nouveau locataire.

Chapitre 18

Dix (ou douze) choses à dire à vos enfants à propos du développement durable

. . . .

Dans ce chapitre

▶ Partager les bases de la conservation

▶ Expliquer aux enfants comment le monde fonctionne autour d'eux

▶ Convaincre les enfants de respecter les ressources de la planète

▶ Aider les enfants à s'investir dans un effort de protection de la planète

. . . .

Souvent, l'intérêt pour la vie écolo vient des enfants. Ils sont sensibilisés à l'école et transmettent l'information à leurs parents. Ils en savent peut-être plus long que vous ! Plus vous discuterez avec eux d'une vie verte, plus ils auront envie de prendre des responsabilités en ce sens, et plus ils voudront faire circuler la bonne parole.

Il faut de la patience pour convaincre les enfants de se comporter selon vos principes. Décidez d'emblée que tout geste qui va dans le sens de l'écologie est un bon point et applaudissez votre enfant à chaque étape du chemin. Aucun enfant ne devient écolo du jour au lendemain, contentez-vous donc d'un pas à la fois.

Appliquer les 3 R

La réduction, la réutilisation et le recyclage forment la base de la vie écolo (voir le chapitre 6 pour de plus amples détails). Le recyclage est quelque chose que la plupart des enfants apprennent à l'école, et cette pratique devient vite une seconde nature pour eux. Chez vous, laissez les enfants faire une grande partie du tri et rendez-les responsables de leurs propres déchets. La réduction et la réutilisation sont des idées un peu plus difficiles à saisir.

Les enfants veulent généralement avoir ce que leurs amis possèdent. Encouragez-les à se passer du jouet ou du gadget dernier cri, à utiliser le plus longtemps possible ce qu'ils ont déjà, mais cette démarche peut s'avérer difficile. Ils recevront plus sûrement le message si vous leur expliquez que des enfants comme eux, ou des animaux dans d'autres coins du monde, peuvent s'en trouver affectés. Dites-leur que les émissions de carbone liées à la fabrication de nouveaux objets contribuent à déclencher des inondations ou la fonte des glaces, ce qui risque de priver des enfants de leur abri et de menacer des animaux.

Limiter les emballages

Quand vous achetez un objet, expliquez pourquoi c'est le meilleur choix entre toutes les solutions qui s'offrent à vous. Acceptez d'acheter le jouet sans son emballage plutôt que celui qui est enturbanné de plusieurs couches de plastique. Si vous devez acheter des articles emballés, demandez à vos enfants de chercher la marque qui propose un emballage recyclable.

Si vous ne pouvez vous passer d'un article et qu'il est présenté dans un emballage non recyclable ou réutilisable, expliquez ce qui arrivera ensuite et pourquoi vous avez le sentiment qu'il s'agit d'un gâchis pour l'environnement.

Dites non quand on vous offre des sacs en plastique dans les magasins et emportez votre propre sac. Les enfants s'habitueront très vite à vous rappeler de ne pas oublier votre sac réutilisable quand vous partez faire les courses. Continuez à faire ce qui vous paraît juste et montrez l'exemple, de cette façon le message se transmettra. Les enfants apprennent aussi au contact les uns des autres, et le vôtre ne tardera pas à apprendre ses bonnes habitudes à ses copains.

Étudier les aliments

Parlez à vos enfants de leur alimentation et dites-leur pourquoi vous achetez tel produit plutôt que tel autre. Expliquez d'où vient la nourriture. Si vous achetez des produits locaux, voyez si vous pouvez visiter une ferme et laissez vos enfants poser des questions. S'ils peuvent récolter leurs propres légumes, ils seront contents de les manger. Vous – et le fermier – pouvez expliquer le lien entre la campagne, les animaux, les fruits, les légumes et ce qu'il y a dans l'assiette à l'arrivée. Aidez vos enfants à comprendre pourquoi certaines méthodes agricoles sont meilleures que d'autres pour l'environnement.

Quand vous faites vos courses, demandez à vos enfants de trouver divers produits que vous mettrez dans votre caddie. Montrez-leur comment lire les étiquettes et laissez-les découvrir comment la nourriture a été produite. Interrogez-les sur les ingrédients, aidez-les à chercher le produit contenant le moins de sel, le moins de sucre ou le moins de graisses. Il vous faudra beaucoup de patience avec les plus jeunes, mais ils finiront par voir où vous voulez en venir. Demandez-leur de vous prévenir quand ils repéreront de nouveaux produits sur les étagères : vous pourrez comparer les ingrédients et décider si la nouveauté est meilleure ou non.

Quand vous ramenez les aliments chez vous, demandez à vos enfants de vous aider à les préparer. Les écoles n'enseignent plus grand-chose en matière de cuisine, et les petits ne connaissent plus la joie de mettre la cuisine sens dessus dessous. Vous ne pouvez pas le faire tous les jours, sinon vous n'auriez jamais le temps de mener d'autres activités, mais de temps à autre, vous pouvez vous le permettre, et vos enfants s'intéresseront beaucoup plus à ce qu'ils mangent.

Aider votre jardin à pousser

Le jardin donne aux enfants une occasion formidable de découvrir l'environnement. Le recyclage de l'eau et les systèmes de compostage leur fournissent de bons exemples des trois R. (le chapitre 5 explore ce sujet).

Si vous disposez d'espace, faites pousser des légumes et plantez quelques arbres fruitiers. Le fait de cultiver vos propres aliments – même si c'est en très petites quantités – permet d'établir un lien évident entre la nourriture et l'environnement. Vous aurez aussi l'occasion d'expliquer pourquoi certaines personnes se servent de produits chimiques et d'autres non. Attribuez à vos enfants un petit carré et laissez-les y cultiver ce qu'ils veulent. Peut-être ne produiront-ils jamais quoi que ce soit de mangeable ou vont-ils se lasser, mais si quelque chose pousse, ils auront un sentiment de réussite qui les poussera à se lancer dans de plus grandes entreprises.

Si vous avez un jardin d'agrément, avec des pelouses impeccables et des parterres de fleurs qui réclament beaucoup d'attention, les enfants se rendront compte que ce résultat demande un grand travail. Réservez une zone aux fleurs sauvages qui attireront les papillons et les abeilles. Une fontaine pour les oiseaux sera également utile, et vous pourrez aider les petits à identifier les différentes espèces qui viendront s'y désaltérer.

La lombriculture est amusante pour les petits. Envisagez aussi une mare aux grenouilles pour le moment où ils seront un peu plus grands.

L'écologie, c'est branché

Il est difficile de rester en phase avec les dernières tendances de la mode, tout en réduisant le nombre de produits que vous achetez et en cherchant à réutiliser les anciens. Mais essayez de créer un équilibre pour des objets comme les consoles de jeux et les MP3 en négociant avec vos enfants. Obtenez d'eux qu'ils observent quelques principes écolo à d'autres moments de la vie quotidienne, qu'ils abandonnent par exemple leur veste en fausse fourrure dont la fabrication exige des litres de pétrole. Donnez les vieilles consoles de jeux à quelqu'un qui voudra bien les réutiliser et les recycler.

Bien que l'industrie de la mode encourage certainement la consommation, les vêtements « vintage » sont à la mode et les célébrités en portent souvent, tout en les mélangeant avec des accessoires dernier cri. L'achat de vêtements d'occasion est écolo parce que c'est un geste qui encourage la réutilisation, le recyclage et la réduction du nombre d'articles fabriqués. Le moment est donc venu de convaincre vos enfants de suivre cette mode.

Montrez-leur comment prendre soin de leurs vêtements. Si vous avez le temps et que vous savez manier l'aiguille et le fil, expliquez comment transformer des articles démodés pour les remettre au goût du jour. Il est très facile, par exemple, de transformer des pantalons en pantacourts.

Les enfants ont besoin de sentir leur appartenance à un groupe et de porter les mêmes vêtements que leurs copains. Si vous êtes trop intransigeant, ils pourraient se rebeller contre vos idéaux écolo. Ne soyez pas trop rigide à propos de vos positions vertes. Vous pourriez gagner une bataille mais perdre la guerre.

Il reste à voir si la position écolo restera à la mode. Mais si les enfants prennent conscience très tôt de ces questions, ils continueront sans doute à y faire attention. Saisissez donc la première occasion pour leur en parler.

Réduire les factures d'électricité

Convaincre les petits de fermer la lumière quand ils quittent une pièce, ou de débrancher leur chargeur de mobile ainsi que les ordinateurs quand ils ne les utilisent pas, est une tâche quasi impossible (vous-même, vous n'y êtes pas arrivé en un jour, n'est-ce pas ?)

Discutez avec vos enfants des différentes manières de produire de l'électricité et expliquez comment la demande énergétique croissante, dans le monde, épuise les ressources en pétrole, en gaz et en charbon. Établissez le lien possible, souligné par les scientifiques, entre la surexploitation de ces carburants fossiles et le changement climatique. Les membres de votre famille se mettront à réfléchir en vous entendant expliquer comment nos actions affectent la vie des enfants dans d'autres pays, ce qui risque de provoquer de plus longues périodes de sécheresse et de plus grandes disettes.

N'effrayez pas les enfants en les rendant personnellement responsables des problèmes du monde. Discutez avec eux des choses qu'ils peuvent entreprendre pour faire en sorte que le pire ne survienne pas.

Plus près de chez vous, indiquez que les pénuries de gaz et la cherté du pétrole augmentent la facture de chauffage dans les maisons. Confiez-leur quelques responsabilités afin que la facture reste basse. Un enfant, par exemple, pourrait surveiller dans toute la maison que les chargeurs de téléphone mobile ne restent pas branchés. Demandez à un autre enfant d'éteindre les lumières avant de sortir pour la journée.

Demandez-leur de réfléchir aux moyens d'économiser les coûts de chauffage et de vous rapporter les « bons trucs » dont ils pourraient entendre parler à l'école ou chez les copains. Les enfants réagissent bien quand on leur demande de jouer un rôle dans la famille.

Calculer le coût de la voiture et de l'avion

Si vous n'avez pas le choix et que vous devez utiliser votre voiture pour la plupart de vos déplacements, demandez aux enfants de trouver des moyens de réduire l'utilisation de la voiture. S'ils s'habituent à être transportés à l'école, s'ils ne prennent pas le bus et ne marchent jamais, il sera difficile de les faire changer. Mais peut-être ont-ils des amis qui vont aussi en voiture à l'école, et dont les parents peuvent les emmener. Si plusieurs familles partagent les déplacements, demandez aux enfants d'organiser la rotation lorsqu'ils seront assez grands pour se souvenir de ce qui a été arrangé. Ils sont très fiers de prendre des responsabilités de ce genre.

Certains d'entre eux préféreront marcher ou aller à l'école à bicyclette, mais les parents peuvent hésiter à les laisser partir seuls. Demandez à vos amis s'ils peuvent les accompagner à pied ou à vélo. Inscrivez vos enfants à un cours de la prévention routière et tout le monde se sentira plus sécurisé.

Le vélo est un excellent exercice, mais l'argument n'est pas suffisant. Si les gens n'éprouvent pas de plaisir à en faire, tous les messages relatifs à la réduction de la pollution et les gaz à effet de serre et à l'utilisation d'un moyen de transport bon marché resteront sans effet. Vos enfants réclameront une voiture dès qu'ils seront assez grands pour en conduire une. Soyez adaptable et utilisez votre véhicule de temps à autre, quand les conditions météo ne sont pas bonnes ou que le vélo demande simplement trop d'efforts.

Parlez à vos enfants des vacances qu'ils aimeraient avoir à l'intérieur de vos frontières et expliquez pourquoi il est bon pour l'environnement de réduire le nombre de déplacements en avion. Expliquez-leur qu'il faut contrebalancer la quantité de carbone produite par votre voyage (le chapitre 1 vous explique la neutralité carbone) et calculez combien cela représente pour chaque trajet. Demandez aux membres de votre famille d'y réfléchir et de vous aider à décider s'il vaut mieux payer une compensation plutôt que de réduire vos déplacements.

Limiter la consommation d'eau

La plupart des enfants adorent l'eau tant qu'ils ne doivent pas se laver trop souvent. Souvenez-nous qu'en les taraudant pour qu'ils prennent une douche ou se lavent les dents, vous les poussez à consommer de l'eau. Quand vous leur dites de fermer le robinet quand ils se brossent les dents et quand vous leur conseillez de prendre des douches plutôt que des bains, vous envoyez des messages plus nuancés. Si possible, essayez de réutiliser et de recycler l'eau. Recueillez l'eau de pluie dans une citerne placée dans le jardin, servez-vous-en pour nettoyer la cuvette des toilettes. Enseignez à vos enfants qu'il faut utiliser la chasse d'eau à bon escient mais pas systématiquement. Si vous pouvez installer un système pour récupérer l'eau de la douche et du bain avant qu'elle ne soit évacuée vers les égouts et si vous pouvez la réutiliser, ils verront que cette eau peut servir à laver la voiture et les carreaux, à arroser le jardin. Restez simple dans vos messages.

S'investir dans des projets de protection de la planète

Les excursions que vous pourrez organiser et qui iront dans le sens de projets en faveur de l'environnement donneront à vos enfants l'envie d'en savoir plus. Le camping, les visites dans les fermes, les musées, les décharges et les unités de recyclage fournissent des démonstrations interactives qui les intéresseront.

S'ils se montrent curieux, demandez-leur de vérifier dans la région et sur Internet s'il existe des projets dans lesquels ils pourraient s'investir pour glaner quelque expérience. Dans le chapitre 19, vous trouverez plusieurs suggestions de projets locaux, et dans le chapitre 16, l'adresse de divers sites web à explorer.

Respecter les autres cultures

En découvrant comment vivent les peuples qui pratiquent d'autres cultures et quels sont leurs problèmes, les enfants peuvent comprendre pourquoi les adultes se soucient de l'environnement et veulent mener une vie plus verte. Expliquez les concepts qui justifient le commerce équitable, la neutralité carbone, le désir de consommer des aliments locaux et de sauver des écosystèmes comme les forêts tropicales. Dites-leur que la consommation accrue de pétrole et de bois vole de précieuses ressources à la terre, qui ne peuvent être rendues. Montrez-leur quelles sont les conséquences de ce pillage dans les régions concernées. Parlez-leur des alternatives. Ils auront une meilleure idée de l'effet que peut entraîner un changement de style de vie.

Faire carrière dans la vie écolo

Le secteur des métiers de l'environnement offre de plus en plus de débouchés. Lorsqu'ils orientent leurs élèves, les professeurs n'indiquent pas toujours qu'il existe des métiers liés à l'environnement.

Vous pouvez vous renseigner en consultant le programme pour l'éducation à l'environnement soutenu par la Commission des communautés européennes, Éduc-environnement : www.educ.envir.org ; sinon, consultez le réseau national d'éducation à l'environnement : www.ecole-et-nature.org. Il existe aussi un guide pratique des métiers du développement durable, publié dans une seconde version enrichie et mise à jour en 2007 par les fondatrices de Graines de changement aux éditions Village Mondial : *Un métier pour la planète… et surtout pour moi !*

Sensibiliser les enfants

La Fondation Nicolas Hulot propose aux enfants un programme intitulé *ÉCOLE : relever le Défi pour la Terre*. Pour savoir comment relever le Défi pour la Terre avec votre classe quel que soit son niveau, rendez-vous sur le site : www.defipourlaterre.org. Un mode d'emploi vous guidera dans l'utilisation de ces documents.

Le WWF, www.wwf.fr, pour sa part, prépare des publications (documents et rapports) qui sont destinées aux personnes passionnées par un thème précis. Tous les **dossiers et fiches pédagogiques** s'adressent aux enseignants des écoles primaires et/ou secondaires ainsi qu'aux animateurs de centres de loisirs. L'enseignant y trouvera des données fiables et une analyse riche et sans complaisance.

Par ailleurs, tous les ans, le WWF lance *L'appel des enfants pour l'environnement*. Le parrain de l'année 2007/2008 est Yannick Noah. Sa thématique : l'énergie. Pour en savoir plus : www.wwf.fr

Chapitre 19

Dix projets écolo pour impliquer toute la communauté

Dans ce chapitre

▶ Contribuer à rendre votre communauté plus verte

▶ Monter des projets communautaires pour protéger l'environnement

▶ Impliquer les enfants

▶ Apporter sa contribution sans quitter sa maison

L'engagement communautaire rapproche les gens qui ont la même volonté de travailler à la protection de leur environnement, parce que l'union fait la force. Tous les jours, des projets communautaires voient le jour en France comme en Angleterre. Certains groupes se constituent pour promouvoir un changement à grande échelle, en exerçant notamment des pressions sur le gouvernement pour qu'il change sa politique en matière de transports en commun (ce qui permettrait aux citoyens de laisser leur voiture au garage pour se déplacer en bus ou en train). D'autres créent des groupes qui retroussent leurs manches pour restaurer un bâtiment en ruine, sans que l'écosystème en soit perturbé (par exemple, si le bâtiment abritait une colonie de chauve-souris).

Ce chapitre donne quelques exemples de projets qui se déroulent en France et en Angleterre. Contactez les autorités locales pour obtenir des informations sur ce qui se passe aux alentours, ou cherchez sur Internet, dans votre librairie, dans les journaux régionaux. Vous pouvez aussi lancer vous-même un projet avec vos voisins. Le véritable intérêt pour l'environnement naît de ces petites initiatives, organisées pour nettoyer un parc, par exemple, ou pour planter des arbres dans une forêt proche. Désormais, les projets communautaires ne vous obligent plus à vous investir uniquement dans votre rue ou votre ville. Vous pouvez participer à un projet qui se déroule de l'autre côté de la planète ou au sein d'un réseau qui s'étend dans le monde entier. Le monde, c'est la porte à côté.

Agir pour la défense de la nature

Mountain Riders (www.mountain-riders.org) est une association des pratiquants de la montagne (skieurs, snowboardeurs, vttistes, randonneurs, escaladeurs…) qui souhaitent travailler auprès des acteurs des stations de montagne pour promouvoir les alternatives de développement durable et la mise en place d'un tourisme soutenable.
Elle propose le ramassage des déchets, et tente d'impliquer les acteurs locaux dans son action. Elle monte des stands de sensibilisation (tente, expo, vidéos, etc.) lors des événements dans les stations, etc.

Nettoyons la terre (www.fne.asso.fr) est une campagne internationale qui encourage les jeunes gens à agir pour protéger l'environnement, un peu partout dans le monde. Les enfants montent des projets de recyclage avec des amis et leur famille, ou bien font campagne dans leur école pour que l'on se serve d'assiettes et de gobelets recyclables plutôt que de vaisselle en plastique et pour acheter la nourriture dans des conteneurs recyclables. L'association essaie de convaincre les enfants de porter le message à leurs amis et aux membres de leur famille.

Construire des centres axés sur le changement

Les boutiques Espaces info-énergie de l'Ademe vous donnent des conseils gratuits pour faire des économies d'énergie et mieux préserver notre environnement. Pour connaître l'Espace info-énergie le plus proche de chez vous ou obtenir des conseils pratiques, connectez-vous sur www.ademe.fr. Pour Paris, consultez www.paris.fr ou téléphonez au 0810 060050.
Il existe des gestes simples et un éventail de produits et d'équipements qui permettent de mieux maîtriser les dépenses d'énergie.

Permettre aux écoles d'ouvrir la voie

Le Conseil des collégiens (www.collegiens76.ne). Créé par le département de Seine-Maritime, le Conseil des collégiens est un moyen de faire des jeunes de vrais acteurs de la vie locale, d'être des citoyens avant même leur majorité et de les amener à mieux connaître l'institution départementale, son rôle et son fonctionnement… et, pourquoi pas, de s'engager dans la lutte pour le respect de l'environnement.

Le vaisseau terrestre

Le CEC (Craigencalt Ecology Centre) est un projet communautaire dont le siège se trouve à Fife, en Écosse. Il a été fondé en 1998 et il est principalement géré par des bénévoles. Le centre offre une expérience directe de l'environnement aux groupes scolaires, aux organisations communautaires et aux particuliers. Il vise à utiliser la nature comme un outil pour améliorer la vie des gens à la campagne et à la ville, et il travaille avec des personnes souffrant de handicaps physiques et mentaux. Le centre propose une formation pour les professeurs, des présentations aux élèves. Les bénévoles discutent de questions écologiques et encouragent le reste de la communauté à s'investir.

Au fil des années, le CEC a aménagé des zones de forêts communautaires, a défriché des sentiers et créé un marché horticole bio. Il organise divers événements sociaux et démonstrations pratiques autour de projets environnementaux, notamment la production d'énergie renouvelable. Les membres de la communauté locale sont encouragés à venir au centre, qui espère attirer davantage de visiteurs extérieurs. Le site est ouvert, vous pouvez donc l'explorer gratuitement et tranquillement, pour voir si le travail bénévole vous attire.

Le premier *vaisseau terrestre* se trouve également au CEC. Un *vaisseau terrestre* est un bâtiment constitué de matériaux naturels et recyclés, notamment de pneus et de canettes en aluminium recyclé. Il se sert d'énergie renouvelable, du vent, du soleil et de l'eau pour assurer le chauffage et l'électricité. L'eau de pluie est captée et filtrée, les déchets du centre sont traités par ses soins. Un vaisseau terrestre montre comment construire sa propre maison et vivre en harmonie avec l'environnement. Consultez le site web www.cfec.org.uk pour en savoir davantage, ou jetez un œil à l'adresse www.earthship.co.uk, où une courte vidéo vous explique le concept.

Le Community Webnet (www.communitywebnet.org.uk) est une organisation qui soutient divers projets communautaires environnementaux en Écosse (dont le Craigencalt Ecology Centre), dans leur lancement, leur fonctionnement et leur développement. Regardez le site web pour obtenir davantage de renseignements sur divers projets et sur les résultats obtenus. Le Centre for Alternative Technology (www.cat.org.uk) dispense informations et conseils sur divers projets écologiques en Angleterre. C'est le principal éco-centre anglais, qui essaie depuis trente ans de réduire l'impact que les humains exercent sur leur environnement.

Restaurer le passé

Correns, premier village bio de France

Le Ministère de l'environnement a décerné au village en 2001 le label « Merci dit la planète ».

En 1997, la culture ancestrale de la vigne conduite sur des parcelles morcelées avait tendance à s'essouffler. Correns risquait d'abandonner son économie principale (le vin) et donc ses terres agricoles pour devenir un village-dortoir que les jeunes quitteraient. L'agriculture biologique, adaptée aux petites surfaces, est apparue comme la solution. Le maire, qui est aussi vigneron et ingénieur agronome, a réussi à convaincre les autres vignerons de tout mettre en oeuvre pour que les terres de Correns soient cultivées selon cette saine pratique. Les jeunes sont restés au village, qui compte aujourd'hui près de 800 habitants, certains sont devenus vignerons comme leurs parents et grands-parents. Correns n'a pas eu à céder aux promoteurs immobiliers.

D'autres domaines sont concernés par cette démarche « éco-citoyenne » à Correns. Les conseils d'un ingénieur spécialisé dans les énergies renouvelables sont proposés gratuitement aux personnes déposant un permis de construire. La cantine scolaire municipale sert un repas bio par semaine. Vous pouvez en savoir plus sur www.correns.fr

Régénérer les communautés

Quartiers sans frontières (www.quartiers-sans-frontieres.org). On les appelle les « brigades vertes » car ils embellissent leur cité. Graffitis effacés, arbres élagués, détritus ramassés… Tous les jours, une brigade de cantonniers redonne un peu de lustre à la cité d'Haumont (Nord). Le gouvernement envisage de généraliser le concept en banlieue. À l'origine de cette initiative, un enfant du quartier « autodidacte », Salim Saïfi. Aujourd'hui, les intervenants sont une trentaine et le mouvement ne fait que commencer !

Le printemps bio : cette manifestation bio est organisée par l'Agence française pour le développement et la promotion de l'agriculture biologique, du 1er au 15 juin, chaque année. Elle permet de multiplier les occasions de rencontres et d'échanges entre professionnels de l'agriculture biologique et consommateurs en demande d'informations.

Projets de recyclage des déchets

L'association bretonne La Passiflore (la.passiflore.free.fr). Une initiative née à Fougères, prouve qu'il est possible de réduire nos déchets. Pour cette opération « Trop de déchets, réduisons-les », trente-cinq familles ont été accompagnées pendant un an. L'association leur a appris à trier et à réduire leurs déchets (rationalisation des achats, recyclage, don volontaire au lieu de jeter, compostage des déchets organiques, autocollant stop pub, etc). Le bilan est très positif, puisque l'opération a permis de réduire de moitié la quantité totale des déchets.

Si vous voulez participer à ce type d'actions de protection de l'environnement, consultez www.demain-la-terre.net/volontariat/. Vous y trouverez de nombreuses associations qui présentent leurs initiatives.

Covoiturage

Si vous vivez dans une grande ville, il y a probablement sur place plusieurs organisations de covoiturage. Pour savoir quel est le réseau le plus proche de chez vous, consultez les sites www.covoiturage.fr, www.easycovoiturage.com, www.ecotrajet.com, www.123envoiture.com, www.laroueverte.com ou www.patacaisse.com

Dans les zones rurales, les associations sont moins nombreuses et souvent moins proches de chez vous. Pourquoi ne pas en créer une ? Vous trouverez sur ces sites des réponses à toutes vos questions ; ils vous indiqueront si vous pouvez obtenir des subventions, comment contacter les personnes intéressées et comment faire connaître votre projet.

L'autopartage

Pour le moment, ce service existe seulement à Paris. Renseignez-vous après de **Caisse Commune** (www.caisse- commune.com ou au 01 43 55 15 95), d'Okigo (www.okigo.com ou 0826 101 102) ou Mobizen (www.mobizen.fr ou au 01 72 09 06 75).

Pour la France, consultez France Auto-partage (www.franceautopartage.com) qui réunit six centrales de véhicules à travers la France : Bordeaux, Grenoble, Lyon, Marseille, Montpellier et Strasbourg.

Commerce local

Les SEL sont des réseaux de commerce local. Les membres de cette communauté échangent toutes sortes d'objets et de services sans faire intervenir la notion d'argent. Vous échangez vos articles et vos prestations dans une monnaie alternative et vous l'utilisez pour acheter ce qui vous intéresse. Voir le site internet www.selidaire.org, c'est le réseau local d'échange (le chapitre 9 vous en dira plus long sur les SEL).

Ces réseaux d'échanges sont verts pour toutes sortes de raisons. Leurs membres achètent moins de produits neufs. Les articles échangés entre eux sont réutilisés et recyclés. Souvent les objets sont réparés, ce qui les empêche d'atterrir dans une décharge. Les membres d'une même région n'ont pas à faire de longues distances pour rendre leurs services, et il faut faire intervenir moins de réparateurs professionnels. Tout cela réduit l'impact de la communauté locale sur l'environnement.

S'il n'existe pas de réseau proche de chez vous, parlez-en à vos amis et voisins et créez-en un. Rendez-vous sur le site www.selidaire.org pour obtenir d'autres informations. Le SEL, c'est le réseau local d'échange.

Bénévolat virtuel

Tout le monde ne peut pas quitter sa maison pour aller s'investir dans les projets que j'ai mentionnés dans ce chapitre. Si vous avez des enfants, une personne âgée ou malade à soigner à domicile, ou si vous êtes vous-même handicapé, vous ne pouvez sortir de chez vous pour participer à ces activités. Le bénévolat virtuel est une nouvelle manière de vous impliquer. Vous accomplissez vos tâches bénévoles sur Internet. Cela signifie que vous pouvez contribuer à n'importe quel projet qui accepte des bénévoles virtuels. Vous vous organisez pour travailler à l'heure et à l'endroit qui vous conviennent.

Parmi les tâches concernées, citons la conception de sites web, la constitution de bases de données, la rédaction de lettres d'information, la quête de fonds, la recherche et le coaching. Renseignez-vous sur les modalités du travail virtuel auprès de CSV, une organisation à but non lucratif qui dirige des bénévoles vers des organisations qui ont besoin d'aide, www.demain-la-terre.net/volontariat/. Vous pouvez aussi essayer la Banque du temps, www.labanquedutemps.com, association à but non lucratif qui encourage les bénévoles à s'investir dans leur communauté (voir le chapitre 9 pour obtenir davantage de renseignements sur les Banques du temps).

Si vous souhaitez vous investir virtuellement dans un projet particulier au sein de votre propre communauté ou un peu plus loin, contactez directement l'organisation qui vous intéresse et offrez vos services. Ce type de bénévolat est en plein essor et vous n'utilisez pratiquement aucune énergie pour le mener à bien. De ce fait, vous contribuez doublement à la révolution verte.

Annexes

- -

Développer les manifestations écolos..... encore trop peu connues

▶ Chaque année le festival du livre et de la presse d'écologie a lieu à Paris, en novembre. www.festival-livre-presse-ecologie.org

▶ Le festival international du film écologique se déroule à Bourges tous les ans, en octobre. www.ffcinevideo.org

▶ Le festival international du film d'environnement, organisé par le Conseil régional d'Île-de-France, a lieu tous les ans au mois de novembre. www.festivalenvironnement.com

▶ Les meilleurs sites verts

- -

Dans les pages de ce livre, nous vous avons suggéré divers moyens de mener une vie plus écolo, allant de l'adoption de l'énergie verte au commerce équitable. Cependant, nous ne pouvons pas multiplier le nombre d'adresses déjà citées. De ce fait, cette annexe vous indique la bonne direction à suivre pour explorer l'univers de la vie écolo, et vous indique des sites web particulièrement utiles.

Des avis verts

Le Grenelle de l'environnement, www.le grenelle-environnement.fr : tout sur l'avenir de l'écologie en France.

Fondation Nicolas Hulot, www.fnh.org : depuis sa création en 1990, elle est dédiée à l'éducation et à l'environnement. Elle sensibilise ainsi le public autour de thèmes majeurs dans une perspective de développement durable.

Ecolo-info, http://ecoloinfo.com : un site pour tout savoir sur l'écologie.

Eco-sapiens, www.eco-sapiens.com : le guide d'achat éthique, commerce équitable, agriculture biologique, économie solidaire.

Actionconso, www.actionconsommation.org : une association qui tente de responsabiliser les consommateurs.

Le Cniid, www.cniid.org : cette association informe le grand public sur la problématique des déchets (réduction de leur toxicité, de leur quantité, etc.).

Fac verte, www.facverte.org : c'est un réseau universitaire de toutes les écologies.

Good Planet, www.ledeveloppementdurable.fr : l'association de Yann Arthus-Bertrand sensibilise le grand public au développement durable.

L'intelligence verte, www.intelligenceverte.org : cette association veut organiser la sauvegarde des ressources génétiques naturelles et réhabiliter des variétés anciennes, pour une production alimentaire durable accessible à tous et respectueuse de l'environnement et de la santé. Elle a été créée par Philippe Desbrosses, le pape du bio.

La Ligue Roc, www.roc.asso.fr : une association pour la protection de la nature et pour la préservation de la faune sauvage. Son président est le célèbre astrophysicien Hubert Reeves.

LPO, www.lpo.fr : la ligue de protection des oiseaux, l'association d'Allain Bougrain Dubourg.

Max Havelaar, www.maxhavelaarfrance.org : c'est une association qui soutient le commerce équitable.

MDRGF, Mouvement pour les droits et le respect des générations futures, www.mdrgf.org : cette association dénonce les pesticides, leurs effets sanitaires et environnementaux et veut promouvoir des alternatives agricoles plus respectueuses de la nature.

négaWatt, www.negawatt.org : des solutions pour économiser l'énergie, et développer les énergies renouvelables dans un second temps.

Ojectif Bio, www.objectifbio.org, réunit tous les professionnels du bio pour promouvoir cette agriculture.

Mountain Riders, www.mountain-riders.org, réunit des pratiquants de la montagne (skieurs, snowboardeurs, vttistes, randonneurs, escaladeurs…) pour mettre en place un tourisme supportable.

Planete urgence, www.planete-urgence.com : c'est une association de solidarité internationale qui lutte contre la destruction de la planète.

Robin des toits, www.robindestoits.org cette association dénonce les dangers des téléphones portables et des antennes relais.

Quartiers sans frontières, www.quartiers-sans-frontieres.org : dans la cité d'Haumont (Nord), à 7 m de Maubeuge. On les appelle les « brigades vertes » car ils embellissent leur cité.

Le RAP, www.antipub.org : un mouvement de résistance à l'agression publicitaire. Cette association a pour objet de lutter contre les effets négatifs des activités publicitaires sur l'environnement.

Les guides verts d'achat

Le marché citoyen, www.lemarchecitoyen.net : avec son guide vert de la consommation (*Mes courses pour la planète*), ce groupe de citoyens consommateurs a créé un annuaire internet du commerce équitable, solidaire ou bio, pour consommer autrement.

Eco-sapiens, www.eco-sapiens.com : un guide d'information pour consommer le plus éthique possible.

Consoglobe, www.consoglobe.com : c'est le site de la consommation durable et éthique. Pour consommer mieux avec la boutique et les bons plans consofutés.

Tout allantvert, www.toutallantvert.com une boutique écolo pour un mode de vie écolo, avec produits verts respectueux de l'environnement et orientée développement durable.

Énergie

Manicore, www.manicore.com. Le site de Jean-Marc Jancovici répond à toutes les questions que l'on peut se poser concernant la planète : du réchauffement climatique en passant par l'énergie et nos émissions de gaz à effet de serre.

Bilan Carbone, www.ademe.fr : pour lutter contre le changement climatique, le Bilan Carbone, développé par l'Ademe, permet d'évaluer dans les entreprises ou dans les collectivités les émissions de gaz à effet de serre pour mettre en place des actions ciblées : transport, logement

Climatmundi, www.climatmundi.fr : société qui effectue de la compensation carbone.

Le Guide-topten, www.guide-topten.com : un classement écologique des appareils ménagers en énergie.

L'Ademe, `www.ademe.fr` : l'Agence nationale pour l'environnement et la maîtrise de l'énergie. Vous pouvez la contacter au 0810 060 050.

Alimentation

Agence bio, www.agence bio.org : l'annuaire de tous les produits bio et les marques.

Association végétarienne, `www.vegetarisme.fr` : on y trouve toutes les marques, produits secteurs du monde végétarien.

Guide végétalien, `www.interdits.net` : ce guide s'adresse aux végétariens qui souhaitent devenir végétaliens.

Amap, `http://alliancepec.free.fr` : le réseau des associations pour le maintien d'une agriculture paysanne

Réseau des jardins de cocagne : `www.reseaucocagne.asso.fr`

Biocoop, `www.biocoop.fr` **et Nouveaux Robinsons,** `www.nouveauxrobinsons.fr` : deux supermarchés bio.

À domicile : vous pouvez être livré chez vous avec `www.biodoo.com`, `www.natoora.fr`, `www.alterecodirect.com`, `www.epicerie-equitable.com` ou `www.artisanatsel.com`

L'association Écolo Café, `www.ecolocafé.org`, est un nouvel acteur de l'écologie. Cette association œuvre à la transformation écolo des cafés et bars : développement du recyclage, de la végétalisation, du bio, des économies d'énergie...

Les Freegans Français, `www.freegan.fr` : ce mouvement est né aux États-Unis et commence en France. Il s'agit de se nourrir dans les poubelles. Ce ne sont pas des clochards mais des militants qui luttent contre le gaspillage alimentaire de notre société.

Exki, `www.exki.fr` : le premier fast-food bio à Paris.

Jardinage

L'association des jardiniers biologiques de France, `www.univers-nature.com/jardin-bio/`.

Federation des jardins familiaux, www.jardins-familiaux.asso.fr : des parcelles de terrain mises à la disposition des habitants par les municipalités.

Terre vivante, www.terrevivante.org : pour découvrir le jardinage bio, l'habitat bio, l'énergie renouvelable, etc.

Santé

Artac, Association pour la recherche thérapeutique anticancereuse : www.artac.info

Robin des toits, www.robindestoits.org : l'association nationale pour la sécurité sanitaire des technologies sans fil. Elle dénonce les dangers pour la santé des téléphones portables et des antennes relais.

Écologie sans Frontière, www.ecologiesansfrontiere.org : cette association dénonce les méfaits de la pollution sur la santé des Français.

Vacances

Echoway, www.echoway.org : c'est une association dont l'objectif est d'informer le voyageur sur le tourisme solidaire et écologique.

Les « conseils nature » du *Guide du routard*, www.routard.com, et des guides *Lonely Planet*, www.lonelyplanet.fr

Le label la clef verte, www.laclefverte.org, qui récompense les gîtes et les hôtels qui font des efforts.

Grand Nord Grand Large, www.gngl.com : voyage dans les régions polaires.

Planète Urgence, www.planet-urgence.com, vous permet de partir en congé solidaire.

Magazines

La revue durable, www.larevuedurable.com : pour tout savoir sur le développement durable.

Terra Economica, www.terra-economica.info : le magazine du développement durable.

Le Nouveau consommateur, www.nouveauconsommateur.com : le magazine de la consommation responsable.

La Maison écologique, www.la-maison-ecologique.com : le magazine pratique de l'écoconstruction et des énergies renouvelables, pour construire, rénover et aménager sa maison écologique.

Ekwo, www.ekwo.org : le magazine de l'écocitoyen.

L'écologiste, www.ecologiste.org : un magazine mensuel.

Neo Planete, www.neoplanete.eu : un nouveau venu, gratuit, lisible sur son site.

Marchandises recyclées

Récupe, www.recupe.net : donner au lieu de jeter, une alternative à la société de consommation.

Freecycle, fr.freecycle.org : c'est le « eBay » gratuit et écologique.

Consorecup, www.consorecup.com : service de don et de recyclage.

Donnons, www.donnons.org : le don de tous les objets que vous ne voulez plus avec récupération gratuite.

Emmaus, www.envie.org : à travers la fédération **ENVIE,** répare et remet à neuf les appareils ménagers, notamment les réfrigérateurs, les cocottes et les lave-linge, avant de les revendre à un prix raisonnable. Cette association fournit du travail et une formation aux personnes qui se trouvent en position de faiblesse sur le marché du travail.

Shopping

Mode éthique, « Ethical Fashion Show », www.ethicalfashionshow.com. EFS réunit différents acteurs de la mode éthique.

La plate-forme du commerce équitable, www.commercequitable.org, aussi bien alimentaire que textile.

Le collectif de l'éthique sur l'étiquette, www.ethique-sur-etiquette.org, d'une vingtaine d'associations de solidarité internationales qui vise à améliorer les conditions de travail dans l'industrie de l'habillement du monde entier.

Altermundi, www.altermundi.com favorise le commerce équitable. On y trouve de la déco, du mobilier, de la mode, de l'art et de l'épicerie fine !

Transport et voyages

Covoiturage, www.covoiturage.fr : sur le site national du covoiturage.

Autopartage : France Auto-partage : www.franceautopartage.com

Faire son bilan carbone personnel, www.bilancarbonepersonnel.org : Ce site vous aide à réduire votre impact sur l'environnement, à vivre de manière plus saine et à économiser de l'argent.

Vous pouvez également calculer votre bilan carbone sur www.ademe.fr/calculette-eco-deplacements/ : la calculette éco-déplacement vous permet de calculer l'impact quotidien de vos déplacements.

Quelques livres

Pour un Pacte écologique, Nicolas Hulot, Calmann-Lévy, 2006.

Effondrement, Jared Diamond, Gallimard, 2006.

Le Plan B. Pour un pacte écologique mondial, Lester Brown, Calmann-Lévy, 2006.

Pesticides : révélations sur un scandale français, Francois Veillerette, Fayard, 2007.

Le Plein s'il vous plaît, Jean-Marc Jancovici, Seuil, 2006.

Le Guide du shopping solidaire à Paris, Hélène Binet, Autrement, 2005.

Achetons responsable !, Élisabeth Laville et Marie Balmain, Seuil, 2006.

Conso guide, pour une consommation responsable des produits de la mer, WWF, 2007.

Réparer la planète, Maximilien Rouer et Anne Gouyon, JC Lattès, 2007.

C'est vert et ça marche !, Jean-Marie Pelt, Fayard, 2007.

Index

A

additifs alimentaires *140*
aération *52*
aérosols *90*
Afrique *33*
Agenda *21 24, 262*
agriculture biologique *100*
    normes européennes de l' *100*
    méthodes de l' *143*
alimentation biologique *138*
Amérique du Nord *34*
Amérique latine *33*
ampoules
    basse consommation *270*
    fluorescentes *65*
animaux de compagnie *92*
antibiotiques *140*
appareils électriques *68, 74, 124*
arbres, planter des *217*
arrosage *97*
Asie *33*
assèchement *32*
assurances éthiques *184*
asthme *29, 42, 90, 227*
Australie *33*
autarcie énergétique *269*
autopartage *231, 299*
avion *237, 252, 254*

B

bactéries *156*
banlieue *62*
banque alternative *186*
Banque du temps *189*
barbecue *111*
bicarbonate de soude *88*
bilan carbone *197*
biocarburants *242*
biodiesel *242*
biomasse *55, 57*
bois *58*
borax *88*
bouteilles d'eau *77*
bureau *197*

C

canalisations *75*
carburants
alternatifs *241*
fossiles *37*
cartes de crédit affiliées à un organisme à
   but non lucratif *190*
catastrophes naturelles *32*
cercueil biodégradable *93*
certificat de performance énergétique *52*
chanvre *170*
chasse d'eau *79*

chaudière *69*

chauffage

 extérieur *112*

 baisser le *65*

cheveux *284*

choix *12*

citerne d'eau de pluie *97*

climat, changement du *30*

climatisation *69*

colza *147*

commerce équitable *162-164, 281*

commerce local *299*

communautés vertes *298*

compost *77, 99, 103-105*

compte bancaire éthique *180*

compteur d'eau *66*

conduire mieux *240*

conseil financier écolo *191*

conservation *17*

consommation *30, 64*

construction durable *70*

 matériaux de *71*

coopératives biologiques *160*

cosmétiques *80*

coton *171*

 biologique *85, 170*

couches *85*

covoiturage *211, 231, 299*

cuir *173*

cuisine verte *73*

D

décharges *115*

déchets *34*

 réduction des *35*

 trier les *77*

DEEE (ou WEEE) *125*

démographie, croissance de la *35*

déodorisants *87*

déplacements professionnels *199*

détergents verts *85, 90*

diagnostic de performance énergétique *54*

diesel *241*

dioxines *43*

dioxyde de soufre *43*

donner *127*

douche *66, 79*

E

eau *270*

 bien utiliser l' *75*

 épuisement de l' *41*

 pollution de l' *39*

 réduire la consommation d' *66*

eBay *132*

Écologie sans Frontière *44, 227*

e-commerce *236*

économiseur d'eau *66*

écosystème *95*

écotourisme *255, 260, 261*

électricité

 verte *52*

 acheter et vendre de l' *58-59*

 facture d' *290*

emballage *77, 139, 288*

émissions de carbone *227*

empreinte environnementale *16*

emprunt écolo *187*

énergie

 éolienne *54, 56*

 solaire *52, 54*

 solaire passive *55*

 épuisement de l' *35, 41*

 renouvelables *53, 54*

enfants, sensibiliser les *91, 210, 293*

engrais *98*

enterrement *93*

entreprise verte *207*

épuisement énergétique *35*

éteindre *65*

éthanol *241, 243*

étiquettes *43, 148, 153*

Europe *33*

F

fausse fourrure *173*
fermier *160*
fournisseur d'énergie, changer de *270*
freecycle (ou freecycling) *123, 129, 279*

G

gaz naturel comprimé *244*
générations futures *27*
géothermie *55*
géothermique, pompe *57*
gestes *14, 15*
GIEC *29*
GPL *244*
graisses saturées *156*
Greenpeace *44*

H

hormones *140, 156*
huile de castor *89*
huile d'olive *89*
hydroélectricité *54*
hydrogène *243, 248*
hypermarché *158*

I

incinération *115*
ingrédients *148*
investissements socialement
  responsables *182*
isolation *52, 67*
    par la fibre de cellulose *67*
    thermique *67*

J

jardin *289*
    communautaire *102*
    propice à la vie sauvage *108-109*

éclairage du *111*
meubles de *111*
jus de citron *89*

K

kilomètres alimentaires *151*
Kyoto, protocole de *45*

L

laine *171*
lait *147*
lave-linge *66*
lave-vaisselle *76*
légumes bio, caisses de *280*
lin *170*
location écolo *284*
logements à faible densité *50*
lombriculture *105*

M

mairie *63*
maïs *147*
maison verte *52*
maladie de la vache folle *155*
mangeoire *109*
maraîcher *159*
marcher *211, 229, 233*
matériaux de construction durable *71*
matières
    naturelles *171*
    recyclées *170*
    vertes *170*
MDRGF *44*
ménage *87*
métaux *43*
minuteries *65*
mode éthique *169*
mondialisation *37*
monoxyde de carbone *42*
motos *249*

N

nettoyer vert *88*
neutralité carbone *16*
nourriture, empoisonnement de la *39*

O

obsèques *93*
offrir *128*
OGM *141, 146, 149, 156*
ordinateur *126*
outil de jardinage vert *103*
ozone *42*

P

pailler *99*
paillis *97*
panier du jardinier *161*
panneaux
    photovoltaïques *56*
    solaires actifs *55*
papier *18*
    économiser le (au bureau) *201*
particules *42*
patio *111*
péage *225, 250*
peinture *123*
pelouse *98, 107*
perfluorés, produits chimiques *44*
performance énergétique
    certificat de *52*
    diagnostic de (DPE) *54*
pesticides organochlorés *44*
pétrole *171*
piscine *110*
placements éthiques *182*
plantes *112*
plastique *18*
    taxe sur les sacs en *117*
pneus *120*
poisson *154*

pollution, histoire de la *41*
potager *98*
poulet en batterie *145*
projets écolo à l'école *214-215*

R

R, les trois *287*
réchauffement *31*
récurer écolo *87*
recyclage *120, 123, 267, 298*
recyclé(s)
    métaux *122*
    papier *121*
    plastique *122*
    textiles *123*
    verre *122*
réfrigérateur *74*
réoffrir *124*
réparer *119*
ressources, épuisement des *40*
retardateurs de flamme bromés *43*
robinet *66*

S

santé *26, 38*
scooters *249*
sèche-linge *86*
sensibiliser les enfants *210, 293*
serre *101*
soie *170*
soja, germes de *147*
solaire(s),
    énergie *52, 54*
    énergie passive *55*
    panneaux actifs *55*
solex *249*
sport, faire du *229, 233, 283*
subventions *58, 187*
supermarché *157*
système d'échange local *119, 188*

T

téléphones mobiles *125*
télétravail *202*
télévision *82*
terre, épuisement de la *40*
thermostat, baisser le *83*
tourisme *252*
toxiques, produits *43-44*
traçabilité *149*
train *253*
transports en commun *228, 230*
tri des déchets *77*
turbine (éolienne) *56*

U

université *218*

V

vacances
  durables *255*
  éthiques *255*
végétarien *155*
veille *65, 68, 83*
vélo *231, 234*
ventilateur à batterie solaire *70*
vêtements
  d'occasion *175*
  acheter ses *173*
  choisir ses *166-167,*
vide-grenier *130*
vinaigre *89*
virus *38*
voiture *36, 245, 268*
  électrique *247*
  hybride *246*
  réduire l'utilisation de la *224*

Z

zéro déchet *113*

Disponibles dans la collection Pour les Nuls

Pour être informé en permanence sur notre catalogue et sur les dernières nouveautés publiées dans cette collection, consultez notre site internet www.efirst.com

Pour les Nuls **Pratique**

ISBN	Titre	Auteur
2-87691-644-4	CV (Le)	J.-L. Kennedy, A. Dumesnil
2-87691-652-5	Lettres d'accompagnement (Les)	J.-L. Kennedy, A. Dumesnil
2-87691-651-7	Entretiens de recrutement (Les)	J.-L. Kennedy, A. Dumesnil
2-87691-670-3	Vente (La)	T. Hopkins
2-87691-712-2	Business Plans (Les)	P. Tifany
2-87691-729-7	Management (Le)	B. Nelson
2-87691-597-9	Astrologie (L')	R. Orion
2-87691-610-X	Maigrir	J. Kirby
2-87691-604-5	Asthme et Allergies	W. E. Berger
2-87691-615-0	Sexe (Le)	Dr Ruth
2-87691-616-9	Relancez votre couple	Dr Ruth
2-87691-617-7	Santé au féminin (La)	Dr P. Maraldo
2-87691-618-5	Se soigner par les plantes	C. Hobbs
2-87691-640-1	Français correct (Le)	J.-J. Julaud
2-87691-634-7	Astronomie (L')	S. Maran
2-87691-641-X	Rêves (Les)	P. Pierce
2-87691-661-4	Gérez votre stress	Dr A. Elking
2-87691-657-6	Zen ! La méditation	S. Bodian
2-87691-646-0	Anglais correct (L')	C. Raimond
2-87691-681-9	Jardinage (Le)	M. MacCaskey
2-87691-683-5	Cuisine (La)	B. Miller, A. Le Courtois
2-87691-687-8	Feng Shui (Le)	D. Kennedy
2-87691-702-5	Bricolage (Le)	G. Hamilton
2-87691-705-X	Tricot (Le)	P. Allen
2-87691-769-6	Sagesse et Spiritualité	S. Janis
2-87691-748-3	Cuisine minceur (La)	L. Fischer, C. Bach
2-87691-752-1	Yoga (Le)	G. Feuerstein
2-87691-767-X	Méthode Pilates (La)	H. Herman
2-87691-768-8	Chat (Un)	G. Spadafori
2-87691-801-3	Chien (Un)	G. Spadafori
2-87691-824-2	Échecs (Les)	J. Eade

Disponibles dans la collection *Pour les Nuls*

Pour être informé en permanence sur notre catalogue et sur les dernières nouveautés publiées dans cette collection, consultez notre site internet www.efirst.com

Pour les Nuls **Pratique**

ISBN	Titre	Auteur
2-87691-823-4	Guitare (La)	M. Phillips, J. Chappell
2-87691-800-5	Bible (La)	E. Denimal
2-87691-868-4	S'arrêter de fumer	Dr Brizer, Pr Dautzenberg
2-87691-802-1	Psychologie (La)	Dr A. Cash
2-87691-869-2	Diabète (Le)	Dr A. Rubin, Dr M. André
2-87691-897-8	Bien s'alimenter	C. A. Rinzler, C. Bach
2-87691-893-5	Guérir l'anxiété	Dr Ch. Eliott, Dr M. André
2-87691-915-X	Grossesse (La)	Dr J.Stone
2-87691-943-5	Vin (Le)	Ed. Mcarthy, M. Ewing
2-87691-941-9	Histoire de France (L')	J.-J. Julaud
2-87691-984-2	Généalogie (La)	F. Christian
2-87691-983-4	Guitare électrique (La)	J. Chappell
2-87691-973-7	Anglais (L')	G. Brenner
2-87691-974-5	Espagnol (L')	S. Wald
2-75400-025-9	Mythologie (La)	Ch. et A. Blackwell
2-75400-037-2	Léonard de Vinci	J. Teisch, T. Barr
2-75400-060-7	Massages (Les)	S. Capellini, M. Van Welden
2-75400-059-3	Voile (La)	J.-J. et Peter Isler
2-75400-062-3	Bouddhisme (Le)	J. Landaw, S. Bodian
2-75400-061-5	Littérature française (La)	J.-J. Julaud
2-75400-078-X	Golf (Le)	G. McCord
2-75400-093-3	Maths (Les)	J.-L. Boursin
2-87691-110-7	Histoire de France illustrée (L')	J.-J Julaud
2-75400-039-9	Italien (L')	F. Onufri, S. Le Bras
2-75400-102-6	Piano (Le)	B. Neely, M. Rozenbaum
2-75400-118-2	Claviers et Synthétiseurs	C. Martin de Montagu
2-75400-124-7	Guitare (La)	M. Philipps, J. Chappell
2-75400-123-9	Poker (Le)	R. D. Harroch, L. Krieger, F. Montmirel
2-75400-152-2	Éduquer son chien	J. et W. Volahrd

Disponibles dans la collection Pour les Nuls

Pour être informé en permanence sur notre catalogue et sur les dernières nouveautés publiées dans cette collection, consultez notre site internet www.efirst.com

Pour les Nuls **Pratique**

ISBN	Titre	Auteur
2-75400-137-9	Tai Chi (Le)	T. Iknoian
2-75400-151-4	Musique classique (La)	D. Pogue, C. Delamarche
2-75400-150-6	Franc-Maçonnerie (La)	C. Hodapp, P. Benhamou
2-75400-169-7	PNL (La)	R. Ready et K. Burton
2-75400-182-4	Catholicisme (Le)	Révérend J. Trigilio
2-75400-184-0	Napoléon	J. David Markham, B. Miquel
2-75400-185-9	Dessin (Le)	B. Hoddinot
2-75400-193-X	Couture (La)	J. Saunders Maresh
2-75400-212-X	Chinois (Le)	W. Abraham
2-75400-246-4	Thérapies comportementales et cognitives (Les)	R. Willson, R. Branch
2-75400-229-4	Histoire de l'art (L')	J.-J. Breton, P. Cachau, D. Williatte
2-75400-230-8	Climat et Météo	J.D. Cox
2-75400-245-6	Géographie française (La)	J.-J. Julaud
2-75400-256-1	Égypte ancienne (L')	F. Maruéjol
2-75400-244-8	Opéra (L')	D. Pogue, C. Delamarche
2-75400-257-X	Mythologie (La), nouvelle édition	A. Blackwell, G.Van Heems
2-75400-287-1	Chanson française (La)	B. Dicale
978-2-7540-0276-9	Bridge (Le)	E. Kantar, D. Portal, P. Marmion
978-2-7540-0277-6	Culture générale (La)	F. Braunstein, J.-F. Pépin
978-2-7540-0288-2	Guitare basse (La)	P. Pfeiffer
978-2-7540-0300-1	Rugby (Le)	F. Duboisset, F. Viard
978-2-7540-0313-1	Néerlandais (Le)	M. Kwakernaak, M. Hofland, A. Christiaens
978-2-7540-0321-6	Europe (L')	S. Goulard
978-2-7540-0312-4	Arabe (L')	A. Bouchentouf, A. et S. Chraibi
978-2-7540-0322-3	Zen ! La méditation	S. Bodian
978-2-7540-0323-0	Améliorer sa mémoire	J.B. Arden
978-2-7540-0335-5	Politique (La)	P. Reinhard
978-2-7540-0351-3	Économie (L')	M. Musolino
978-2-7540-0353-7	Coaching (Le)	J. Mumford
978-2-7540-0352-0	Batterie (La)	J. Strong, L. Bataille

Disponibles dans la collection *Pour les Nuls*

Pour être informé en permanence sur notre catalogue et sur les dernières nouveautés publiées dans cette collection, consultez notre site internet www.efirst.com

Pour les Nuls **Pratique**

ISBN	Titre	Auteur
978-2-7540-0462-6	Chant (Le)	P.S. Philips, M. Jost
978-2-7540-0492-3	Créer sa boîte	L. de Percin
978-2-7540-0460-2	Philosophie (La), nouvelle édition	C. Godin
978-2-7540-0461-9	Vin (Le), nouvelle édition	Collectif
978-2-7540-0495-4	Japonais (Le),	E. Sato
978-2-7540-0494-7	Dessiner des mangas	K. Okabayashi
978-2-7540-0489-3	Histoire de la Suisse (L')	G. Audrey
978-2-7540-0586-9	Solfège (Le)	M. Pilhofer, J.-C. Jollet
978-2-7540-0553-1	Justice (La)	E. Pierrat
978-2-7540-0563-0	Moyen Âge (Le)	P. Langevin
978-2-7540-0564-7	Grammaire anglaise (La)	G. Woods
978-2-7540-0688-0	Marketing (Le), nouvelle édition	A. Hiam
978-2-7540-0647-7	Confiance en soi (La)	K. Burton
978-2-7540-0621-7	Payer moins d'impôts	R. Matthieu
978-2-7540-0530-2	Immobilier (L'), nouvelle édition	L. Boccara, C. Sabbah
978-2-7540-0620-0	Ve République (La)	N. Charbonneau, L. Guimier
978-2-7540-0531-9	Islam (L')	M. Clark, M. Chebel
978-2-7540-0732-0	Équitation (L')	A. Pavia, M. Martin
978-2-7540-0596-8	Judaïsme (Le)	T. Falcon, J. Eisenberg
978-2-7540-0707-8	Vivre écolo	M. Grosvenor
978-2-7540-0707-8	Années 60 (Les)	S. Benhamou

Pour les Nuls **Poche**

ISBN	Titre	Auteur
2-87691-873-0	Management (Le)	Bob Nelson
2-87691-872-2	Cuisine (La)	B. Miller, A. Le Courtois
2-87691-871-4	Feng Shui (Le)	D. Kennedy
2-87691-870-6	Maigrir	J. Kirby
2-87691-923-0	Anglais correct (L')	C. Raimond
2-87691-924-9	Français correct (Le)	J.-J. Julaud

Disponibles dans la collection Pour les Nuls

Pour être informé en permanence sur notre catalogue et sur les dernières nouveautés publiées dans cette collection, consultez notre site internet www.efirst.com

Pour les Nuls **Poche**

ISBN	Titre	Auteur
2-87691-950-8	Vente (La)	T. Hopkins
2-87691-949-4	Bureau Feng Shui (Un)	H. Ziegler, J. Lawler
2-87691-956-7	Sexe (Le)	Dr Ruth
2-75400-001-1	CV (Le)	J.-L. Kennedy, A. Dumesnil
2-75400-000-3	Zen ! La méditation	S. Bodian
2-87691-999-0	Astrologie (L')	R. Orion
2-75400-015-1	Jardinage (Le)	M. Mac Caskey
2-75400-014-3	Jardin Feng Shui (Le)	M. Ziegler, J. Lawler
2-75400-064-X	Astronomie (L')	S. Maran
2-75400-094-1	Business Plans	P. Tifany
2-75400-086-0	Entretiens de recrutement (Les)	J.-L. Kennedy, A. Dumesnil
2-75400-082-8	Lettres d'accompagnement (Les)	J.-L. Kennedy, A. Dumesnil
2-75400-165-4	Su Doku – Tome 1	A. Heron, E. James
2-75400-167-0	Su Doku – Tome 2	A. Heron, E. James
2-75400-213-8	Su Doku – Tome 3	A. Heron, E. James
2-75400-223-5	Méthode Pilates (La)	E. Herman
2-75400-180-8	Histoire de France (L') – Des origines à 1789	J.-J. Julaud
2-75400-181-6	Histoire de France (L') – De 1789 à nos jours	J.-J. Julaud
978-2-7540-0314-8	Bouddhisme (Le)	J. Landraw, S. Bodian
978-2-7540-0496-1	Mythologie (La)	Collectif
978-2-7540-0565-4	Généalogie (La)	F. Christian
978-2-7540-0555-5	Code de la route (Le)	Permisecole
978-2-7540-0751-1	Tests du code de la route (Les)	Permisecole
978-2-7540-0611-8	Littérature française (La) – Du Moyen Âge au XVIIIe siècle	J.-J. Julaud
978-2-7540-0612-5	Littérature française (La) – Du XIXe siècle à nos jours	J.-J. Julaud
978-2-7540-0696-5	Franc-maçonnerie (La)	P. Benhamou
978-2-7540-0695-8	Paris – Rive gauche	D. Chadych, D. Leborgne
978-2-7540-0694-1	Paris – Rive droite	D. Chadych, D. Leborgne

Disponibles dans la collection Pour les Nuls

Pour être informé en permanence sur notre catalogue et sur les dernières nouveautés publiées dans cette collection, consultez notre site internet www.efirst.com

Pour les Nuls **Bac**

ISBN	Titre	Auteur
978-2-7540-0735-1	Bac Français 2008 (Le)	G. Guilleron
978-2-7540-0736-8	Bac Philosophie 2008 (Le)	C. Godin
978-2-7540-0734-4	Bac Histoire-Géographie 2008 (Le)	H. Vessemont, N. Arnaud

Pour les Nuls **Guide de conversation**

ISBN	Titre	Auteur
978-2-7540-0177-9	Anglais (L')	G. Brenner, C. Raimond
978-2-7540-0178-6	Espagnol (L')	S. Wald, A.-C. Grillot
978-2-7540-0325-4	Italien (L')	F. Onifri, S. Le Bras
978-2-7540-0324-7	Allemand (L')	P. Christensen, C. Raimond
978-2-7540-0485-5	Chinois (Le)	W. Abraham, J. Bellassen
978-2-7540-0484-8	Néerlandais (Le)	M. Kwakernaak, M. Hofland
978-2-7540-0653-8	Japonais (Le)	E. Sato, V. Grépinet